QUARANTE-QUATRE MINUTES
QUARANTE-QUATRE SECONDES

DU MÊME AUTEUR

ROMANS, RÉCITS ET CONTES

Contes pour buveurs attardés, Éditions du jour, 1966 ; Bibliothèque
    québécoise, 1996
La Cité dans l'œuf, Éditions du jour, 1969
C'r'à ton tour, Laura Cadieux, Éditions du jour, 1973 ; Bibliothèque
    québécoise, 1996
Le Cœur découvert, Leméac, 1986 ; Grasset, 1987 ; Babel, 1995
Les Vues animées, Leméac, 1990
Douze coups de théâtre, Leméac, 1992 ; Babel, 1997
Le Cœur éclaté, Leméac, 1993 ; Babel, 1995
Un ange cornu avec des ailes de tôle, Leméac/Actes Sud, 1994 ; Babel, 1996
La Nuit des princes charmants, Leméac / Actes Sud, 1995

CHRONIQUES DU PLATEAU MONT-ROYAL

La grosse femme d'à côté est enceinte, Leméac, 1978 ; Babel, 1995
Thérèse et Pierrette à l'école des Saints-Anges, Leméac, 1980 ; Grasset, 1983 ;
    Babel, 1995
La Duchesse et le Roturier, Leméac, 1982 ; Grasset, 1984
Des nouvelles d'Édouard, Leméac, 1984
Le Premier Quartier de la lune, Leméac, 1989

THÉÂTRE

Les Belles-Sœurs, Leméac, 1972
En pièces détachées, Leméac, 1970
Trois petits tours, Leméac, 1971
À toi pour toujours ta Marie-Lou, Leméac, 1972
Demain matin, Montréal m'attend, Leméac, 1972
Hosanna suivi de *La Duchesse de Langeais*, Leméac, 1973
Bonjour là, bonjour, Leméac, 1974
Les Héros de mon enfance, Leméac, 1976
Sainte Carmen de la Main suivi de *Surprise! Surprise!*, Leméac, 1976
Damnée Manon, sacrée Sandra, Leméac, 1977
L'Impromptu d'Outremont, Leméac, 1980
Les Anciennes Odeurs, Leméac, 1981
Albertine en cinq temps, Leméac, 1984
Le Vrai Monde?, Leméac, 1987
Nelligan, Leméac, 1990
La Maison suspendue, 1990
Le Train, Leméac, 1990
Marcel poursuivi par les chiens, Leméac, 1992
Théâtre I, Leméac / Actes Sud Papiers, 1991
En circuit fermé, Leméac, 1994
Messe solennelle pour une pleine lune d'été, Leméac, 1996

ADAPTATIONS (THÉÂTRE)

Lysistrata (d'après Aristophane), Leméac, 1969, réédition 1994
L'Effet des rayons gamma sur les vieux garçons (de Paul Zindel), Leméac, 1970
Et Mademoiselle Roberge boit un peu (de Paul Zindel), Leméac, 1971
Mademoiselle Marguerite (de Roberto Athayde), Leméac, 1975
Oncle Vania (d'Anton Tchekhov), Leméac, 1983
Le Gars de Québec (d'après Gogol), Leméac, 1985
Six heures au plus tard (de Marc Perrier), Leméac, 1986
Premières de classe (de Casey Kurtti), Leméac, 1993

Michel Tremblay

QUARANTE-QUATRE MINUTES QUARANTE-QUATRE SECONDES

roman

LEMÉAC / ACTES SUD

Leméac Éditeur remercie la Sodec, ainsi que le Conseil des Arts du Canada du soutien accordé à son programme d'édition dans le cadre du programme des subventions globales aux éditeurs.

Toute adaptation ou utilisation de cette œuvre, en tout ou en partie, par quelque moyen que ce soit, par toute personne ou tout groupe, amateur ou professionnel, est formellement interdite sans l'autorisation écrite de l'auteur ou de son agent autorisé. Pour toute autorisation, veuillez communiquer avec l'agent autorisé de l'auteur : John C. Goodwin et ass., 839, rue Sherbrooke Est, suite 2, Montréal (Québec), H2L 1K6.

Tous droits de traduction et d'adaptation, en totalité ou en partie, réservés pour tous les pays. La reproduction d'un extrait quelconque de ce livre, par quelque procédé que ce soit, tant électronique que mécanique, et en particulier par photocopie et par microfilm, est interdite sans l'autorisation écrite de l'auteur et de l'éditeur.

© LEMÉAC ÉDITEUR, 1997
ISBN 2-7609-1806-8

© ACTES SUD, 1997
pour la France, la Belgique et la Suisse
ISBN 2-7427-1123-6

Illustration de couverture :
Egon Schiele,
Nu masculin au drap rouge
(détail), 1914,
Vienne, Graphische Sammlung Albertina.

On peut nouer un fil rompu,
mais il y aura toujours un nœud au milieu.

Proverbe persan

Un fantôme de pelleteur
qui pelletait un fantôme de neige.

ROBERT LALONDE
Où vont les sizerains
flammés en été?

Merci à Pierre Filion
pour ses remarques toujours justes,
sa gentillesse, sa patience.

Pour Jean Gratton

C'était une pièce minuscule encombrée de classeurs de métal d'un autre âge, qu'on aurait dit sortis d'un film noir des années quarante, et bardée d'étagères en bois peint où s'accumulaient dans un désordre sans nom des textes de radio reconnaissables à leur format huit et demi sur quatorze et des livres de toutes sortes posés là sans souci d'ordre. Quelques diplômes d'excellence ou des prix décernés à des émissions particulièrement réussies avaient été encadrés et accrochés dans les espaces restés libres, mais les cadres, jamais regardés et couverts de plusieurs générations de poussière, pendaient tout croches, abandonnés à leur sort. Un petit ordinateur portatif toujours sous tension traînait sur la table de travail poussée devant la fenêtre. Et partout, couchées ou debout, débouchées ou intactes, à moitié pleines ou vides depuis longtemps, des bouteilles de Perrier grand format accompagnées de dizaines de tasses de carton qui avaient contenu (ou contenaient encore) du café noir.

Il se dégageait de ce bureau une atmosphère d'évident je-m'en-foutisme distillée par des années de routine et de laisser-aller, un navrant parfum d'abdication pourtant contredit par la présence de ces bouteilles vertes et de ces tasses en carton, qui attestaient que la personne qui hantait ces lieux avait plus ou moins récemment trouvé le courage d'arrêter de boire et qu'un peu d'espoir l'habitait encore.

Le bureau lui-même, donc, capharnaüm où s'entassaient des années d'ennui, était plutôt rebutant à première vue ; en y entrant, on se sentait d'abord mal à l'aise devant cet étalage de confusion et de paresse, mais le regard était vite attiré par la fenêtre, grande, qui donnait sur l'est de Montréal, et soudain tout devenait lumineux.

Le panorama était splendide.

Située au quatorzième étage de la tour de Radio-Canada, la pièce donnait sur une incroyable perspective qui englobait le pont Jacques-Cartier, l'île Sainte-Hélène et la rive sud jusqu'aux monts Saint-Hilaire et Saint-Bruno. Par temps clair, on pouvait voir jusqu'aux États-Unis et François Villeneuve, l'occupant de ce désolant local, se disait, surtout quand il avait trop bu, qu'il n'avait qu'un pas à franchir pour devenir Américain. Chanteur américain. Chanteur américain à succès.

Affalé dans sa chaise de métal et cuir, il regardait ce soir-là venir la nuit.

Les deux montagnes, aux portes des Cantons de l'Est, avaient disparu depuis quelques minutes dans une lumière bleutée étonnante après les ors et les roses du coucher du soleil, mais le pont Jacques-Cartier luisait encore un peu d'un ambre très pâle, trop près du rouge, presque cuivré, seule structure dans le champ de vision de François à pouvoir capter ce qui traînait de clarté au-dessus de la ville.

Le rouge sang allait venir d'un coup, une gelée transparente, immobile, envahirait complètement la fenêtre pendant quelques courtes minutes, comme un mica écarlate collé sur la vitre. L'heure de vérité allait alors sonner.

François sourit devant le cliché qui venait de prendre forme dans sa tête. Il avait ce sourire méchant dont il avait le secret, qui donnait froid dans le dos et qui plongeait toujours son interlocuteur dans l'embarras. Cette fois, pas d'interlocuteur. Il était seul dans son bureau, porte fermée à clef, et contemplait davantage le disque compact et la bouteille de Beefeater posés sur son bureau que le saisissant coucher de soleil qui achevait de distiller ses violentes couleurs.

L'heure de vérité. Un cliché tellement précis, tellement vrai dans son cas, cependant : après avoir écouté le disque compact, après avoir jugé un passé qu'il avait eu le temps d'idéaliser, de magnifier, depuis trente-cinq ans qu'il était derrière lui, allait-il se remettre à boire ? Par dépit parce que son passé n'était pas à la hauteur de ses souvenirs ? Par rage de ne pas avoir connu l'avenir qu'il avait cru mériter ?

Il rit, se moucha parce qu'il était allergique à l'air climatisé, recyclé sans fin et envahi par les miasmes de tout le monde qui travaillait dans la tour. Combien de milliers de personnes avaient déjà respiré cet air et allaient le respirer encore à l'infini ? Chaque fois qu'il y pensait, François éternuait, toussait, éructait, se mouchait. Son assistante, Josette Allard, disait alors que le seul remède aux allergies était d'oublier qu'on était allergique et François lui lançait une boule de papier ou un trombone. Josette était partie depuis longtemps, bien avant le spectacle qui se déroulait à l'extérieur, bien avant que fussent étalés le disque et la bouteille de gin, et François, seul, attendait l'« heure de vérité » en souriant et en se mouchant.

Tout de suite après le coucher du soleil, s'était-il dit, au crépuscule. Sa mère aurait dit entre chien et loup.

Le téléphone sonna. Il décrocha aussitôt, machinalement, et le regretta parce qu'il avait décidé de vivre ce moment pleinement, en solitaire, en toute conscience du danger, sans aucune intrusion de l'extérieur.

« Oui, allô ?

— C'est moi...

— Mon Dieu, me cherchais-tu ?

— Si je t'appelle, c'est que j'te cherchais...

— M'attendais-tu ? On avait-tu rendez-vous ?

— Pas vraiment. J'me demandais juste ce que tu faisais pour le souper... Et surtout à quelle heure. »

François passa un doigt sur la bouteille de gin, sur le ridicule petit bonhomme rouge et noir de l'étiquette.

« Pour le moment, je regarde le coucher du soleil.

— Le soleil est déjà couché.

— Faudrait-tu que je saute dans un taxi pour aller te rejoindre aussitôt que le soleil est couché ? »

Constant, à l'autre bout du fil, soupira. Puis raccrocha sans rien ajouter.

François imagina sa belle tête frisée, sa peau

d'ébène luisante qui l'avait si longtemps enivré, ses yeux tellement bruns qu'on se disait, quand on les voyait pour la première fois, que c'était incroyable, des yeux bruns comme ça, sa moue attristée parce qu'il allait sûrement faire la moue pendant quelques heures. Là-bas, dans la maison de la rue Tupper, Constant avait dû se lever pour se servir un verre de pouilly-fuissé. Puis s'évacher devant la télévision en l'attendant. C'était l'heure de... de quoi, déjà? Il consulta sa montre. C'était l'heure de *Wheel of Fortune* et Constant, passé maître dans ce jeu de devinettes débile, allait crier les réponses avant tout le monde avec son accent québécois encore étonnant chez ce fils d'immigrant haïtien:

« J'aurais gagné! J'aurais encore gagné! Vingt-cinq mille piasses! Ça se peut-tu! Vingt-cinq mille piasses pour une devinette aussi niaiseuse!»

François coucha la bouteille, regarda la bulle d'air se promener de droite à gauche pour aller se fixer sur le cul de la bouteille parce que sa table de travail n'était pas de niveau.

« Si y me voyait avec mon quarante-onces de Beefeater...»

Il releva les yeux vers la fenêtre. Il avait presque raté la minute magique, le rouge sur la ville, le rose dans le ciel, ce rose qui pénétrait très loin dans la nuit déjà venue, à l'est, la lutte à mort entre la lumière et les ténèbres que la lumière était condamnée à ne jamais gagner.

Il avait écrit une chanson là-dessus, autrefois, quoi, trente-quatre, trente-cinq ans auparavant? Un beau texte, une musique obsédante. L'un de ses plus grands succès. Qui se retrouvait bien sûr sur le disque compact. Sans réfléchir — ou alors sa pensée avait fonctionné à la vitesse de la lumière —, François se jeta sur le boîtier de plastique, l'ouvrit, en extirpa le disque argenté qu'il glissa dans le lecteur portatif.

Une semaine plus tôt — peut-être même deux — on lui avait fait parvenir une boîte de cinquante disques qu'il avait éventrée en criant : « Enfin ! Enfin ! Depuis le temps que j'attends ça ! » Son excitation était telle qu'il s'était piqué le pouce de la main gauche avec une agrafe de métal. Et c'est en suçant sa blessure qu'il avait contemplé pour la première fois son premier disque compact. Qui serait le dernier, d'ailleurs, parce que François Villeneuve n'avait enregistré qu'un seul disque au milieu des années soixante. Pour la Columbia, comme certains de ses confrères, Léveillée, Vigneault, Calvé, Gauthier et d'autres, et sa plus célèbre consœur, Monique Leyrac. Eux, cependant, avaient connu une vraie carrière.

Mais il avait été incapable d'écouter ses propres chansons, sa propre voix, les arrangements si beaux de Jacques Gratton dont il venait d'apprendre la mort après de longues souffrances. La dernière audition remontait à plus de quinze ans, juste avant qu'il ne remise à jamais au fond d'un quelconque placard sa platine. C'était plus que la peur qui l'avait retenu, c'était la certitude de se retrouver devant un grand vide lorsqu'il allait se rendre compte que tout ça ne valait rien, qu'il avait tant souffert pour si peu, que sa vie s'était concentrée sur un tout petit malheur, la perte d'un tout petit talent, et qu'en fin de compte il aurait dû, depuis trente ans, remercier le ciel de cet échec et de lui avoir épargné une toute petite carrière qu'il aurait trouvée humiliante. Celle qu'il avait connue avait été courte mais fulgurante ; elle s'était terminée sur un point d'orgue qui avait tout foutu en l'air et dont il avait été si fier pendant si longtemps...

Et maintenant ?

Maintenant, il avait cinquante-cinq ans et il était incapable de faire face à son passé.

Les disques étaient restés dans un coin de sa salle de travail de la maison de la rue Tupper. Il n'y avait plus retouché jusqu'à ce matin.

Un soir, en rentrant, il avait surpris dans le regard de Constant une lueur nouvelle, comme une admiration en veilleuse qu'on aurait ressuscitée, et il avait compris que son chum avait écouté son disque. Il avait mis son index sur sa bouche ; Constant avait compris que, quoi qu'il ait pensé des chansons de François, il fallait qu'il se taise. Celui-ci sentait bien que Constant avait aimé ses chansons, mais Constant l'aimait et ne montrait aucune objectivité — tout ce que disait François, tout ce qu'il faisait était parfait —, alors ses compliments n'auraient compté pour rien.

Il ferma les yeux, puis les rouvrit aussitôt ; il voulait voir le pont Jacques-Cartier allumer ses lampions pendant que lui-même s'écouterait se décrire en chanson.

Sa voix s'éleva dans le bureau, sans les rayures

19

du trente-trois tours auxquelles il avait fini par s'habituer; il sursauta un peu parce qu'il ne s'attendait pas à un son d'une telle qualité:

Le pont Jacques-Cartier allume ses lampions...

Le bond dans le temps fut si brusque que François se prit à pleurer avant même de comprendre que des larmes lui étaient montées aux yeux. Il revit les séances d'enregistrement houleuses, le studio trop petit où il étouffait, les discussions sans fin avec Gerry Coulombe, son coproducteur et agent, autour d'une bouteille de gin ou des restes d'un repas vite avalé. Ils ne s'entendaient sur rien et ç'avait tout gâché. Il se rappela le retard important que cela avait entraîné, rattrapé de justesse en rognant sur les heures de repos, les sandwiches qui séchaient sur le piano, les cafés qui caillaient un peu partout, les mégots de cigarettes débordant des cendriers jamais nettoyés. Puis le résultat final dont il avait été si fier. Et qui avait été sa perte.

Il se concentra sur ce qu'il écoutait.

C'était une chanson a cappella et il avait dû se battre pour que Gerry Coulombe accepte de la placer au début du disque...

LE PONT JACQUES-CARTIER

(composée en 1960)

« François! Bon! Ça se fait pas, c'est toute!

— Ça fait une heure que tu me dis ça! J'veux savoir pourquoi ça se fait pas! Y a-tu un règlement, y a-tu une loi, c'est-tu écrit quelque part en toutes lettres: *Il ne faut jamais placer une chanson a cappella au début d'un disque*?

— Pis moi, ça fait une heure que j'te dis que c'est une question de bon sens! Les gens qui vont acheter ton disque — parce qu'on aimerait ça qu'y en aye quelques-uns qui l'achètent, non? — quand y vont le mettre sur leur pick-up, y vont vouloir entendre autre chose que juste ta voix! Sinon ça va faire pauvre! Ça va faire chenu! Ça va avoir l'air loser, François! Ça va avoir l'air d'un autre disque de folklore enregistré dans le fond d'une garde-robe! Ça fait des années que tu ris des disques de folklore, François, commence pas le tien comme si c'en était un!

— Les gens qui viennent m'entendre chanter savent que j'ai une chanson a cappella! C'est une des plus belles, Jésus-Christ! J'ai été obligé de la refaire, l'autre soir, à la Butte à Mathieu, tellement le public était enthousiaste!

— Justement, garde-la pour la fin!

— J'veux la mettre au début, Gerry! Le disque a été pensé comme ça! J'trouve ça important de

23

commencer sur le pont Jacques-Cartier avant d'entrer dans la ville... C'te chanson-là est une introduction aux autres... J'la fais comme ça en spectacle, c'est comme ça que ceux qui viennent m'entendre chanter la connaissent...

— Arrête donc avec ça! Ceux qui viennent t'entendre chanter sont au nombre de deux cents!

— Gerry! Franchement!

— C'est une façon de parler, j'veux dire que ce disque-là devrait s'adresser à beaucoup plus de gens que ton simple public qui te suit partout de toute façon, pis qui est prêt à tout accepter de toi... même que tu chantes a cappella à la fin du disque plutôt qu'au début...

— C'est pour eux autres que je fais ce disque-là, Gerry, pis j'veux pas les décevoir.

— François! Viens pas jouer les purs avec moi! C'est pas pour eux autres pantoute que tu fais ce disque-là! Voyons donc! C'est pour toi! Juste pour toi! Leurre-toi pas là-dessus! T'étais prêt à toutes les bassesses pour le faire, ce disque-là, t'as vendu ton âme, ton corps et le reste de ta vie à la Columbia, viens pas me dire que tu pensais à ton public!

— C'est pas vrai!

— Qu'est-ce qui est pas vrai? Que tu t'es vendu à la Columbia, ou que tu pensais pas à ton public?»

De rage, François dépose ses baguettes dans son assiette où fume un *chow mein* au poulet. Il en mangerait trois fois par jour et ses amis sont désespérés de se retrouver si souvent rue de La Gauchetière, dans quelque boui-boui odorant, autour

24

d'un immense plat de nouilles et de légumes trempant dans une sauce brunâtre. Il s'essuie la bouche
avec sa serviette de papier. Il pose les coudes sur la
table, se penche, approche son visage de celui de
Gerry.

«Es-tu en train de me dire qu'y a un article
dans mon contrat qui stipule que j'ai pas le droit
de placer une chanson a cappella au début de mon
disque?

— Ben non… y se mêleront pas du côté artis-
tique, c'est moi qui m'occupe de ça… y m'ont
laissé carte blanche.»

François pousse un soupir d'exaspération en
secouant la tête.

«Non, non, non… y m'ont laissé carte blanche
à moi. Tout seul. Fais-toi pas d'illusions, c'est moi
qui décide. Un point c'est tout.

— Moi aussi, chus producteur de ce disque-là,
François…

— J't'ai laissé le titre parce que ça te flattait,
mais c'est moi qui décide.»

François a rencontré Gerry Coulombe dans un
souper chez des amis, quelques années plus tôt,
après un spectacle donné dans une autre boîte à
chansons, peut-être la Butte à Mathieu. Il en faisait tellement, à l'époque, des grandes boîtes, im-
provisées dans les sous-sols des églises où le son
était atroce, des petites avec des filets de pêche
accrochés au plafond et des bouteilles de chianti
en guise de lampes pour faire chaleureux et buco-
lique, qu'il finissait par les confondre. En fait,
leur rencontre avait été un *blind date*, organisé par
le nain Carmen, et qui avait drôlement tourné:

Gerry était immédiatement tombé sous le charme de François qu'il vénérait déjà comme auteur-compositeur et qu'il trouvait vraiment très beau, mais ce dernier avait lu dans le regard du « gérant d'artistes », comme se plaisait à se présenter le gros homme, l'avidité autant que le dévouement, la lascivité plus que la simple admiration, l'intérêt plus, beaucoup plus, que la générosité. Gerry l'avait même un peu écœuré avec ses babines toujours mouillées et son léger tremblement d'alcoolique. François avait été poli, distant, Gerry avait beaucoup aimé ça, avait insisté...

Et Gerry Coulombe était devenu son gérant parce qu'il en fallait désormais un à François, les contrats se faisant de plus en plus nombreux et de moins en moins simples. Il se souvenait de l'époque bénie, pourtant récente, où une poignée de mains suffisait à lier les deux parties ; au El Cortijo, par exemple, où il avait fait ses débuts, plus tard à l'Égrégore, au Patriote ou à la Butte à Mathieu. Gerry Coulombe était le gérant le plus connu de Montréal, le moins malhonnête aussi, c'était du moins ce qu'on prétendait, et il était tombé amoureux fou de celui qu'*Échos Vedettes* appelait déjà le bourreau des cœurs en sachant très bien à quel sexe appartenaient ces cœurs, mais en le dissimulant avec une méchanceté satisfaite. Alors, par pure paresse, parce que c'était plus facile, et plus commode, François avait laissé leur relation se transformer peu à peu et Gerry était devenu son amant en titre. Un couple étrange s'était donc formé, reposant davantage sur l'intérêt mutuel que sur le vrai sentiment partagé.

François Villeneuve s'était donc laissé aimer et « gérer » comme la plus conne de ces petites chanteuses yéyé dont il s'était moqué si longtemps en suivant leur pitoyable carrière et leur inévitable chute dans les journaux à potins. Et tant qu'un vrai agent ne se présenterait pas, Gerry Coulombe resterait dans sa vie, il le savait, et il en nourrissait des insomnies de plus en plus tenaces.

Parfois, le matin, après une nuit pénible passée à écouter ronfler son gérant, François se regardait droit dans les yeux en se faisant la barbe et se demandait qui, en fin de compte, avait été le plus avide, le plus intéressé. Quand il écrivait ses chansons, il essayait d'éviter les clichés, cherchait le mot nouveau, la formule originale, mais il s'était laissé devenir un cliché vivant sans presque lutter, par pur arrivisme. Pitoyable.

« De toute façon, j'te l'ai déjà dit, François, j'ai jamais compris pourquoi cette chanson-là était a cappella. Coco te fait de tellement beaux arrangements ! »

François ne bouge pas. Il ne va tout de même pas recommencer à expliquer ce qu'il a déjà expliqué des dizaines de fois ! Il en a assez des discussions oiseuses.

« Fais pas c't'air-là, François, c'est une farce ! J'essaie d'alléger l'atmosphère, un peu… On nage en plein mélodrame depuis des semaines à cause d'une maudite chanson a cappella ! »

En fait, le *disque complet* est un sujet de drame depuis des semaines, depuis la signature du contrat, depuis qu'ils se sont penchés tous les deux, lui et son gérant — Dieu, qu'il déteste ce mot !

Pourquoi gérant? C'est tellement laid, tellement primaire, mais Gerry repousse avec entêtement le mot agent, qu'il associe aux agents de l'air, en disant qu'il ne veut pas être le waiter de François — pour en préciser la teneur et le déroulement. François a composé plus de cinquante chansons et déjà le choix des dix qui allaient être enregistrées a été dramatique, parfois même loufoque. À force d'explications, d'obstination, de persévérance, il a fini par vendre à Gerry l'idée d'une histoire en dix chansons dont il est assez fier et qu'il ne veut pas gâcher en plaçant le début à la fin juste parce que la première se chante sans accompagnement. De toute façon, sa voix est belle et il interprète bien la chanson.

« Dompe-la donc, c'te maudite chanson-là, aussi, ça va être ben plus simple ! »

François est déjà debout dans l'espace exigu entre les tables où dîne silencieusement une clientèle surtout composée de Chinois qui ne parlent ni anglais ni français. Il crie à tue-tête, les mains sur les hanches et les veines du cou gonflées.

« Je le savais ! Je le savais que tu finirais par dire ça ! J'te voyais venir avec tes gros sabots ! »

Gerry est rouge de confusion et regarde autour de lui avec des yeux fous.

« Parle plus bas ! Pis veux-tu te rasseoir ! Tout le monde nous regarde ! Tu sais comment sont les Chinois ! Y pourraient nous empêcher de revenir ! Pis c'est un de tes restaurants préférés !

— J'm'en fous que tout le monde nous regarde ! J'm'en sacre de pas pouvoir revenir ici ! Détourne

28

pas la conversation, encore! C'te chanson-là va rester a cappella, Gerry, pis a' va rester sur le disque, pis a' va rester au début du disque! Chus peut-être la dernière des guidounes, je le sais que c'est ça que tu penses de moi, mais y me reste assez d'orgueil, pis ce disque-là est assez important pour moi pour que j'envoye chier quiconque va essayer de me mettre des bâtons dans les roues! Pis c'est pas un ignorant qui connaît rien pis qui sent rien qui va venir me dire quoi faire!»

Il fait claquer la porte du Kathay derrière lui et se retrouve dans la neige qui recouvre la rue La Gauchetière. Le vent le bouscule; il est obligé de remonter la fermeture Éclair de son blouson trop léger pour la saison. Il devait se rendre en compagnie de Gerry au studio RCA de la rue Guy au sud de Sainte-Catherine pour faire quelques dernières retouches à une chanson, mais son cerveau est englué dans une rage blanche qui lui coupe tous ses moyens. Il sait qu'il ne pourra pas travailler, qu'il va ruminer cette conversation toute la nuit, l'analyser, la décortiquer, en extraire jusqu'aux moindres petites liqueurs amères, qu'il va se rendre malade à force de s'insurger contre l'imbécillité de son gérant, sa vulgarité, son obstination, son étroitesse d'esprit. En plus, il sera obligé d'endurer sa présence dans le lit.

Non. Pas cette nuit.

François se met à hurler sa chanson a cappella en plein boulevard Saint-Laurent. Il la trouve belle, il trouve sa voix belle, il sait qu'il a raison, il sait surtout qu'il ne passera pas la nuit chez lui. Le nain Carmen peut l'héberger. Ou un inconnu.

Plutôt un inconnu, tiens, à qui il n'aura rien à expliquer et dont il pourra se délecter.

Les conséquences ? Au diable les conséquences, Gerry en a vu d'autres.

*

« Y paraît que t'es t'après enregistrer un disque. C'est-tu vrai ? »

Alexandre, c'est du moins comme ça qu'il prétend s'appeler mais il doit porter le nom de Robert ou de Jean-Paul, comme tout le monde, a donc attendu que la grande suée soit terminée avant de lui faire comprendre qu'il l'a reconnu. François ne répond pas tout de suite. Cigarette aux lèvres, il fait le tour de la chambre à la recherche de ses bas, de son slip, de son T-shirt.

« M'as-tu entendu ? »

Il ne retire pas sa cigarette pour répondre et la fumée lui monte aux yeux. Il est obligé de faire ce qu'il appelle dans une de ses chansons « la grimace du fumeur », et ça l'exaspère parce qu'il trouve que ça l'enlaidit.

« Oui, j'ai entendu. Pis oui, c'est vrai que chus en train d'enregistrer un disque. Pourquoi tu m'as pas demandé ça avant ? Tu voulais pas que je sache que tu m'avais reconnu ? Qu'est-ce que ça aurait changé ?

— J'voulais pas que tu penses que c'était juste à cause de ça que tu m'intéressais.

— Mais c'tait aussi à cause de ça.

— Qu'est-ce que tu penses… Coucher avec toi, c'est devenu le fantasme de tous les gars qui mar-

30

chent à Montréal. On dirait que ceux qui réussissent à te rencontrer, à baiser avec toi ont gagné une médaille, ou un trophée, ou quequ' chose du genre...

— Y en a-tu tant que ça qui s'en vantent ?

— J'comprends !

— Pis tu les crois tous ?

— Ben... Oui. »

François sourit, se rassoit sur le rebord du lit pour enfiler ses bas de grosse laine brute, si vilains, mais que ses *scores* trouvent sexy. Il y en a même qui lui demandent de les garder pour baiser. Parce que ça fait homme. Parce que ça fait bûcheron.

« J'suppose que je devrais me sentir flatté d'être devenu un trophée.

— En tout cas, moi chus flatté de t'avoir rencontré.

— Pis tu vas t'en vanter ? Tu vas exhiber ton trophée devant tout le monde ?

— Ben sûr ! J'peux-tu ?

— Tu le ferais même si j'te le défendais, non ?

— Peut-être. Je l'sais pas. En tout cas, ça serait difficile de me retenir. Pis frustrant. C'est dur de garder des choses comme ça. Tu comprends, j'vas en faire baver toute une gang ! »

François le regarde : il semble vraiment flatté, l'imbécile. Il s'étend à côté d'Alexandre — ou de Robert, ou de Jean-Paul —, reprend la position qu'il avait avant de se relever.

« Veux-tu qu'on recommence ?

— Non, chus juste un peu fatigué.

— J't'ai dit que tu pouvais passer la nuit ici, si tu veux... Le lit est grand.

31

— Non, non, j'vais m'en aller... bientôt. Après ma cigarette.

— Gerry Coulombe t'attend ? »

François tourne la tête brusquement, retire sa cigarette, cette fois.

« Ça aussi, ça se sait ?

— Ben c't'affaire ! Pis y' a ben du monde qui comprennent pas ça. T'es tellement beau. Mais moi, j'pense que j'te l'ai dit, chus un freak de Maria Callas, j'ai tous ses disques, pis j'suis sa carrière dans les magazines spécialisés... Ben, j'dis toujours aux gars que Maria Callas est mariée à son manager, elle aussi, qu'a' doit pas l'aimer elle non plus, parce que y' est pas beau lui non plus, pis que ça doit être un mariage de raison... comme vous autres. Parce que c'est plus facile, plus commode... C'est-tu ça ?

— Vous savez même que Gerry est pas beau...

— Ben, y' était pas mal connu dans le milieu avant que tu le rencontres, hein... Pis y' avait pas ben ben bonne réputation... »

François ferme les yeux pendant que le prétendu Alexandre continue à analyser sa carrière et ses amours à haute voix. Il essaie d'imaginer Gerry en train de draguer dans un bar. Une toute petite nausée — c'est nouveau pour lui qui a toujours eu un estomac en béton armé — s'insinue au creux de son ventre, lui barbouille le cœur ; il prend une grande respiration, la retient quelques secondes, expire avec un léger bruit qui attire l'attention de l'athlétique blondinet étendu à son côté. C'est ce qui l'a surtout attiré chez Alexandre : le fait qu'il possédait tous les attributs du blondinet pâlot à qui on a envie de faire un peu mal, attributs contredits, cependant, par un corps qu'on devinait souple et même musculeux sous le chandail de laine noire. Il s'était dit : faudrait que j'essaye ça, la fragilité et la force en même temps, c'est tellement rare... Et il ne s'était pas trompé, Alexandre s'est montré aussi énergique que tendre et leur partie de jambes en l'air s'est révélée l'une des plus complètes et des plus satisfaisantes depuis longtemps. Des plus épuisantes, aussi.

« Pourquoi tu soupires ?

— J'soupire pas.

— Ben oui, tu viens de soupirer. »

François pousse un long soupir d'exaspération.

« Tiens, c'est ça un soupir. Un vrai soupir. Pis lâche-moi un peu, on n'est pas mariés, Jésus-Christ ! »

Le blondinet musculeux s'assoit sur le lit, tapote son oreiller, le pose sur ses genoux, se croise les jambes.

« T'as la réputation d'être bête, aussi.

— Ben, tu vois, c'est vrai.

— T'as pas de raisons d'être bête. On jase.

— Toi, tu jases. Moi, j'voulais juste me reposer.

— J'me s'rais endormi, pis en me réveillant, demain matin, t'aurais disparu. C'est ça ?

— C'est ça. J'aurais attendu que tu dormes, j't'aurais peut-être donné un bec sur le nez pis... j't'aurais laissé tu-seul avec ton trophée. »

La nausée s'est transformée en une espèce d'émotion indéfinissable, pas très loin de la grosse peine primaire et gluante, mais différente en ce qu'elle laisse les yeux secs et que son cœur ne semble pas vraiment concerné.

De l'écœurement, voilà. Il est dégoûté, il en a ras le bol, comme diraient les Français, il a envie de tout laisser tomber, le disque, Gerry, Alexandre — c'est presque déjà fait —, la carrière — quelle carrière? — la vie, quoi que cela puisse signifier. La chanson. Laisser tomber la chanson. Il a envie de laisser tomber la chanson.

Il regarde autour de lui. En rentrant dans cette immense chambre de la rue Peel, quelques heures plus tôt, il s'est demandé s'il y avait là matière à chanson: les murs hauts, le lit défait, l'évier dans le coin dont le robinet fuyait, les boiseries du plafond surgies du tournant du siècle, le tourne-disque posé à côté d'une pile d'opéras, le portrait de la Callas collé bien droit au-dessus de la commode. Alexandre, et sa chambre qui lui ressemblait tant. Du moins à son côté blondinet. Mais où donc était caché son côté musculeux? Dans le lit? Pendant quelques secondes, avant qu'Alexandre ne commence à le déshabiller après un baiser particulièrement professionnel, François s'est surpris, comme d'habitude, comme cela lui arrive plusieurs fois par jour, à chercher les premiers vers d'une chanson. La tête blonde, les muscles, l'odeur musquée de sueur et de laine, la chambre louée à la semaine aux étudiants de McGill... Oui, il pourrait faire quelque chose de tout ça. Pas une grande chanson, mais quelque chose de potable que son public trouverait courageux parce que, pour une fois, ça parlerait de ses vrais goûts. Mais Gerry lui défendrait probablement de la chanter,

34

comme les autres du même genre, parmi ses plus réussies.

La chanson a cappella, la raison originelle de sa présence ici, lui revient tout à coup en mémoire et il ferme les yeux.

Alexandre se penche sur lui.

« Mon Dieu ! On dirait que quelqu'un vient de te donner un coup de poing dans le ventre. »

Sans s'en rendre compte, sans surtout l'avoir voulu — parce qu'il est persuadé de ne pas l'avoir voulu —, François se retrouve dans les bras d'Alexandre.

« On peut recommencer, si tu veux. Mais dis-moi ton vrai nom.

— Gaétan. Pourquoi ? »

Jamais un sujet de chanson ne s'appellera Gaétan. Soulagé, François est déjà à la recherche de la touffeur du pubis blond et odorant à peine séché.

*

Lorsqu'il se réveille, le soleil a déjà envahi la chambre. Et il est seul dans le lit. Sur l'oreiller, un mot : « Tu avais l'air trop bien. Si tu veux mon numéro de téléphone, prends-le sur l'appareil. Je ne veux pas te l'imposer. » Il s'étire, bâille, fait le chat, comme dirait Gerry. Mon Dieu, Gerry ! Le disque ! Tout lui revient d'un seul coup. Il consulte sa montre.

La séance devrait être commencée depuis une heure et demie.

Il s'habille à toute vitesse, sort de la chambre en courant, se rend compte qu'il a oublié ses gants et qu'il devra revenir s'il veut les récupérer (il n'a pas pris le numéro de téléphone), pense à laisser un mot de remerciement sur la porte, mais il n'a ni crayon ni papier, se trouve trou-de-cul de partir comme ça, en voleur, puis, comme d'habitude, se dit qu'il finira bien par le retrouver, ce gars-là, en sachant parfaitement qu'il n'essaiera jamais. Il n'est même pas sûr qu'il aura envie de le reconnaître si jamais il le croise dans la rue ou dans un bar. Même s'il en vaut la peine? Surtout s'il en vaut la peine!

« Une nuit d'ivresse qui m'aura coûté une paire de gants... »

Le cynisme, toujours. C'est plus facile. On va droit au but, mais en évitant de creuser le sujet. On reste en surface et on se moque. On se fait croire qu'on est insensible. Et ça marche. Pas toujours, mais souvent.

Il fait froid, il met ses mains dans ses poches. Il entre s'acheter un bout de pain chez Dionne, au coin de Sainte-Catherine et Drummond, le dévore en courant vers la rue Guy. Il lui faut un café. Fort. Il y en aura du bon au studio RCA.

Il est essoufflé. Il est convaincu qu'il ne pourra pas chanter. Deux heures de retard. C'est la première fois que ça lui arrive.

*

C'est aussi la première fois que Gerry lui fait une scène en public, et il a honte. C'est vraiment très laid : visiblement, Gerry a bu une grande partie de la nuit, il contrôle mal ses émotions et sa

36

façon de les exprimer. Ce qui sort de lui est énorme, gras ; ça part dans toutes les directions et ça frappe n'importe comment. Aucun reproche, aucune récrimination ne concernent le disque ; tout est personnel, leur vie à deux, ses incartades à lui, François, les frustrations de Gerry refoulées depuis des mois, les retards inexpliqués, les absences répétées, tout est étalé au grand jour, offert à qui veut bien s'en repaître. Un à un, les musiciens sont sortis, Jacques Gratton le premier, puis le technicien du son, comprenant qu'il n'y aurait pas de séance ce matin-là, a fermé ses appareils avant de se retirer sur la pointe des pieds.

Ils sont désormais seuls tous les deux, mais les autres en ont déjà trop entendu. François est humilié. Prostré sur le banc du piano, il ne regarde même plus gesticuler Gerry qui se trouve encore plus insulté. Alors il essaie de nouveau le cynisme. Cette fois, cependant, ça ne marche pas. Ce qui lui passe par la tête est pourtant drôle : au cinéma, parce que les couples du même sexe sont impensables, son rôle serait tenu par Judy Garland chez les Américains, peut-être par Simone Signoret chez les Français, et son partenaire, James Mason ou Serge Reggiani, en serait au milieu de sa grande scène de jalousie. Aux États-Unis, on dirait de James ou de Serge qu'il fait les pieds aux murs pour gagner l'Oscar ; en France, on inventerait des épithètes pour décrire la force virile de son jeu. Mais aucun acteur au monde ne pourrait rendre le grotesque de la situation, la grossièreté du personnage. Au cinéma, donc, ce serait une grande scène dramatique ; dans la vie ce n'est qu'un mélodrame de plus dans la vie d'un couple pitoyable et bouffon. Bouffon, oui. Tout à fait. Bouffon. Il imagine Gerry avec un nez rouge et une perruque qui tourne sur sa tête ; il pense à la dernière scène de *I Pagliacci* mais jouée en comédie. *È finita la commedia.* Ça non plus, ça ne marche pas. Il n'a pas envie de rire. Il n'y arrive pas.

Alors, par pure bravade ou simplement parce qu'il en a assez, qu'il ne veut vraiment plus entendre son manager — son amant, surtout, parce que c'est l'amant trompé, cette fois, qui parle —, proférer des énormités et vagir comme un bébé, François se met à pianoter tout doucement. De la main gauche. En effleurant à peine les notes. Surtout les noires. Gerry, qui n'en croit pas ses oreilles, se tait aussitôt. François se rend compte que la nuit dernière a porté fruit, en fin de compte. Quelque chose de beau lui trotte dans la tête. La chambre d'étudiant. La rue Peel sous la neige. La touffeur blonde. Rien d'autre n'existe plus. S'il arrive à composer la chanson assez rapidement, s'il la donne tout de suite à Coco pour les arrangements, il pourra peut-être l'intégrer au disque, la mettre tout de suite après *Le Pont Jacques-Cartier...* Non, pas là, c'est trop tôt pour une chanson d'amour. Parce que ce sera une chanson d'amour comme on ne veut pas qu'il en chante.

Dans un coin du studio, Gerry sanglote d'exaspération.

*

L'horaire des séances a été chambardé parce que François veut absolument enregistrer sa chanson a cappella ce jour-là. Pour faire chier encore plus Gerry, pour le pousser au pied du mur dans l'espoir qu'il va réagir autrement qu'en lui faisant une scène de ménage: il voudrait que Gerry claque la porte du studio et sorte de sa vie une fois pour toutes. Quelles qu'en puissent être les conséquences. Leur vie à deux est devenue insupportable et quelqu'un d'autre acceptera sûrement de s'occuper de ses affaires. Sinon... Sinon, il s'arrangera. Les autres s'arrangent bien, non? Est-ce que quelqu'un s'occupe de la carrière de Monique Leyrac ou de celle de Vigneault ou d'Hervé Brousseau? Probablement. Alors il ira les voir, leur demandera conseil, fera comme eux. Gerry l'a trop protégé, il n'a plus le sens des réalités. Il ignore combien on le paye et ne voit jamais la couleur de l'argent qu'il gagne...

Et ce contrat qu'il a signé avec Gerry, jusqu'à quel point le lie-t-il à son agent? Et pour combien de temps? Et à quelles conditions? Il ne l'a jamais lu! Ce torchon est-il seulement valide?

Il a envie de se sauver encore une fois. Mais il est derrière le micro et Coco, qui a accepté de rester pour le diriger, le conseiller dans son interprétation vocale, attend patiemment derrière la vitre du studio.

Comme en coulisse avant un spectacle, François « se part à la main », comme il le dit lui-même: il essaie d'imaginer celui qui chante — c'est lui, bien sûr, c'est lui qui a tout pensé, tout fait, tout bâti, mais c'est aussi un personnage différent de lui, plus sensible, plus naïf, moins cynique, qu'il essaie d'imaginer déambulant sur le pont Jacques-Cartier en direction de Montréal. Il arrive de loin, ne sait pas encore qui il est et vient plonger dans la grande ville dans l'espoir de se trouver. Il a voulu traverser le pont à pied pour regarder la ville venir à lui. C'est le soir et tout semble féerique, le fleuve, le pont, Montréal... Il se doute bien — le personnage — qu'il vit ses derniers moments de candeur et il les savoure en se dirigeant vers les lumières comme un papillon de nuit. Tout est désormais possible.

François aime débuter son tour de chant avec cette chanson vieille de cinq ans parce c'est vrai qu'elle sert de préambule aux autres, mais surtout parce que c'est lui qui décide quand le spectacle va commencer ; il n'y a pas d'introduction musicale, il n'est pas obligé d'entrer en scène sur une mesure précise du piano, il peut prendre cinq ou dix secondes de plus s'il en a besoin, s'il a trop le trac ou un chat dans la gorge, il peut délibérément faire attendre son public s'il en a envie. C'est lui qui mène. Il aime palper l'impatience qui monte dans la salle, écouter les rires nerveux, sentir les questions qui commencent à fuser : Y est-tu malade ? Y va-tu chanter ? Y vont-tu annoncer qu'y a été retardé pour nous dire ensuite de rentrer chez nous parce qu'y s'est pas présenté ? Il les possède avant même d'entrer en scène. Et quand il fait ses premiers pas sur le plancher de bois des boîtes à chansons ou le *terrazzo* des sous-sols d'église, il arrive comme un cadeau et on le reçoit comme un dieu.

Ça y est, il est prêt, il peut y aller.

Il prend une grande respiration qu'il entend parfaitement bien dans les écouteurs. Il s'écoute respirer et pense : Écoutez ben ça !

Il appuya sur *Pause*, le lecteur s'arrêta. Il regarda l'appareil quelques secondes puis le ferma complètement.

« Qu'est-ce qu'y ont fait ? Y me semble que je chantais pas aussi bien que ça, que ma voix était jamais aussi belle... »

Il se rappela le jeune homme, au téléphone : « Nous sommes très heureux que vous ayez enfin accepté de transférer votre disque sur un CD, depuis le temps que nous insistions en vain... » Un téteux de la pire espèce, qu'il avait refusé de rencontrer et à qui il avait fini par donner carte blanche plutôt que de discuter avec lui. Il avait effectivement été question d'un nouveau mixage, il s'en souvenait maintenant. « Nous allons tout refaire, monsieur Villeneuve, effacer les scories, réparer les défauts, ce sera un grand CD, je vous le promets. Vous vous étonnerez vous-même ! »

Son regard revint à la fenêtre. La nuit était maintenant tombée. On ne voyait plus le fleuve. On aurait dit que le pont était suspendu dans le vide, qu'il enjambait l'abîme, en fait, qu'il reliait deux rives penchées au bord d'un gouffre sans fond. L'eau n'existait plus. Seul un canyon se creusait là, une gorge profonde d'où l'eau s'était retirée pour la nuit. Il avait contemplé ce gouffre, un soir, il y a longtemps, il avait pensé s'y jeter, s'y fondre, devenir une parcelle infime de ce noir d'encre parce que, à vingt-cinq ans, sa vie venait de sombrer. Il l'avait voulu, cependant, il avait voulu que sa vie éclate, mais là où il avait cru apercevoir une lueur d'espoir, où il avait espéré la compréhension ou, du moins, une certaine forme d'acceptation, de tolérance, il n'avait trouvé que la bonne vieille ignorance crasse et s'était retrouvé devant une carrière et une vie indéniablement brisées. Et debout sur le parapet d'un pont qu'il avait chanté la veille, en train d'envisager une mort ridicule et plutôt lâche. Il n'avait pas sauté parce qu'il s'était souvenu qu'il y avait de l'eau, en bas, et qu'il risquait de ne pas mourir. Il n'avait pas envie de se retrouver à la une de *Échos Vedettes* en faux noyé ; l'humiliation serait si grande qu'aucune forme de cynisme n'arriverait à l'atténuer.

La douleur se raviva d'un seul coup, comme à l'époque où il buvait pour éteindre ce feu ou, du moins, pour l'anesthésier. Il se rappela la saveur du gin, la douceur de sa langue contre son palais, la brûlure dans l'estomac quand il avait commencé à être malade, puis, peu à peu, le divin soulagement qui s'installait, la douleur qui restait à la frange de l'esprit et dont il pouvait enfin se moquer. Il savait qu'elle était là, il aurait pu la nommer, la dessiner dans ses moindres détails, mais l'alcool l'aidait à imaginer qu'il avait oublié son nom, sa forme, son existence. Pendant des années. Des décennies. Des décennies à réaliser des émissions de radio qui ne l'intéressaient pas pour pouvoir survivre, subvenir

44

à ses besoins, comme on dit, et à boire le midi, le soir, la nuit, puis enfin le matin en se réveillant, dans l'espoir d'engourdir cette plaie qui refusait de guérir. À se faire dire qu'il buvait trop. Par de vrais et de faux amis. Par des amants qu'il n'arrivait pas à aimer véritablement parce qu'il était trop saoul et qui finissaient par s'en aller parce qu'ils en avaient assez de lui et de sa boisson. Ou parce qu'il puait. Il se souvenait trop bien qu'on — on ? qui ? mon Dieu, même ce visage avait fini par s'effacer —, quelqu'un en tout cas lui avait dit, une nuit, qu'il puait de la bouche. La mortification. Le souvenir de l'haleine de bière de son père, de ses frères, quand il était enfant et qu'il refusait de s'approcher d'eux parce qu'ils sentaient la tonne... Des décennies, surtout, à se faire demander par tout un chacun, quelquefois le public, le plus souvent des confrères soi-disant bien intentionnés mais au rictus facile à décrypter, pourquoi il avait tout abandonné avec le talent qu'il avait.

Le talent qu'il avait, on le lui avait refoulé dans la gorge.

Il composa le numéro de la maison de la rue Tupper à toute vitesse, sans presque s'en rendre compte.

Constant répondit au premier coup, comme s'il avait attendu son appel.

« C'est moi...

— Ça va ? »

Ce « Ça va ? » était plein de suspicion, il signifiait : « As-tu fait des folies, as-tu chuté, *as-tu bu* ? » François faillit raccrocher.

« Chus toujours au bureau.

— Ah, bon...

— Écoute... J'ai apporté une copie de mon CD avec moi, ce matin... Chus en train de l'écouter. J'viens de finir d'écouter la première chanson... C'est beau. Ben beau. Ma voix est belle, la chanson est... j'pense que je peux dire magnifique...

— T'es content?

— La question est pas là. J'ai aussi une bouteille de Beefeater avec moi...

— François!

— Parle pas. Je sais pas c'que j'vais faire... Tout à l'heure, j'pensais pus avoir le courage d'écouter les autres chansons pis j'avais juste envie de me réfugier dans l'alcool comme je l'ai toujours fait... Mais là j'ai le goût de continuer... J't'appelle.. j't'appelle pour te demander de t'inquiéter, mon Constant, parce que y' a matière à s'inquiéter... Mais si tu t'inquiètes comme il faut, si je sais que tu t'inquiètes, ça va peut-être m'aider... »

Sa voix s'enraya comme autrefois, au début des années soixante, pendant ses premiers spectacles, quand il manquait de salive et qu'il était obligé de recommencer une chanson après s'être excusé. À cette époque, il n'avait qu'à produire son fameux sourire enchanteur et tout lui était pardonné. Les filles gloussaient de plaisir devant sa fragilité, les gars se consolaient en songeant que, malgré sa grande beauté et son immense talent, il n'était pas invulnérable... Le pouvoir. Le pouvoir sur des centaines de personnes qui se sont déplacées pour vous entendre et que vous tenez dans le creux de votre main, au creux de leurs reins à eux...

Aujourd'hui, ce sourire n'existait plus ou, s'il existait encore, avait perdu toute efficacité. Surtout sur Constant.

La voix de son chum avait pris une petite coloration acide que François connaissait bien :

« Essaye pas de décharger ta culpabilité sur moi, François. J'vas m'inquiéter, c'est sûr, mais ce que tu vas choisir de faire dépend certainement pas de moi !

— Aïe ! J'te demande un soutien moral. On n'est pas à une réunion des AA !

— Qu'est-ce que tu penses que t'es en train de faire ? Tu m'appelles à l'aide...

— Mais pas pour que tu me fasses un sermon !

— Oui ! Justement ! C'est ça que tu veux, François, c'est un sermon ! Tu veux que je te chicane, comme avant, que je braille, que je supplie, que je menace...

— Pis ça te tente pas. »

Un long silence.

« Non. Ah non ! J'le ferais si je pensais que ça pourrait servir à quequ' chose...

— T'as raison. Excuse-moi. D'avoir gâché ta soirée.

— Ça non plus, ça marche pas, François... Écoute... Écoute bien. Bois, si t'en as vraiment besoin. Après avoir bien réfléchi.

— Aux conséquences ?

— Pas aux conséquences extérieures à toi, François. Pas à cause de moi, de nous deux, de ce qui peut arriver de nous deux mais...

— Juste à celles qui me concernent, moi ?

— Oui. Tu vois, tu l'as eu, ton sermon. »

François raccrocha. Il savait qu'il n'avait pas besoin de remercier Constant.

Il consulta sa montre. Dix minutes à peine depuis qu'il avait glissé le disque dans le lecteur. Une chanson de quatre minutes, une conversation téléphonique à peine plus longue...

Tant de choses avaient traversé son esprit en si peu de temps.

Il repensa à Gerry.

Il l'avait croisé ou, plutôt, il avait tout fait pour ne pas le croiser, quelques semaines plus tôt, rue Sainte-Catherine. Il avait travaillé tard et il déambulait dans le village gay à la recherche d'un restaurant — le Piccolo Diavolo? le Restaurant du Village? le Pizzédélic? — lorsqu'il avait aperçu devant la vitrine du Priape un Gerry méconnaissable, une loque rougeaude et titubante qui se pourléchait devant ce qu'on prétendait être les vrais slips souillés de chanteurs célèbres de passage à Montréal. Mick Jagger avait-il vraiment laissé traîner son slip sale dans sa loge après son spectacle? Ou Sting? Ou Jon Bon Jovi? Ou alors quelqu'un, quelque part, se vantait-il de les avoir subtilisés au terme d'une longue et épuisante nuit d'amour? Franchement!

La chute de Gerry, au contraire de la sienne qui avait été spectaculaire dans sa rapidité, s'était étalée sur plusieurs années, la réputation du gérant d'artistes n'ayant aucunement souffert du scandale qui avait entouré la sortie du disque de François. Certains prétendaient que le départ brusque de François avait déclenché cette lente dégringolade qui avait fait de lui ce qu'il était devenu, un presque clochard qui vivait de prestations du Bien-être social; d'autres disaient que sa découverte de la drogue, à la fin des années soixante, son voyage à San Francisco, sa vie de barreau de chaise à son retour de la Californie et son détachement — *flower power* oblige — de tout ce qui était «bassement terrestre» étaient plutôt à blâmer: le LSD, la mescaline et les champignons magiques avaient eu raison de lui, rien d'autre. C'était un fait que Gerry ne s'était jamais remis des années soixante-dix et qu'il promenait depuis plus de vingt ans sa morgue de hippie attardé et — oui, il allait jusque-là — ses pantalons mauves à pattes d'éléphant en prédisant à qui voulait l'entendre, ils étaient de moins en moins nombreux et de plus en plus impatients, que le règne de l'amour et des joies sublimes allait revenir et tout submerger encore une fois.

Il avait tout vendu ce qu'il possédait, tout dépensé, tout sniffé et se retrouvait en face du Priape, l'œil goguenard et la lèvre bavochante devant l'étalage sans pudeur des fantasmes d'un concepteur de vitrines. Peut-être était-il en train de se poser la même question que François lorsque celui-ci était passé pour la première fois devant cette mini-exposition de sous-vêtements savamment salis: si le Priape avait existé trente ans plus tôt, les sous-vêtements de François auraient-ils abouti là, au vu et au su de tout le monde, offerts à la contemplation et à l'admiration du passant solitaire en manque de tendresse et aux moqueries des incrédules? Et si François était un jeune chanteur, aujourd'hui, risquerait-il le même sort que dans les années soixante et serait-il obligé de transposer des amours toujours inacceptables ?

François avait eu envie de taper sur l'épaule de son ancien chum, de le prendre dans ses bras, de l'inviter à souper pour partager, le temps d'un repas, trente années bêtes à chier, injustes, absurdes, mais la suite, ce qui risquait de se produire une fois la note réglée et les confidences évacuées, l'avait retenu. Gerry avait en effet la réputation d'être colleux et insistant après son deuxième verre de vin rouge, et François se voyait mal en train d'essayer de se débarrasser de lui au terme de trop généreuses libations. Lui-même n'aurait pas bu, bien sûr, mais ç'aurait été encore pire : regarder quelqu'un se saouler était devenu pour lui une véritable torture. Pas parce qu'il jugeait, mais parce qu'il était jaloux.

Alors il avait passé son chemin presque sur la pointe des pieds, espérant que Gerry ne reconnaîtrait pas sa silhouette dans la vitrine et, une fois de plus, il s'était jugé trou-de-cul.

Il poussa la bouteille de Beefeater vers un coin de sa table de travail, là où elle serait moins tentante. Il savait maintenant qu'il ne boirait pas tant qu'il n'aurait pas écouté les dix chansons.

LA VILLE, LA NUIT,
LE CREUX DE MON LIT

(1964)

Il est content de ce nouveau texte. C'est bien balancé, mieux construit que les derniers qu'il a pondus, les vers sont solides sinon géniaux, les rimes acceptables. La musique, aussi, a été plus travaillée. Elle est venue difficilement, a exigé de lui plus de réflexion, a connu de nombreuses versions dont certaines étaient franchement mauvaises, mais il sent qu'il a touché là à quelque chose de neuf qu'il devra explorer. Pour la première fois, aussi, les couplets ne sont pas trop longs, le refrain trop court, bâclé, comme le sont souvent les refrains de chansons populaires. Il n'aime pas beaucoup les refrains, il voudrait composer des chansons qui ne comprendraient que des couplets se gonflant en un crescendo irrésistible ou restant figés là comme une complainte qui ne peut connaître de variations et qui se répète à l'infini. Il faudra bien qu'il essaie, un jour... En attendant, il trouve souvent ses refrains mièvres, pas assez travaillés, faciles. Celui-là est plutôt bien, plein de sous-entendus pas trop bêtes ; il a hâte de le tester devant le public.

Il sait qu'il est encore loin de son panthéon personnel, de ceux qu'il admire et envie depuis si longtemps : il n'a pas la poésie de Vigneault, par exemple, et son vocabulaire archaïsant qui sent si bon, la force de frappe de Ferland non plus, ses images si justes, si originales qu'elles vous montent à la tête — au souvenir de ce nom, cependant, François baisse un peu les yeux pour écarter le remords qui se love au creux de son ventre —, il se trouve encore à cent coudées de la musique prodigieuse des mots d'Aragon chantés, sublimés par Ferré. En fait, il voudrait être Aragon, ciseler des alexandrins parfaits qui coulent sans heurts, et Ferré pour plaquer là-dessus des airs lancinants qu'on voudrait ne jamais voir finir et qui se fixent dans votre mémoire.

Jusqu'à tout récemment, en fait jusqu'à ce que les deux directeurs du Patriote l'invitent en vedette américaine du spectacle de Clémence Desrochers pour une fin de semaine, François rêvait de la jeune Place des Arts, même si les artistes de variétés y sont rares. Il se voyait triomphant devant deux mille deux cents personnes qui l'acclamaient debout, il croulait sous les fleurs, sous les papillotes comme au Metropolitan Opera quand se produisait Franco Corelli ou Leonie Rysanek, il imaginait une ribambelle de jeunes hommes l'attendant devant la porte de sa loge… Mais la veille, plus frondeur, il s'était laissé aller à imaginer l'Olympia ou Bobino, à Paris, il avait vu son nom en néon blanc flotter sur le boulevard des Capucines, les vedettes internationales arriver en limousine, le public parisien lui rendre hommage, le porter en triomphe. C'était ridicule, mais ça faisait du bien et ça aidait à éloigner le maudit trac. Imaginer un triomphe à l'Olympia pour oublier qu'il faisait pour la première fois le Patriote le lendemain, fallait-il qu'il soit énervé !

Il s'examine systématiquement dans le miroir. Il s'est appliqué un léger fond de teint sur le visage et un peu de khôl sous les yeux pour les agrandir. Quand ils sont venus l'entendre à la Grelochette, les deux Patriotes — c'est comme ça qu'on les appelle dans le milieu — lui ont dit qu'il était trop maquillé, qu'il ne dansait pas dans *Le Lac des cygnes*, qu'il se produisait sur une minuscule scène dans une minuscule salle où tout se voyait, surtout un maquillage outrancier, et qu'il était trop beau pour se couvrir de *pancake* comme il le faisait. Il a failli les envoyer chier, puis s'est rappelé qu'il avait voulu couvrir un bouton, avant le spectacle, et qu'il était possible qu'il ait eu la main un peu lourde. Et ce soir, il a fait attention. Parce que ce soir, tout va changer.

Le public du Patriote étant réputé difficile, il ne veut pas rater son entrée dans le réseau des boîtes à chansons importantes. Il a vingt-trois ans et il est temps que quelque chose de marquant se produise. C'est sa grande chance, il doit en profiter. Il voit tous les clichés véhiculés par les comédies musicales américaines (*You're going in there a nobody, my dear, but you must come out A STAR !*) et il sourit.

Il ébouriffe ses cheveux. Surtout, ne pas avoir l'air trop propre. Les autres chansonniers projettent une image plutôt conservatrice, lui veut imposer d'emblée une image différente, le bum du boutte qui écrit des tounes entre deux mauvais coups. « Un James Dean qui chante : François

Villeneuve. » Il a déjà imaginé le titre de l'article de *La Presse* du lendemain, sachant parfaitement qu'aucun critique ne risque de se pointer au Patriote ce soir-là. Les chroniqueurs ont été trop échaudés depuis quelques années par des talents médiocres qu'on proclamait exceptionnels et qui se révélaient la plupart du temps quelconques, pour se précipiter à la mention de la naissance du moindre nouveau chansonnier. Il pourra même se compter chanceux si le public l'écoute attentivement ; après tout, ces gens-là se sont déplacés pour rire aux monologues de Clémence, pour vibrer à ses chansons si touchantes, pas pour écouter François raconter ses mésaventures et ses déboires.

Comme d'habitude, les filles auront tendance à l'écouter plus que les garçons, parce qu'elles vont le trouver beau ; les gars, eux, vont continuer à fumer ou à boire en regardant ailleurs... À moins que ne l'aient suivi jusqu'ici ceux qu'il s'amuse à appeler *son public*, ces quelques fans qui se retrouvent partout où il chante depuis quelque temps, en général des monsieurs un peu mûrs qui aimeraient bien le « protéger » et qu'il doit parfois décourager un peu brusquement. Après tout, il serait normal que ce soit une soirée importante pour eux aussi. Il espère qu'ils ne seront pas là, cependant ; ce groupe de vieilles folles commence à lui peser. Il a été flatté au début, bien sûr, de cet embryon de fan club qui se développait si tôt dans sa carrière, mais les voir de soir en soir, toujours les mêmes et toujours pareils, applaudir à tout rompre après chacune de ses chansons et glousser de plaisir à l'annonce de celles qui sont les plus ambiguës a fini par l'exaspérer. Oui, c'est vrai, il y a toujours un sens caché à ses textes, il se sent encore obligé de transposer ses goûts, ses amours, tout en espérant un jour arriver avec une chanson qui détruira tout malentendu : est-ce une raison pour se pousser du coude comme ils le font quand le message devient assez transparent à leur goût, ou pour lui faire parvenir des bouquets trop gros, la plupart du temps trop encombrants pour la « loge d'artistes » exiguë de certaines boîtes à chansons ? Il hausse les épaules en soupirant. Il devrait pourtant se compter chanceux de les avoir. S'ils n'avaient pas été là, certains soirs, il n'aurait pas chanté du tout parce qu'à peu près personne d'autre qu'eux ne s'était déplacé pour venir l'entendre.

Clémence n'est pas encore arrivée. Elle ne l'a jamais vu en spectacle, les Patriotes le lui ont dit, et il aimerait au moins lui être présenté avant de faire sa première partie... Mais peut-être n'est-elle pas elle non plus intéressée. Elle en consomme peut-être un comme lui chaque semaine, un jeune plein d'espoir qu'il ne faut pas trop décourager, mais à qui on aurait envie de dire laisse donc faire, retourne donc chez vous, y' en a des dizaines comme toi, et des meilleurs...

Il se penche vers le texte qu'il a collé sur le miroir de la petite loge. Il veut casser sa chanson ce soir, se jeter à l'eau doublement : affronter le public du Patriote et en même temps étrenner cette nouvelle œuvre — nouvelle œuvre ! va donc te coucher, prétentieux ! — dont il est si fier. Mais dont le thème l'inquiète un peu.

Il prend sa guitare, plaque quelques accords. Il a peur de ne pas l'avoir assez bien mémorisée, de bloquer au milieu d'un vers, de bafouiller. Il a songé à apporter le texte avec lui, mais il ne saurait où le placer, il aura les deux mains occupées. Sur le plancher? Il craint de ne pas pouvoir le lire à cause du trac. Sur le micro? Il aura l'air d'un amateur.

Le danger l'excite, cependant. Le danger de se tromper, de rougir devant tout le monde, d'être obligé de s'excuser. Le danger de déplaire au public difficile du Patriote, aussi. Parce que c'est une chanson un peu spéciale.

Saisiront-ils le sens caché, le dessous des mots soigneusement choisis pour leur sonorité languissante, agencés de façon à suggérer la légère morsure d'un restant de culpabilité judéo-chrétienne après un geste défendu, le plaisir de s'en moquer? Parce qu'il est question de masturbation dans cette chanson, du bien-être alangui après la masturbation, du corps qui se détend, de l'humidité du drap, du sommeil qui vient par à-coups, du goût de recommencer, même, parfois. Il a décrit une chambre plongée dans l'ombre et bercée par le bruit de la ville, un lit défait dont on ne dit pas au juste à quoi il vient de servir ni s'il sert vraiment à quelque chose, un personnage, le même « je » que dans *Le Pont Jacques-Cartier*, qui sombre peu à peu dans le sommeil. Est-il seul, sont-ils deux, que vient-il de se passer? François est convaincu que de décrire le *post-coïtum* est acceptable, banal, plusieurs l'ont déjà fait, mais que de suggérer qu'un jeune homme seul, nu dans son lit, vient de

58

se donner du plaisir et en ressent une joie apaisante est choquant pour une société qui fait comme si ce geste pourtant commun à tous, trop fréquent chez certains, si trivial, n'existait pas.

Il voudrait pouvoir regarder le public bien dans les yeux en chantant cette chanson, dévisager ceux qui détourneront la tête parce qu'ils auront compris, souligner quelques mots plus révélateurs pour que les autres saisissent, les regarder rougir, leur sourire, leur dire avec un grand sourire que ce n'est pas grave, que c'est le fun pour tout le monde et qu'il faut cesser une fois pour toutes d'en avoir honte.

La porte de la loge s'ouvre, Jean-Claude, le barman du Patriote qui fait aussi office de régisseur, passe la tête dans l'ouverture.

« On peut y aller.

— O.K., merci. Chus prêt. »

Le régisseur laisse la porte ouverte. François aperçoit une silhouette appuyée contre le mur qui fait face à la porte de la loge.

Clémence.

Il se lève, se précipite sur la porte qu'il ouvre toute grande.

« Madame Desrochers ! Ça fait-tu longtemps que vous êtes arrivée ?

— Quequ' minutes… Mais appelle-moi Clémence. Madame Desrochers, c'est ma mère ! J'voulais voir ton spectacle… Yves m'a dit que t'étais ben bon…

— Pourquoi vous êtes pas entrée ?

— J'voulais pas te déranger. J'sais que c'est une

soirée importante pour toi, tu dois avoir besoin de toute ta concentration…

— Mais c'est votre loge…

— C'est la tienne aussi. »

Elle entre dans la petite pièce, accroche son manteau.

« Vas-y. Aie pas peur. Si t'as peur, y vont t'avoir… »

François s'empare de sa guitare, embrasse Clémence sur les deux joues, sort de la pièce suffocante.

Tout de suite en sortant de la loge, on entre dans la salle, en face des toilettes, près de l'entrée. La scène est à l'autre bout. Faiblement éclairée, elle ressemble à un but à atteindre — un château fort ou un palais des mille et une nuits — dans un grand jeu d'enfants. Il a tellement vu de chanteurs, nerveux ou non, traverser le Patriote d'un bout à l'autre, se frayer un chemin entre les tables sous les applaudissements polis pour les inconnus, les bravos nourris pour les vedettes, Monique Leyrac et son sourire rayonnant, Claude Léveillée visiblement fou de trac, Pierre Calvé, à ses débuts, donnant l'impression qu'il montait à l'assaut d'un Everest imaginaire — n'est-ce pas ce qu'il fait lui-même ce soir, d'ailleurs ? —, qu'il a un peu de difficulté à croire que dans quelques secondes il aura à parcourir le même chemin sacré pour aller défendre sa propre vie, assurer sa propre survie.

C'est un moment qu'il attend depuis si longtemps, il devrait être fiévreux ou tremblant de froid, sa guitare lui sembler trop pesante, ses mains se couvrir d'une désagréable humidité…

Mais tout ce qu'il arrive à voir, c'est son fan club installé à la dernière table, presque dans les jambes des retardataires qui paient leur entrée en tendant le cou pour s'assurer qu'ils n'ont rien manqué d'important.

Le plus jovial du groupe de ses admirateurs, le plus déluré aussi, un vendeur de chaussures quelque part dans l'est de la ville, l'aperçoit aussitôt et lui envoie la main comme s'ils se connaissaient depuis toujours. Il devait le guetter, impatient, le cou tordu. Au moins, il n'a pas de fleurs.

« On n'a pas pu avoir des meilleures places, on est arrivés trop tard! J'te dis que ça se remplit vite, icitte!»

François sourit, mais ne répond pas. Ce n'est surtout pas le temps d'être cynique, même si l'occasion s'y prête : il pourrait répondre que ce n'est pas lui mais Clémence qui a attiré tout ce monde.

« Mais ça nous a permis de voir Clémence pis d'y parler... »

Ne recevant pas de réponse, il porte la main à sa bouche.

« Oh! S'cuse-moé... C'est pas le temps de t'achaler, hein? Tu dois t'être nerveux sans bon sens... Bonne chance, mon homme, ou, plutôt, un gros siau de marde!»

Un de ses compagnons lui donne un coup de coude.

« Ben quoi, c'est ça qu'y disent, non?»

L'autre, tellement roux qu'on s'attendrait à ce qu'il prenne en feu d'une seconde à l'autre, a une voix un peu zozotante, de celles que François ne peut pas supporter chez certains homosexuels.

« D'abord, y disent pas marde, eux autres, y disent merde... Comme les Français... meeeer-de... pis quand y veulent pas le dire, y disent le mot de Cramponne ou quequ' chose du genre... »

Soudain François aurait envie de les embrasser tous les sept ; il comprend l'encouragement qu'ils représentent, le soutien inconditionnel, l'énergie qu'ils propulseront tout à l'heure dans sa direction, le vrai intérêt qu'ils lui portent alors que les autres spectateurs le prendront tout probablement pour un quelconque bouche-trou qu'on a été obligé d'engager à la dernière minute, parce que la vedette est trop fatiguée pour faire deux heures de spectacle à elle toute seule...

Yves Blais, l'un des deux Patriotes, est déjà sur scène en train de faire son baratin habituel qui se termine toujours sur le même mauvais jeu de mots, ce qui fait de lui la risée des habitués de l'endroit : « Si vous aimez notre boîte, ouvrez la vôtre... »

Sa présentation de François est courte, simple, voire expéditive. « Un nouveau talent. Un *grand* talent. Un talent rare : François Villeneuve. »

François n'entend pas les applaudissements, ne sait pas s'ils sont nourris ou clairsemés, il a à peine conscience de poser un pied devant l'autre, de soulever sa guitare pour ne pas assommer les spectateurs. Fasciné, il regarde la scène s'avancer vers lui, les trois marches tanguer devant ses yeux, Yves Blais lui tendre la main.

Il pense à Jean-Pierre Ferland. Qu'il a plagié dans sa nouvelle chanson.

Mais l'a-t-il vraiment plagié, ou cet emprunt

qu'il a fait n'est-il rien d'autre, en fin de compte, qu'un... qu'une citation?

Il se souvient parfaitement de la première fois qu'il a vu Jean-Pierre Ferland. C'était à la télévision. Un dimanche soir. À l'émission *Music-Hall.* Michelle Tisseyre, dans un fourreau en taffetas quelque peu étrange pour une émission de variétés, l'avait annoncé comme un nouveau talent. Un *grand* talent. Un talent rare.

Notre Jacques Brel.

François, un verre de Quick à la main, avait froncé les sourcils. Il était fou de Jacques Brel depuis quelques années, il avait exaspéré tous les membres de sa famille avec *Ne me quitte pas* ou *Les Flamandes* — son frère aîné lui donnait des claques derrière la tête en criant : « Les Fla, les Fla, les Flamandes ! » —, il avait tellement écouté *Quand on n'a que l'amour* que le disque était devenu tout blanc et qu'il avait été obligé d'en acheter un autre. Bref, Jacques Brel était son idole et personne, surtout pas un quidam dénommé Jean-Pierre Ferland, de Montréal en plus, ne pouvait lui être comparé.

Le rideau ne s'était même pas ouvert — pas besoin de décor en carton-pâte ou de danseurs en collant pour un simple chansonnier —, Jean-Pierre Ferland était entré en tenant sa guitare, visiblement nerveux, et avait entonné une chanson intitulée *Combien coûte l'amour* qui avait jeté François en bas de sa chaise. Et en quelques courtes minutes, un nouveau dieu s'était installé au panthéon de François. Quelque part entre Félix Leclerc et Georges Brassens. À la sortie de son premier disque, une pochette en vert, noir et blanc agrémentée d'une caricature de Normand Hudon, François s'était garroché dessus et l'avait usé en quelques jours. Comme celui de Jacques Brel.

La semaine précédente, en composant sa chanson, François cherchait une formule pour décrire la satisfaction que procure la masturbation, le peu d'énergie qu'exige ce geste si simple et qui coûte si peu, et tout ce qu'il trouvait était le titre d'une chanson d'Irving Berlin : *The Best Things in Life are Free*. Mais c'était drôle, ça ressemblait à une farce plate, ça ne collait pas à la langueur dont il voulait envelopper sa chanson. Il voulait surtout éviter de faire rire. Évidemment, c'était fatal, le souvenir de son premier contact avec Jean-Pierre Ferland lui est assez vite venu à l'esprit, la tentation de se servir de cette si jolie chanson tombée dans l'oubli était grande, mais il l'a d'abord repoussée, presque violemment. Il n'allait tout de même pas puiser chez une des personnes qu'il admirait le plus au monde la phrase d'une de ses propres chansons! C'était pourtant exactement ce qu'il cherchait : «Combien coûte l'amour, combien coûte l'amour, la monnaie d'une larme ou d'un mouchoir trempé*.» En plus, s'il se servait de cette phrase, ce serait pour en détourner le sens, car elle ne concernait pas du tout la chose dans la chanson de Ferland. Il a lutté pendant des jours contre l'envie d'emprunter ces paroles à son idole, il a mal dormi, il s'est paqueté, il a baisé

---

* Jean-Pierre Ferland, *Combien coûte l'amour* (1959). Production Disques Music Hall inc., Montréal.

plus que d'habitude pour se changer les idées, mais la phrase revenait obstinément, comme un mal de tête lancinant et qui vous rend fou.

Il a quand même fini par l'intégrer à son texte en se disant que c'était temporaire, qu'il allait l'enlever aussitôt qu'il trouverait sa propre façon de dire la même chose. Rien n'y a fait, la citation restait là, il a eu beau chercher, il n'a rien trouvé pour la remplacer. Mais une considération technique l'a sauvé. Du moins en partie. En composant la musique, il s'est rendu compte que la deuxième partie de la phrase était de trop, qu'il pouvait se contenter de «Combien coûte l'amour», sans la suite, que la chanson s'en trouvait mieux équilibrée et qu'en plus le risque de se faire accuser de plagiat devenait alors insignifiant.

Est-ce que l'utilisation de ces quatre mots — en comptant l'article élidé — en faisait une simple citation? Après tout, il resterait le seul à savoir qu'il avait commencé par puiser plus abondamment dans la chanson de Jean-Pierre Ferland... À moins que plus tard, glorieux et triomphant, grisonnant et bardé de trophées, croulant sous les honneurs, il condescende à l'avouer. Pour flatter Jean-Pierre Ferland. Ou par fausse modestie.

En grimpant les marches qui mènent à son succès ou à son humiliation, il réussit presque à se convaincre qu'il n'a pas plagié, que ceux qui reconnaîtront ces mots les prendront pour un hommage à un grand, une simple citation, et qu'ils trouveront ça plutôt beau et humble de sa part. Alors pourquoi sent-il cette pointe de culpabilité lui grafigner le cœur?

En se tournant vers le public qui a fini d'applaudir, un grand frisson le secoue et il se dit qu'il n'est qu'un vulgaire plagiaire, quoi qu'il veuille se faire croire, et que jamais, au grand jamais, il ne pourra se le pardonner.

*

Après son récital, une heure plus tard — en fait pendant l'entracte, alors que tout le monde se garroche au bar ou aux toilettes —, la loge est envahie par toutes sortes de gens que François ne connaît pas et qui semblent surgir de nulle part, comme s'ils n'avaient pas existé quelques minutes plus tôt. Des figurants qu'on aurait engagés pour feindre l'enthousiasme et qui en mettaient trop.

À la Grelochette ou au El Cortijo, quelques spectateurs viennent souvent lui donner des claques dans le dos en lui disant qu'il a du talent, qu'il devrait continuer, ses fans l'admirent de loin en laissant la place aux autres — sentent-ils déjà qu'ils commencent à lui tomber sur les nerfs? —, un intellectuel ou deux, moins prétentieux que leurs confrères, viennent discuter du contenu peu banal de ses chansons en secouant des pipes odorantes ou des Gitanes sans filtre franchement dégueulasses.

Ici, cependant, la loge, pourtant petite, est envahie par une foule bruyante et excitée, fans et nouveaux disciples confondus, l'atmosphère est survoltée, l'air confiné, presque suffocant. François voit des visages danser devant lui sans trop réaliser ce qui se passe. Il sait qu'il vient de connaître un grand succès, il le comprend, mais il n'arrive pas à en prendre conscience. Lui manquent l'excitation, l'ivresse du triomphe, la saveur de la victoire. Il sait, *il sait* qu'il est victorieux sans arriver à apprécier pleinement ce qu'il est en train de vivre. Un verre de vin rouge l'aiderait peut-être. Ou un gars. Si parmi cette foule apparaissait un visage qu'il désirerait, qu'il aurait envie de séduire, il pourrait peut-être se concentrer sur ce qui vient de se passer tout en tricotant une de ces scènes de charme où il est passé maître. S'il avait un but à atteindre, il pourrait probablement savourer le moment présent, alors que là, au milieu de ces gens qu'il ne connaît pas, qui l'envahissent, il a l'impression d'assister au succès de quelqu'un d'autre.

Clémence a été obligée de quitter la loge; elle l'a fait de bonne grâce, mais François se sent un peu coupable. Il étire le cou. Elle jase devant le bar avec Pauline Julien. Mon Dieu! Pauline Julien était là!

Au milieu du brouhaha, au moment où les décibels commencent sérieusement à dépasser le seuil de ce que peut endurer François, Yves Blais et Percival Broomfield — les Patriotes en personne — se fraient un chemin jusqu'à lui en traînant quelqu'un derrière eux.

Percival se place à côté de François, lui passe le bras autour du cou comme s'ils avaient élevé les cochons ensemble, hausse la voix pour que tout le monde l'entende.

« François, laisse-moi te présenter quelqu'un qui veut absolument te rencontrer... Jean-Pierre Ferland, qui a été très flatté de trouver une citation de lui dans une de tes chansons. Jean-Pierre, voici le phénomène en question, l'avenir de la chanson au Québec après ta génération, notre découverte, j'insiste là-dessus parce qu'il faut que ça se sache et qu'on le rappelle, j'ai nommé François Ville-neuve. »

Le sourire de Jean-Pierre Ferland est-il sincère ? N'aurait-il pas plutôt envie de mordre dans cette chair fraîche trop rapidement débarquée alors que sa génération, justement, vient à peine d'éclore et que ses fleurs n'ont pas encore donné les vrais fruits juteux qu'elle promet depuis quelques an-nées ? Percival Broomfield a-t-il commis une gaffe monumentale ; n'est-ce pas incongru d'annoncer déjà une relève ?

La poignée de main est chaleureuse, si le sourire est forcé. François respire plus librement. Non seulement il ne s'est pas fait prendre, mais sa vic-time vient de l'absoudre à tout jamais.

Cette fois, il aurait eu envie de fumer. Pas une cigarette qui menace la santé — son père les appelait des clous de cercueil et était mort d'un cancer du poumon —, mais un gros joint libérateur comme ceux qu'on fabriquait à la fin des années soixante, quand la drogue n'était pas encore coupée avec du poison à rats ou de l'insecticide, un de ces joints monstrueux qu'on appelait des barreaux de chaise, qui vous assommaient en quelques secondes et détraquaient étrangement le temps : le déroulement des secondes, des minutes, parfois même des heures était complètement déréglé et on se retrouvait au lendemain sans avoir senti la nuit passer. Ou la journée, si on fumait en se levant le matin comme certains de ses amis. Un peu comme avec l'alcool, sans le mal de bloc. François, qui n'en était pas à une contradiction près, avait toujours préféré les déprimes post-marijuana aux lendemains de veille d'alcool ; pourtant, il avait plus bu que fumé.

Il ouvrit quelques tiroirs en sachant qu'il ne trouverait pas ce qu'il cherchait — en entrant à Radio-Canada, trente ans plus tôt, il avait officiellement cessé de fumer, les Players Plain et le hasch, même les drogues les plus douces —, bardassa un peu leur contenu pour s'empêcher de penser ou pour repousser le moment où il lui faudrait écouter la troisième chanson de son album.

Le souvenir de Gerry était déjà venu le hanter deux fois et il savait qu'il resterait présent tout au long de l'écoute du disque, fantôme essentiel de cette vie passée qu'il avait de la difficulté à revivre tant elle lui semblait non seulement lointaine, mais, surtout, étrangère.

Avait-il vraiment été cet arrogant jeune homme prêt à tout pour réussir — des images de films américains, encore, Barbra Streisand ou Bette Davis, jamais des hommes, toujours des femmes de tête dans un milieu sexiste —, ce talent exceptionnel capable de se frayer un chemin à coups d'épaule, de se hisser à côté des plus grands, de les dépasser? Avait-il vraiment vécu *à l'intérieur* de ce jeune homme? N'était-ce pas plutôt une invention romantique qu'il s'était complu à peaufiner au fil des années pour s'aider à endurer un métier qui ne l'intéressait pas et des collègues qu'il trouvait ennuyants à mourir? Avait-il véritablement frôlé la gloire, la vraie, celle qui vous fait sortir de votre cambuse et vous propulse à des hauteurs que même vos rêves d'enfants les plus fous ne pouvaient concevoir? Avait-il vraiment conçu et enregistré ce disque qui le montrait si jeune et si beau? Et si bon?

Il sentit à nouveau le ravissement de se savoir bon, cette joie indescriptible quand, à la fin d'une chanson, le public, pendant une fraction de seconde, est incapable d'applaudir tant il est subjugué et qu'on peut boire son admiration, s'en enivrer comme d'un alcool précieux et rare.

Il jeta un rapide coup d'œil à la bouteille de Beefeater. Ce serait tellement plus facile. Plus court, surtout. Deux gorgées et la chape de plomb l'immobiliserait pour les douze prochaines heures. La dernière fois — lors de sa plus récente « rechute », comme l'aurait écrit André Gide dans son *Journal* au sujet d'un péché bien différent —, il avait perdu conscience après la première gorgée et s'était retrouvé plusieurs heures plus tard sur le plancher de la cuisine, la bouteille renversée à côté de lui sur le *terrazzo*, du gin dans les cheveux et des éclats de verre plantés dans le poignet. Même son médecin avait eu peine à le croire :

« La première gorgée, vous êtes sûr ?

— La première gorgée.

— Quel genre de gorgée ?

— Pardon ?

— C'était une gorgée normale ou... »

François s'était rappelé la bouteille renversée au-dessus de sa tête, ses lèvres qui aspiraient presque le liquide qu'il versait trop rapidement, qui débordait de sa bouche, coulait dans son cou, sur ses mains, sur ses vêtements.

« C'est vrai, vous avez raison. C'était une gorgée qui en valait quatre ou cinq. Ou plus. »

Il se redressa sur sa chaise, tira sur ses vêtements, passa rapidement ses mains sur ses manches de chemise, son pantalon, comme s'il avait eu peur de les avoir froissés. Il remit ses cheveux en place, reposa ses mains de chaque côté du lecteur de disques laser. Un bon petit garçon bien sage à qui on ne peut rien reprocher parce qu'il présente de lui-même une image bien propre, dans le droit fil des règles gouvernant la vie d'un enfant parfait : poncé, sérieux, tranquille. Chus propre, personne peut rien me reprocher.

Et maintenant quoi ?

Qu'est-ce qui venait, après ? Il jetait son disque au panier, se levait, prenait sa veste, sortait, appelait l'ascenseur en pensant à autre chose ? Il allait retrouver Constant, sa belle peau noire, son sourire consolateur et lui disait : Aide-moi ? Encore une fois ? Ou alors il buvait sa ciguë jusqu'à la dernière goutte en distillant son propre venin pour utilisation ultérieure, sur Constant, justement, qu'il aimait tant et qui en endurait déjà trop, sur son assistante qui menaçait trois fois par mois de le quitter quand il devenait trop amer ?

Les deux avenues lui faisaient également horreur. La première représentait ce qu'il détestait le plus en lui, cette fuite amorcée il y avait si longtemps et dans laquelle il s'était perdu en s'étourdissant de toutes sortes de façons, le cul n'étant pas la moindre ; la deuxième, la confrontation avec lui-même qu'il remettait à plus tard depuis trente ans de peur qu'elle ne le tue. Grain de sable après grain de sable, jour après jour, il l'avait évitée en se disant qu'il avait amplement le temps, que la vie était longue, que viendrait le moment où il aurait envie de se retourner brusquement et alors, t'nez ben vos tuques, on repart ! François Villeneuve est de retour ! Une bouteille de Beefeater à la main. Ou un joint. Ou un condom.

Encore une fois, l'image du pont Jacques-

Cartier, le trou noir en dessous puis, inévitablement, Gerry Coulombe.

Il tendit le bras vers le carnet d'adresses qu'il traînait avec lui depuis des années, chose brune et informe retenue par un élastique tant elle débordait de papiers de toutes sortes, de cartes d'affaires jamais consultées, jamais jetées, de numéros de téléphone griffonnés sur du papier de plomb volé à des paquets de cigarettes anonymes, sur des serviettes de papier, des bouts de napperons, des coins de menus.

C… Coulombe… Gerry Coulombe.

Il n'espérait pas rejoindre Gerry, il savait parfaitement que son ancien agent n'avait plus les moyens de se payer l'appartement ruineux du Rockhill… Il fallait juste qu'il fasse quelque chose pour retarder l'écoute de la troisième chanson, celle qu'il avait toujours détestée.

« *Hello ?*

— Gerry ?

— *Hello…*

— *I'm sorry, I have the wrong number.* »

Il raccrocha.

« C'est pas vrai, ça. *I don't have the wrong number. I had the wrong life!* C'est ça, le problème ! *I had the wrong life !* »

LE PETIT COMIQUE

(1964)

«En fait, c'qu'y t'manque, c'est une chanson comique.

— Une chanson comique!

— Ben oui. Tout le monde en a une...

— Vigneault a pas de chanson comique.

— *Samedi soir, à Saint-Dilon*, c'est une chanson comique.

— Voyons donc! As-tu déjà ri en écoutant *Samedi soir, à Saint-Dilon*, toi?

— Non, mais j'souris chaque fois que je l'entends...

— Donc, c'est pas une chanson comique. C'est peut-être une chanson amusante, mais c'est pas une chanson comique.

— O.K., d'abord, y te manque une chanson amusante.

— Jamais!»

Le souper, si on exclut la conversation, plutôt orageuse et tournant toujours autour du même sujet, a été un délice de tous les instants. Alphonse, le maître d'hôtel, est venu à leur table préparer ses célèbres champignons à la crème, monsieur Bouyeux s'est surpassé, si tant est que la chose soit possible, en leur cuisinant son mémorable foie de veau tout simple mais succulent, le vin était remarquable, l'atmosphère, comme toujours, feutrée. Ils sont maintenant installés devant une crème brûlée dont ils n'ont envie ni l'un ni l'autre, mais la refuser serait faire insulte à madame Bouyeux qui les a pris en affection depuis le triomphe de François au Patriote et leur glisse comme ça, de temps en temps, un petit dessert gratuit, de ceux, élaborés et riches, qui ne sont pas compris dans la table d'hôte.

Ils n'ont bien sûr pas les moyens de fréquenter Chez son père. Gerry est loin d'être un gérant très occupé et ses quelques clients ne font pas des fortunes : il a exagéré son importance pour se rendre intéressant aux yeux de François et aime jouer les grands seigneurs avec l'argent qu'il ne possède pas.

Comme une grande partie de la clientèle de ce vénéré restaurant, ils rognent donc sur leur fin de mois pour être vus au-dessus d'un plat de rognons à la moutarde ou d'un carré d'agneau bien rosé. On ne sait jamais qui sera là, qui pourrait aller répéter qu'il vous a vus Chez son père à quelqu'un d'important qui, à son tour, pensera peut-être à vous quand viendra le temps de préparer la programmation de la Comédie-Canadienne ou de la Place des Arts. Il faut être vu pour qu'on ne vous oublie pas, c'est la devise de Gerry qui en profite bien, d'ailleurs, parce qu'il mange deux fois plus que François et se fait beaucoup plus voir. Ils mettent leur argent en commun — François refuse encore d'être l'amant de Gerry, il trouve ça trop cliché —, il leur arrive même de manger à crédit, toujours grâce à madame Bouyeux. Leur note, que la propriétaire du restaurant appelle une ardoise en imitant l'accent français de son mari, augmente de semaine en semaine et François voit venir avec horreur le moment où il retournera manger des *hamburger platters* au Select.

Gerry passe tous ses repas à guetter qui entre, qui sort, il se lève à demi pour saluer les célébrités qui pourraient leur être utiles, se contente d'envoyer la main ou un baiser aux artistes qui, comme François, sont là pour faire de la figuration intelligente dans l'espoir qu'ils attireront le regard d'un réalisateur ou d'un producteur.

Il a même eu le front, quelques jours plus tôt, de le traîner à la table de Guy Dufresne pour glisser à l'oreille de l'écrivain que François ne détesterait pas devenir acteur et qu'un rôle, même petit, dans son téléroman, le comblerait de joie. François a cru mourir de honte. Il n'a pas du tout envie de devenir acteur, sa carrière d'auteur-compositeur vient à peine de commencer et il n'a même pas encore écrit suffisamment de chansons pour donner un récital de plus d'une heure... Il fait toujours la première partie du spectacle de Clémence Desrochers et, pour le moment, il comprend qu'il doit s'en contenter. Guy Dufresne a fait un geste d'impuissance. François a répondu, les oreilles rouges et la rage au cœur, que ce n'était pas grave, qu'il ne voulait pas du tout se faire acteur, que c'était une idée de Gerry, comme ça... Monique Miller, Janine Sutto, Jacques Godin, Louise Rémy et d'autres interprètes du dit téléroman ont jeté un coup d'œil dans sa direction. Monique Miller lui a dit que ses chansons étaient très belles ; il a répondu, plus cramoisi que jamais, qu'il était étonné qu'elle les connaisse déjà. Elle lui a lancé un regard appuyé et il s'est dit: Ça y est, si j'étais straight, je pourrais peut-être me taper Monique Miller ce soir...

«Comment ça, jamais?

— J'haïs les chansons comiques, Gerry! Les chansons amusantes aussi.

— Depuis quand?

— Depuis toujours. Écoute, ça fait pas assez longtemps que tu me connais pour tout savoir de moi...

— J'prétends pas tout savoir de toi, mais chus étonné d'apprendre que t'aimes pas les chansons comiques, c'est tout! Est-ce que je peux au moins savoir pourquoi?

— Quand j'écoute un disque pis quand j'vais voir un chanteur, c'est pas pour rire.

— *Les Flamandes* est une chanson comique.

— Chus pas Jacques Brel.

— *Le Chapeau* est une chanson comique.

— J'aime pas Béart. Nomme-moi une chanson de Claude Léveillée qui est comique!

— Claude Léveillée est en perpétuelle dépression! T'as pas envie de passer pour quelqu'un en perpétuelle dépression!

— Gerry, j'veux pas écrire de chansons comiques, un point c'est tout, fin de la discussion!»

Il a parlé un peu trop fort. Monique Lepage, à la table voisine, a lancé un petit soupir d'impatience.

«On dérange madame Lepage, là...»

Elle a entendu. Elle se penche vers Gerry.

« Laissez donc ce jeune homme composer ses chansons seul, monsieur Coulombe. »

Gerry a deux raisons contradictoires de rougir : d'abord de se faire rabrouer en public par quelqu'un qui a plus de pouvoir et de crédibilité que lui, ensuite de savoir que Monique Lepage, qu'il admire depuis longtemps, qui, récemment, l'a fait rire dans *Le Dindon* et l'a ému dans *Le mal court*, connaît son nom.

« J'veux pas écrire ses chansons avec lui, madame Lepage, mais je suis son gérant et c'est mon rôle de le conseiller... »

Monique Lepage ramène son beau regard sur François tout en interrompant Gerry.

« Je doute fort que ce garçon ait besoin des conseils de qui que ce soit. »

Encore une !

L'actrice a étendu le bras, posé sa main sur celle de François.

« Vous irez loin. Mais ne vous fiez à personne. »

Puis, à Gerry :

« N'utilisez donc pas ce mot-là... gérant. C'est laid. »

*

Gerry a quand même réussi, après deux bouteilles de vin et une délicieuse mandarine Napoléon, à soutirer une vague promesse à François qui, pour se convaincre qu'il a raison — et Monique Lepage aussi —, s'est tout de suite installé à sa table de travail en rentrant chez lui dans l'espoir d'aligner pour la première fois de sa vie quelques

vers dits « comiques ». Ou « amusants ». Ou « humo-
ristiques ».

Évidemment, rien ne vient. Et pas seulement à
cause de l'évidente mauvaise foi de François : les
chansons drôles ne l'ont jamais vraiment intéressé,
ni celles qui jouent sur les mots pour produire des
effets comiques, ni celles qui se contentent de raconter une histoire amusante, anecdotiques peintures de mœurs qu'il trouve assommantes, ni,
surtout, celles où tout est à double sens, palimpsestes de mots soi-disant ordinaires qui cachent
tout un fond cochon pour titiller chez l'auditeur la
fibre adolescente endormie depuis longtemps.
Comme tout le monde, il a écouté Colette Renard
interpréter ses chansons gaillardes et il s'est ennuyé
à mourir, même si son adolescence à lui n'est pas
si loin derrière. Il aime beaucoup Colette Renard,
il s'est pâmé des centaines de fois sur sa magnifique *Irma la douce* et se demande bien pourquoi
— manque d'humour de sa part, pruderie étonnante chez un jeune homosexuel qui ne cache pas
ses couleurs ? — elle s'est fourvoyée dans ce répertoire indigne d'elle. Tant qu'à faire, il préfère de
beaucoup les chansons cochonnes de son enfance :
au moins elles étaient directes !

Il revoit son oncle Pit, le frère de sa mère, aux
réunions familiales, les pouces derrière les bretelles,
la chemise à moitié sortie du pantalon, la face
rougie par les tourtières, les pâtés à la viande, les
tartes, les beignes et, bien sûr et surtout, le caribou
qui a coulé dru durant toute la soirée. Il revoit sa
hure hébétée, ses yeux injectés de sang, son rictus
quand arrivait un couplet particulièrement salé.

Tiens, c'est peut-être une idée, ça...

Au haut de la page, il écrit *Le Comique* puis, se rappelant la petite taille de son oncle Pit, sa façon de se tenir sur le bout des pieds pour dépasser les cinq pieds qu'il n'atteignait pas, le menton toujours levé, les tuques pointues, l'hiver, pour paraître plus grand, que sa femme lui tricotait serré pour qu'elles soient plus raides, les talonnettes à ses chaussures d'été, les chansons cochonnes pour se rendre intéressant parce que, pour le reste, il était mortellement prévisible et, quand il n'avait pas bu, l'homme le plus fade qui soit, François ajoute le mot « petit » au titre.

Mais François veut à tout prix éviter l'anecdote, la simple description narrative. Il essaie de se concentrer sur le personnage lui-même, ce qu'il a dû être plutôt que sur l'image que Pit voulait projeter... et ce qu'il découvre n'a rien de drôle. Pour la première fois, il entrevoit la souffrance de son vieil oncle, son complexe d'infériorité, sa vie empoisonnée par sa petite taille dans une société qui n'admire que les grands, sa lutte sans fin, sans merci, sans espoir pour se faire accepter, les quolibets, les moqueries, les insultes qu'il a dû essuyer tout au long de son existence...

Non, c'est pas ça non plus. Il barbouille par-dessus les quelques notes qu'il a jetées sur le papier, revient aux réveillons de Noël et aux noces trop arrosées, aux pouces derrière les bretelles et aux chansons cochonnes, au nez écarlate, à la couperose, à la chemise échancrée sur une petite poitrine plate, blanche et glabre...

Contrairement à son habitude, François reste

cette fois à la surface de son sujet, il se laisse aller
à la caricature plutôt que d'essayer de fouiller le
personnage pour en trouver l'essence : il se contente de dépeindre physiquement une personne
plutôt que de tenter de la comprendre et, à son
grand étonnement, les mots lui viennent plus rapidement, les rimes, drôles, fusent à une vitesse
folle...

Il s'imagine attablé devant son assiette à dessert
vide, le sommeil commence à le gagner, il aimerait
qu'on lui donne ses cadeaux de Noël tout de suite
pour pouvoir aller se coucher plus tôt ; son oncle
Pit se lève, sa femme — Germaine ? Gertrude ? —
tire sur sa manche de chemise en lui disant de se
taire, mais la voix grasse, étonnamment forte chez
un homme de si petite taille, s'élève quand même
dans la salle à manger, les couplets déboulent, les
contrepèteries et les onomatopées du refrain péta-
radent dans la liesse générale...

Mon oncle Pit fait son petit comique au ravissement de toute la parenté.

C'est trop facile, François se sent frustré. C'est
sûrement mauvais, aussi. Jamais il n'osera chanter
ça en public.

Le texte terminé — il l'a écrit dans un temps
record, ce qui est de très mauvais augure —, sans
même essayer d'y ajouter de la musique, il le met
de côté, va se coucher.

Il n'arrive pas à dormir. Il a mangé trop gras, il
a bu plus que de coutume et sa séance d'écriture
a fait monter son taux d'adrénaline. Il tourne dans
son lit, tapote son oreiller. Il songe à se rendre au
parc Lafontaine, s'estime trop fatigué, d'abord

pour draguer à cette heure impossible, ensuite pour essayer de performer si jamais il pogne, puis, exaspéré, il rallume sa lampe de chevet.

Dès la première relecture — verre de lait chaud à la main, il s'est penché malgré lui sur sa table de travail en passant à côté —, une idée de musique lui vient, un air inspiré des chansons à répondre d'un côté et, de l'autre, des œuvres de Vigneault ou de Jean-Paul Filion ; il va écrire une carica-ture, gentille mais efficace, du mouvement folklo-rique qui commence à se dessiner depuis quelques années au Québec. Né au cœur de la ville, il va tenter de donner sa version d'une chanson issue du fin fond de la campagne. Sans juger, bien sûr, mais en essayant de viser juste. Mais a-t-on le droit de se moquer de Gilles Vigneault, même gentiment ? Peut-on se permettre de déboulonner un demi-dieu dont la statue est à peine achevée et que la piétaille adore sans condition ?

Il décide de tenter sa chance.

Il pose son verre de lait. Fanfreluche, sa vieille chatte adorée, vient y tremper le museau.

« Fanfreluche, tu vas être malade… »

Elle lève la tête. Il n'a jamais pu résister à ces yeux jaunes, à cet air ahuri de chaton pas trop intelligent malgré son âge avancé. Il la laisse faire en se disant qu'il aura un autre dégât à ramasser le lendemain.

Il transporte sur le piano la feuille noircie, rayée, percée là où il a trop effacé. Il tire le banc de bois, s'assoit.

Il ne va tout de même pas se mettre à piocher sur son piano à… il regarde l'heure… trois heures dix du matin! Il y a bien la guitare, mais il compose toujours au piano. Et toujours durant la journée. Alors, pourquoi ne pas retourner à sa table près de la fenêtre? Non. C'est ici qu'il travaille, qu'il fignole ses textes au fur et à mesure que la musique lui vient, il ne changera certainement pas sa routine pour une chanson de folklore!

Il compose donc sa musique sans toucher à l'instrument trop grand pour la salle à manger dont il occupe presque tout un pan de mur. Il est penché sur son texte, a croisé les bras pour s'empêcher d'effleurer les notes. Il écrit au crayon de plomb les airs qui lui viennent, sans pouvoir les tester. Il sacre, se dit qu'il devrait attendre à demain, revient à sa chanson parce qu'il sait que, s'il ne la finit pas maintenant, il ne dormira pas de la nuit.

L'air qu'il retient est entraînant, facile à retenir, presque enfantin, primaire, mais d'une indéniable efficacité. La chanson qui est en train de naître se situe en équilibre entre la caricature bien faite et la description précise d'un sujet un peu simplet, grandi par le talent de son auteur. Il sait, il sent qu'il tient là une chanson très drôle. Une chanson *comique*. Il en est à la fois amusé et horrifié.

Il va chercher sa guitare qu'il cache sous son lit toutes les nuits depuis des années — au début, c'était pour la protéger contre ses frères qui trouvaient que ça faisait moumoune, un gars avec une guitare, aujourd'hui c'est devenu une superstition qu'il respecte même en tournée —, s'installe près de la fenêtre de la cuisine, là où il juge et jauge toutes ses nouvelles compositions.

C'est une maudite bonne chanson, il s'en rend tout de suite compte, mais il s'en veut parce qu'elle n'est pas née d'un besoin, qu'elle n'a rien de sincère, qu'elle est le résultat de la seule volonté, non pas d'une urgence à dire quelque chose d'important. Une concession. Sa première.

Quelques heures plus tôt, il avait décidé de ne pas la mettre en musique, cette fois il se promet bien de ne jamais la chanter, de la tenir cachée et même, éventuellement, de la détruire.

*

Alors, pourquoi la chante-t-il à Gerry dès le lendemain? Pour prouver à son manager qu'il est capable, comme n'importe qui, de composer une chanson légère et pour se prouver à lui-même qu'il peut résister aux arguments de Gerry, lui tenir tête et ne pas la chanter. Pour faire chier son gérant? Oui, un peu. Beaucoup. Mais surtout parce qu'il aurait vraiment honte de se présenter devant le public avec une chose aussi fausse, aussi fabriquée, aussi facile que *Le Petit Comique*. Elle restera là, au fond d'un tiroir, tentante mais toujours inédite.

«Tu vas la garder cachée! Comme un trésor!

— Un trésor! Franchement, Gerry!

— C'te chanson-là est une mine d'or!

— C'te chanson-là est une mine d'or qui est pas près d'être exploitée, crois-moi!

— On pourrait l'enregistrer tout de suite, faire un hit avec, c'est un hit assuré!

— On n'a pas de contrat, Gerry, les maisons de disques savent même pas que j'existe!

— Avec une chanson pareille, tout ça peut changer! J'ai des contacts, on a juste à s'en servir! C'est aussi bon que *Saint-Dilon*! C'est meilleur que *La Parenté*.

— Gerry! C'est une boursouflure vide que j'ai pondue juste pour me prouver que j'étais capable, pis j'veux pas imposer ça aux gens qui payent pour venir m'entendre chanter.

— Y le sauront pas!

— Moi, j'le saurai!

— Pis c'est pas une boursouflure vide! Une bonne chanson peut pas être une boursouflure vide! Même si t'as pas souffert mille morts en la composant! Nomme-moi une grande chanson qui est une boursouflure vide, toi!

— J'peux pas le savoir! Les auteurs sont tout seuls quand y composent!

— Veux-tu dire qu'une grande chanson comme *Les Feuilles mortes* pourrait être une boursouflure vide? Pis qu'on le saurait pas? Qu'on le sentirait pas?»

François hésite. S'il va jusqu'au bout de son raisonnement, il devrait répondre oui, mais il sent confusément qu'il aurait tort. En tout cas pour *Les Feuilles mortes*.

«Tu sais pas quoi répondre, hein?

— Ben oui, mais tu me cites un chef-d'œuvre comme exemple! Y' a toute une différence entre *Les Feuilles mortes* et *Le Petit Comique*! Y' a une grandeur dans cette chanson-là que ma petite toune insignifiante a pas la prétention d'approcher! On peut pas écrire *Les Feuilles mortes* sans être sincère, c'est indiscutable!

— Justement, arrête de te prendre pour Prévert pis réjouis-toi d'avoir écrit une bonne petite chanson! Pis chante-la, Jésus-Christ! Un bon éclat de rire au milieu de ton récital, ça va faire du bien! C'est pas la première fois que j'te le dis!

— Pis j'suppose que c'est pas la dernière fois que j'te réponds que ça m'intéresse pas! Ça m'intéresse pas, Gerry, de faire rire le monde, es-tu capable de comprendre ça une fois pour toutes?

— Fais-la, une fois, pour me faire plaisir!

— Si a' pogne, tu vas m'obliger à la refaire, pis ça finira pus!

— Mais si a' pogne pas! Hein? J'te promets que j'en reparlerai jamais pus si a' pogne pas...

— Mais a' va pogner, c'est une bonne chanson!

— Si est si bonne que ça, fais-la, tabarnac!

— On tourne en rond, Gerry!

— C't'à cause de ta tête de cochon, François!

— Tu me demandes de faire la guidoune, Gerry!

— Le seul fait de monter sur une scène, c'est faire la guidoune, François!»

François est bloqué pour vrai, cette fois. Gerry sourit.

«C'est rare que j'arrive à te boucher vite comme ça...

— C'est parce que j'ai mal dormi.

— Non. C'est parce que j'ai raison. Et tu le sais très bien. J'ai même marqué mon dernier point en utilisant un de tes propres arguments: c'est toi qui dis toujours que t'as l'impression d'être une guidoune quand tu montes sur la scène pis que t'aimes ça! De toute façon, même si on discutait pendant des années, y' a aucune raison au monde pourquoi tu chanterais pas cette chanson-là. Le monde vont rire, y vont applaudir, y vont taper des mains en cadence, y vont se lever, après, pour te faire un triomphe...

— ... pis j'vais encore me sentir trou-de-cul.

— Tu passes ta vie à te sentir trou-de-cul, ça fera pas grand' différence.

— Pas sur la scène. J'me sens jamais trou-de-cul sur la scène.

— Sors pas tes violons, François, ça pogne pus avec moi, tu le sais.»

François est épuisé. Il aurait envie de s'étendre sur le vieux sofa recouvert de chenille rose et bleu tapée par des générations de généreux fessiers, de glisser un coussin sous sa tête, d'attendre que Fanfreluche vienne se nicher entre ses jambes...

«O.K. T'as gagné la première manche.

— Tu vas la chanter?

— J'ai pas dit ça. Mais laisse-moi dormir, un peu...

— On devait aller au cinéma...

— J'aime mieux dormir ici qu'au cinéma...

— Promets-moi que tu vas au moins y penser.

— À quoi?

— François! Ta mauvaise foi non plus pogne pus!»

*

Quelques semaines plus tard, il se retrouve sur la scène d'une école secondaire transformée pour un soir en boîte à chansons — Clémence a accepté ce spectacle à la dernière minute — et

90

comme pour une fois le public est plutôt froid, presque réfractaire à ce qu'il fait, ce qui est plutôt rare, François, sur un coup de tête et par besoin de plaire, décide de casser *Le Petit Comique*.

Le triomphe est tel qu'il a de la difficulté à sortir de scène.

En coulisse, alors que Clémence le félicite, il est bleu de rage, fait une colère — la première d'une longue série de ce qu'on appellera plus tard ses crises de vedette —, casse une chaise, se blesse à une main, refuse de se rendre à l'hôpital. Clémence le croit saoul, s'en plaint à Gerry. Celui-ci la rassure en lui racontant l'historique de cette chanson. Clémence rejoint François dans leur loge commune (la toilette des dames réquisitionnée pour l'occasion).

«Arrête de te prendre au sérieux comme ça, François, pis profite donc de ce qui t'arrive!»

*

C'était à prévoir, *Le Petit Comique* devient rapidement l'un des plus grands succès de François. Elle ravive chez tout le monde cette fibre nostalgique de l'enfance perdue — qui n'a pas connu un Pit? —, ce parfum folklorique, issu de trois cents ans de tapage de pieds et de turlutage, qui n'attend que le bruit de deux cuillères frappées l'une contre l'autre — c'est de cette façon que François accompagne sa chanson — pour crever quelque part dans la région du plexus solaire et monter ensuite vers le cœur en une irrésistible bouffée de chaleur qui donne envie d'enlever son chandail, de se lever, de danser.

On la lui réclame quand il l'omet, on la lui redemande deux, trois fois; quand il la garde en rappel, on la chante avec lui. Il faut voir ça, quatre cents personnes qui imitent leurs mononcles en pétant d'invisibles bretelles et en produisant avec leur bouche des bruits suspects qu'on trouverait inconvenants partout ailleurs. On lui demande même pourquoi il refuse d'en composer d'autres du même genre. Il devient presque l'auteur du seul *Petit Comique* et ça le rend fou.

Et quand sort le quarante-cinq tours — l'offre d'enregistrement est venue très rapidement —, c'est la ruée, la folie. Il tient la tête du palmarès pendant des mois et se retrouve à des émissions de télévision où jamais auparavant un chansonnier n'a été invité. *Le Petit Comique* devient l'instrument de son succès et il se met à franchement la haïr.

Chaque fois, juste avant de la chanter, quand, ravi d'avoir gagné si François s'est fait prier, le public se calme un peu en se préparant à chanter en chœur et à rire, il a envie de hurler son dégoût.

Il est devenu l'esclave d'un coup de tête.

Il se leva à la fin de la chanson, poussa sa table de travail au milieu de la pièce et s'appuya contre la vitre de son bureau. En se penchant un peu, il pouvait voir le parc olympique, le stade, deviner le jardin botanique plongé dans la nuit. Mais c'était le pont, toujours, qui attirait son attention. La circulation avait fini par diminuer, quelques rares voitures, à peine quelques camions traversaient maintenant le fleuve. Des banlieusards qui rentraient chez eux. Des *truckers* qui partaient livrer leur marchandise à Québec. La route serait longue, plate, ils s'endormiraient, fulmineraient d'être obligés de travailler la nuit, klaxonneraient sans raison, mettraient leur vie et celle des autres en péril pour arriver plus vite...

S'il le voulait, il pourrait prendre son auto, lui aussi, s'engager sur le pont Jacques-Cartier, tourner à droite en arrivant à Longueuil, partir à la recherche de la Barre 500. Il ne savait pas si la Barre 500 existait toujours, il n'y avait pas remis les pieds depuis plus de trente ans. Mais partir maintenant pour ne pas avoir à écouter le reste de son disque serait une fuite impardonnable. Il avait tellement tergiversé dans sa vie, il avait pris tant de raccourcis, évité tant de conversations désagréables, d'explications orageuses, tourné le dos à de si nombreux problèmes pour se réfugier dans l'alcool d'abord engourdissant mais qui finissait toujours par exacerber ses malheurs, les galvaniser, l'obliger à boire encore plus... Non, pas ce soir. Il fallait d'abord qu'il écoute le CD jusqu'au bout. Il ne restait que sept chansons. Il irait peut-être plus tard à la Barre 500. S'il voulait absolument boire. Au point de vouloir mourir. Après avoir écouté jusqu'au bout ce qu'il restait de son année de gloire. Au lieu de crever ici, il irait crever là-bas, de l'autre côté du fleuve, sur les lieux d'une de ses dernières grandes frasques. Là où il avait fait ses adieux au *Petit Comique.*

Il était encore sous le choc d'avoir trouvé cette chanson si bonne, si bien construite, en fin de compte pleine de sympathie pour le personnage ridicule qui y était décrit, alors qu'il en gardait le souvenir d'une simple pochade qui avait épaté la galerie pendant quelques mois. Juste quelques mois. Pas tout à fait un an. Il fit son sourire méchant, celui que Constant redoutait entre tous parce que, disait-il, il sentait l'amertume et la rechute.

« Pas tout à fait un an. La durée de ma carrière... »

Il appuya son front contre la vitre refroidie par l'air climatisé. Combien de fois avait-il appuyé son front, comme ça, sur une vitre froide, pour y chercher oubli et consolation ? Des bières fraîches à la fin d'une cuite qui l'avait laissé sans le sou — l'horreur du goût sucré de certaines bières après le délicieux coup de fouet du gin —, des Beefeaters *on the rocks* dont les glaçons tintaient doucement à son oreille, des scotchs payés par des admirateurs, parce que ses admirateurs lui payaient toujours des scotchs, allez savoir pourquoi, tout le monde savait pourtant qu'il était un buveur de gin, non? Combien de fois avait-il attendu que son cerveau gèle, que la douleur psychologique, ce trou noir qui vous attire même dans votre sommeil, même dans votre beuverie la plus profonde, cède la place à une douleur physique, une vraie douleur physique dont on peut se dire qu'elle partira si on boit encore, si on prend des aspirines, si on pose son front contre une vitre froide, si on se gèle le cerveau?

Il jeta un regard de l'autre côté du fleuve, vers Longueuil, vers la Barre 500.

La dernière fois qu'il avait interprété *Le Petit Comique*, c'était justement à la Barre 500, en... 1965? Oui, c'était ça. En septembre 1965. Il devait y avoir deux spectacles, ce soir-là. Au premier, il avait fait rire, comme d'habitude avec cette chanson, un public bon enfant qui avait repris le refrain avec lui. Au deuxième, cependant...

François est très excité. C'est sa dernière série de concerts en vedette américaine : dans quelques semaines, il va affronter tout seul pour la première fois le public du Patriote, qui se déplace désormais autant pour lui que pour Clémence Desrochers, et on parle de plus en plus sérieusement de la Comédie-Canadienne pour le printemps, après la sortie de son disque.

La sortie de son disque ! Il va avoir un disque à lui, sa pochette va trôner aux côtés de celles de Monique Leyrac, de Renée Claude, de Gilles Vigneault, de Claude Gauthier, de Jean-Pierre Ferland, il va briller, lui, au milieu des plus grands ! Sur les présentoirs, là où les disques se retrouvent placés par ordre alphabétique, il viendra tout de suite après Vigneault : Gilles Vigneault, François Villeneuve...

Il a commencé à faire le tri de ses chansons et les engueulades avec Gerry se sont multipliées parce qu'ils ont d'un premier disque une conception totalement différente. Gerry veut du punché (*Le Petit Comique*, bien sûr), François du sérieux (*Mon amour, ma vie, ma perte*).

En attendant, il se retrouve en vedette américaine du spectacle de Pia Colombo, cette géniale mais combien excentrique interprète française qui se cache derrière un amas de cheveux décoiffés pour chanter *L'Écharpe, L'Affiche rouge* et d'autres succès de ce répertoire français qui a enchanté l'adolescence de François. Elle possède un tel charisme qu'on reste pétrifié devant sa silhouette menue dont on n'aperçoit presque jamais le visage, et sa voix chaude qui vous remue jusqu'au fond de l'âme, qui vous parle de l'intérieur, comme si sa conscience vous communiquait directement ses malheurs sans user d'aucun artifice. Certains prétendent qu'on pourrait très bien se contenter d'écouter ses disques — un critique a osé l'écrire —, qu'ils sont venus là pour voir autre chose que le dessus de la tête sale d'une chanteuse, qu'ils ont payé pour un visage autant que pour une voix, mais François, lui, ne peut s'empêcher d'admirer une artiste qui ose faire une chose pareille sur une scène, ignorer complètement son public pour se concentrer sur ce qu'elle dit.

Après son premier tour de chant — c'est samedi, il va y en avoir un deuxième —, François s'est installé en coulisse pour regarder chanter Pia Colombo, qu'il adore. C'est une femme bizarre, imprévisible; elle peut décider au milieu d'une chanson qu'elle en a assez, relever la tête vers le public qu'elle ne regarde à peu près jamais et déclarer qu'elle est désolée, qu'elle ne se sent pas bien, que son tour de chant est terminé, et sortir sous les faibles applaudissements des pauvres hères qui ont payé si cher pour venir l'entendre. Elle l'a fait, la veille, et les propriétaires de la boîte, enragés noir, ont été obligés de rembourser une partie des places en sacrant.

De profil, comme ça, dans l'éclairage plutôt rudimentaire de la Barre 500, avec ses cheveux qui tombent sur le micro, ses mains qu'elle a posées sur sa tête comme si une insoutenable migraine venait de s'abattre sur elle, ses bras repliés comme des ailes rognées, Pia Colombo ressemble à un oiseau qui se suiciderait en se jetant à l'eau. Tout ce qu'elle chante, chaque mot, chaque phrase musicale, parce qu'on ne fait qu'entrevoir sa silhouette caressée par l'éclairage, prend des proportions étonnantes : on l'imagine plus qu'on ne la voit, on la sent se consumer sans en être véritablement témoin, et c'est là une expérience unique. Frustrante, mais unique.

François apprend. Il a déjà songé à chanter *L'Homme qui pleure* en tournant le dos au public pour accentuer le côté confidentiel de cette chanson qu'il a composée pour son père, mais il n'a pas encore osé et il estime maintenant qu'il a eu tort. De dos dans sa chemise blanche, avec ses boucles noires et son pantalon près du corps, il serait sûrement très sexy... Mais non, c'est pas ça... il ne faut pas que ce soit un effet esthétique... Il se rend compte que l'alcool a déjà commencé à embrumer son cerveau.

François tient une bouteille de Beefeater entre ses cuisses, prend régulièrement une longue lampée qui calme un peu son trop-plein d'adrénaline. Il sait qu'il ne devrait pas boire, mais chaque fois qu'il a deux spectacles à donner, les quelques heures qui s'écoulent entre sa sortie de scène après la première prestation et sa deuxième entrée le tuent. Il a besoin qu'il se passe quelque chose, il est incapable de rester prisonnier de sa loge, alors il boit et le second spectacle s'en ressent.

Il sourit, se passe le dos de la main sur les lèvres. S'il ne se sent pas en forme, il fera comme Pia Colombo et renverra les gens chez eux, c'est tout.

Heureusement, l'entracte est bref, à peine un petit quart d'heure. On se contente de vider la salle, de faire un ménage en surface — cendriers, verres sales — et on laisse entrer les spectateurs qui poireautaient dehors. On les fait boire en vitesse et le deuxième spectacle peut commencer.

Quand arrive le moment que tout le monde attendait, c'est-à-dire l'introduction de *L'Écharpe*, le grand succès de Pia Colombo qu'elle fait à la toute fin de son tour de chant — si elle se rend jusque-là —, François se lève. Oups, il est plus saoul qu'il ne le croyait, il faudra qu'il s'en serve dans *Paris paqueté*. Il se glisse dans la loge pour aller retoucher son maquillage désormais discret, grâce aux Patriotes, il doit l'avouer. Pourquoi pense-t-il à eux, tout à coup? Ah oui, dans quelques semaines il sera en vedette au Patriote! Pas de Clémence! Pas de Pia! Il rit. C'est un bon titre, ça: «Pas de Pia!»

Sa guitare a besoin d'être accordée, aussi, s'il se souvient bien... Mais c'était peut-être hier.

Il se regarde dans la minuscule glace. Quelle horreur! Tu vas pas aller chanter comme ça... Il soupire, s'appuie contre la table de maquillage. Décidément, son sens de l'équilibre lui joue des tours...

Les applaudissements pour madame Colombo sont généreux, enthousiastes, prolongés. Elle n'accorde aucun rappel. Jamais. Elle ne remercie pas non plus. Elle esquisse une espèce de petit salut malhabile puis sort de scène. La première fois qu'il l'a vue, François s'est dit que si Marie-Claire Blais chantait, c'est exactement ce spectacle-là qu'elle donnerait.

Pia Colombo passe devant la loge de François, tête baissée.

«Bravo. J'étais z'en coulisse. C'était merveilleux.»

Pas de réponse. Il a envie de l'envoyer chier. Surtout qu'il a emprunté pour lui parler ce petit accent qu'il ne peut s'empêcher de prendre quand il se trouve en présence de Français et qu'il trouve lui-même ridicule. Maudit colonisé!

«Quinze minutes, monsieur Villeneuve.

— Ben oui, ben oui, j'le sais.»

Il boit encore, pour passer le temps. Retouche son maquillage. Trop. Chus tellement pâle... Mes années blafardes sont censées être terminées, pourtant... J'irai pas montrer cette face-là au monde, certain... déjà qu'y ont pas le droit de voir celle de la vedette!

Voilà, ça y est, le deuxième spectacle va commencer.

Il marche trop vite pour se rendre en coulisse, un vertige le prend et il entre en scène en titubant. Il est obligé de se s'appuyer contre le micro qui couine. Il s'en veut, sourit pour racheter son entrée ratée. Aucune réaction. D'habitude, un tonnerre d'applaudissements se fait entendre quand il se montre, mais cette fois le public, parce que l'endroit est petit, s'est tout de suite rendu compte que quelque chose n'allait pas et est resté figé.

«Chus-tu trop maquillé, 'coudonc, on dirait que vous me reconnaissez pas!»

François s'est entendu parler alors qu'il n'avait pas vraiment décidé de le faire. Cela lui arrive quand il est très fatigué ou très fâché : il commence à parler sans avoir réfléchi et, immanquablement, se met les pieds dans les plats. Il voudrait s'arrêter, n'y arrive pas. Il continue à dire des conneries.

«Pas encore un illuminé! Une ça suffit, pourtant!»

Pourquoi il dit ça? Ce public-là n'a pas encore vu Pia Colombo!

Il sent venir la catastrophe, mais un moteur en lui, ou plutôt à l'extérieur de lui, comme à côté de son corps sur la scène, une entité dont il n'a absolument pas le contrôle, fait fonctionner ses poumons, ses cordes vocales, sa bouche, dirige ses paroles. Il a conscience de parler, sans avoir d'emprise sur ce qu'il dit. Il pense : Ça y est, je fais un voyage astral, je suis en dehors de mon corps qui en profite pour agir à sa guise. C'est pas moi qui parle, c'est pas moi qui dis ces choses-là, c'est pas possible...

Toujours sans l'avoir voulu, il est en train de raconter qu'il a bu en regardant chanter Pia Colombo, il s'excuse en bégayant un peu, explique qu'il ne pense pas pouvoir donner un très bon spectacle ce soir, qu'il fera de son mieux, mais que de toute façon, le principal, n'est-ce pas, c'est que la Française soit divine… Pourquoi je dis ça… J'le pense pas… Ils sont venus pour moi aussi. Mon Dieu! Chus en train de faire un fou de moi devant mon public! Il faut que j'arrête!

Il cherche Gerry des yeux, Gerry qui d'un seul regard, affolé ou meurtrier, le ferait taire, mais Gerry n'est pas là, ce soir, François est venu seul dans sa Camaro vert pomme. Comment il va faire pour rentrer à Montréal dans cet état? Jamais il ne pourra conduire sa voiture! Des sueurs lui brûlent les yeux. Mon Dieu, j'dois pas être beau à voir…

Quelques personnes se sont levées pour quitter la Barre 500. François est outré.

«Où est-ce que vous allez, comme ça? J'ai pas commencé à chanter! J'ai même pas fini de parler!»

Un homme bien mis, cravate de soie et chemise empesée, se tourne vers la scène.

«On est venu t'entendre chanter, pas nous conter que t'as bu… On reviendra tout à l'heure…

— Vous avez jamais bu, vous?

— Pas sur l'ouvrage!»

François sent monter une colère aveugle, un frisson lui secoue l'épine dorsale. Il prend une grande respiration en se disant c'est trop tard, c'est trop tard, ça va sortir! Il voudrait se retenir, mais…

«Sur l'ouvrage!»

Il brandit sa guitare, l'abat sur le coin du piano. Les cordes pètent en lançant une fausse note, le corps de l'instrument se fend en deux.

«Y' en n'a pus, d'ouvrage, pour à soir! Vous pouvez tous sacrer votre camp!»

Une bonne partie du public est maintenant debout, des chaises sont tirées, des tables raclent le plancher.

Et François entend les phrases qu'il ne voulait pas entendre :

« Passez donc tu-suite Pia Colombo ! On est pas venus ici pour subir une crise de vedette ! On est venus entendre des chansonnettes !

— Des chansonnettes ! Mes chansons, des chansonnettes ! »

Il est partout à la fois sur la scène, il vocifère, envoie chier les spectateurs, les traite de trous-de-cul, de téteux de Français, il déparle, il divague, il délire presque. Pourtant, sa conscience reste éveillée, il ne perd pas un mot de ce qui sort de sa bouche, il sait qu'il regrettera tout à l'heure ce qu'il est en train de faire, il le regrette déjà, mais il est incapable de se retenir. Il pense même que ça ne s'arrêtera jamais, qu'il restera comme ça, debout sur la scène de la Barre 500, à insulter le public pourtant venu l'adorer, pour le reste de ses jours.

C'est-tu ça, la folie ? C'est-tu ça ? C'est-tu comme ça que ça commence ?

« Je le sais que vous êtes venus pour entendre le crisse de *Petit Comique* ! Ben laissez-moi vous dire une chose ! Pis allez le répéter à qui veut l'entendre ! Le crisse de *Petit Comique*, là, ben c'est d'la marde, comprenez-vous, d'la grosse marde, pis vous l'entendrez pus ! Jamais ! »

Pourquoi je parle du *Petit Comique* ? Pourquoi je dis ça ? Pourquoi je profite de cette crise-là pour dire ça ?

Il se rend compte alors que cette crise couvait depuis de longs mois et que sa vraie raison d'être, ce soir-là, était cette annonce qu'il ne ferait plus jamais la chanson tant détestée. Incapable de la retirer de son répertoire en catimini parce qu'il sait que le public continuera longtemps de la lui réclamer, il essaie la manière forte, il veut la retrancher comme une tumeur maligne. Il espère que quelqu'un ira le répéter à un journaliste qui l'écrira dans une quelconque chronique... Il voudrait ne pas avoir à s'expliquer plus longuement... Il sait que c'est illusoire. Son geste est peut-être inutile. Sûrement. Jamais il ne pourra se débarrasser de cette maudite chanson. De cette chanson maudite. Il est fatigué. Il veut dormir. Longtemps. Il repense à la Camaro vert pomme. Il faudra appeler un taxi. Il est trop jeune pour aller se tuer sur le pont Jacques-Cartier en Camaro vert pomme.

Il veut sortir de scène. Tout de suite. Avant qu'il ne soit vraiment trop tard. Il se tourne vers la coulisse. Il veut oublier les huées qui se font de plus en plus insistantes et sa panacée est là, posée sur sa table de maquillage, qui l'attend. Un ridicule petit bonhomme rouge et noir sur fond d'étiquette blanche et or.

Alors, il aperçoit Pia Colombo à l'endroit même où il se tenait quelques minutes plus tôt pour l'écouter chanter. Elle le regarde avec des yeux ronds. Elle a repoussé ses cheveux vers l'arrière et, la main sur le cœur comme si elle se trouvait devant un objet particulièrement amusant, elle rit. Pia Colombo rit !

Sa colère tombe d'un coup. Il sort de scène sans

se préoccuper de ce qui se passe dans la salle, se précipite sur la chanteuse, la prend dans ses bras. Elle est fragile, légère, il a l'impression de soulever un nuage secoué de rires.

« J'vous ai fait rire ! Mon Dieu, ma soirée aura aussi servi à ça ! J'vous aurai fait rire ! »

Il repoussa sa table de travail près de la fenêtre, reprit sa place. Il éteignit toutes les lampes de son bureau. Il éteignit même son ordinateur comme s'il allait partir en vacances. Il resta longtemps plongé dans l'obscurité, les yeux rivés sur l'île Sainte-Hélène, faible tache de lumière dans la longue fente noire du fleuve Saint-Laurent. Une île qui vogue au-dessus d'un gouffre. Seul le petit voyant rouge de la fonction *Pause* de son lecteur de disque laser luisait faiblement dans son champ de vision. Il y posa le bout de l'index.

La quatrième chanson le terrorisait. Elle avait presque quarante ans maintenant, c'était l'une des premières qu'il avait composées. Peut-être même la toute première. C'était son adolescence, ces premiers émois qu'il avait d'abord été loin de comprendre et qui l'avaient plongé dans le marasme des questions sans fin, la découverte, chez un être aussi détestable que son père, d'un cœur, alors qu'il aurait préféré qu'il n'en eût pas, les premiers doutes au sujet de la sainteté de sa mère, sa différence, qu'il avait dû apprivoiser, après l'avoir enfin cernée, saisie, jugée, acceptée.

Cette journée de l'hiver 1956, surtout, qui avait fait basculer son existence du nid douillet, sinon heureux, de la maison paternelle dans l'errance et la mendicité.

Un vieillissement subit, l'un de ces chocs si dérangeants qui font comprendre qu'on vient de passer de l'enfance attardée, où l'on s'était réfugié par peur de la vie qui risquait d'un jour à l'autre de se transformer en chose sérieuse, à un âge crucial où les responsabilités deviennent morales, où les choix sont suffisamment importants pour qu'on commence à les considérer comme définitifs. Un événement resté comme une lourde pierre au fond de son cœur, souvenir pénible sur lequel il n'aimait pas revenir et qui laissait dans sa bouche un goût fade, mais dont il avait magnifié la fin, juste la fin, dans une chanson qu'il avait composée d'un seul trait, parce que le reste était honteux.

Une conclusion, voilà. Cette chanson avait été la conclusion de quelques années de tâtonnement où les réponses aux questions qu'il se posait lui faisaient mal, où il avait écarté l'évidence pour se perdre dans un dédale de rêves éveillés qui faisaient de lui celui qu'il n'était pas et, surtout, qu'il ne voulait pas être ; des utopies inventées pour lui permettre de penser qu'il pourrait s'intégrer dans le droit fil de la société qui l'entourait, qu'il pourrait s'y fondre, s'y perdre, une corde autour du cou, une femme à son côté, des enfants qui gambadent sous ses yeux, comme tout le monde. Comme tout le monde.

Il avait utilisé la dernière image de cette journée désastreuse pour fixer à jamais son destin comme on épingle une photo au mur.

C'était une chanson un peu boiteuse, les rimes en étaient primaires, les vers cahoteux, mais c'était la première qu'il avait choisie pour le disque. Parce que sa sève juvénile s'y retrouvait tout entière. Parce que tout ce qu'il écrirait pendant les prochaines dix années, les trucs qu'il utiliserait pour éviter de parler directement des choses, les circonlocutions, les détours, l'émotion quand même, pour exprimer à mots couverts des choses innommables, la transposition non pas pour tromper mais pour survivre, tout était déjà là. Et c'est ça qui la rendait bouleversante: la sincérité dans la dissimulation.

L'HOMME QUI PLEURE

(1956)

Ils ne l'ont pas arrêté. Il l'ont un peu malmené de façon à ce qu'il comprenne bien qu'ils sont sérieux, que ce qui lui arrive est grave; le plus grand des deux lui a même tapoché la lèvre supérieure et il a saigné. Ils ont pris son nom — il a failli leur donner un pseudonyme par pure bravade, mais il a eu trop peur qu'ils vérifient —, son adresse, son numéro de téléphone. Même le nom de son école.

«Allez-vous appeler mes parents?

— Pourquoi c'qu'on se gênerait! Des malades comme toé, faut dénoncer ça! Faut ben qu'y t'envoyent te faire soigner quequ' part, tes parents!

— Ça va les tuer.

— C'tait à toé d'y penser avant!

— De toute façon, vous pouvez pas m'accuser de quoi que ce soit, j'faisais rien de mal quand vous êtes entrés ici!

— Continue à nous baver comme ça, toé, pis tu vas te retrouver derrière les barreaux!»

Un énorme cure-dent s'agite dans la bouche du policier quand il parle. Il vient de manger un *smoked meat* et son haleine épicée se rend jusqu'à François qui baisse les yeux, pour ne plus voir le petit bâton mouillé, et la tête, pour essayer d'esquiver les effluves de viande fumée.

113

Cette fois, il est pris au piège. Et il ne sait pas comment il va pouvoir s'en sortir.

Les toilettes pour hommes du grand magasin Morgan's sont réputées *hot*, mais dangereuses. François en entend parler depuis longtemps. Avant aujourd'hui, cependant, il n'avait pas osé y mettre les pieds, par peur de se faire prendre et surtout parce que les chances d'y rencontrer quelqu'un d'intéressant sont à son avis à peu près nulles.

Il a commencé à écumer Montréal depuis quelques mois, de Montréal-Nord au Faubourg à m'lasse, de Rosemont à Westmount, le jour comme le soir, même la nuit pendant les fins de semaine quand ses parents se rendent à leur chalet dans les Laurentides. Il a visité les trous les plus louches, les bars les plus clinquants, il a baisé à toutes les heures de la journée — l'autobus, le matin, en se rendant à l'école, est un lieu de rencontre étonnamment fécond —, et il en est venu à la conclusion que la drague de jour est plus intéressante à l'extérieur que dans les endroits qu'on dit hantés par des gars comme lui : les toilettes publiques, les grands magasins, les cinémas, même certaines églises. À l'extérieur, on est plus libre, on a les coudées franches, on peut s'éclipser rapidement, filer, disparaître si on sent le moindre danger ou si le partenaire rencontré se révèle moins intéressant que de prime abord ; dans les endroits confinés, par contre, on est souvent obligé — pas de bruit, pas de paroles inutiles, pas de gestes brusques — de mener à terme des choses qu'on n'avait même pas envie de commencer et qu'on

114

exécute mal par total manque d'intérêt. Où sont donc l'appréhension, l'excitation, le soulagement?

Ses deux endroits de prédilection sont donc la rue Sainte-Catherine et le mont Royal. Pour des raisons évidentes: la rue Sainte-Catherine regorge de jeunes hommes disponibles — vendeurs de magasin ou serveurs de restaurant, faciles à repérer et plus faciles encore à lever —, et le mont Royal est depuis toujours le rendez-vous clandestin de ces êtres anonymes, ombres furtives à la recherche non pas de l'amour parce que cet amour-là est impensable dans une société obscurantiste, mais d'une certaine forme de tendresse qui se traduit en gestes précis et trop souvent exécutés dans la hâte de la honte. On frôle un moment d'éternité, court mais violent, et l'on rentre chez soi, déprimé et étreint par un sentiment de culpabilité.

Mais l'hiver vient de s'abattre d'un seul coup sur la ville, trop tôt encore cette année. En quelques heures, la rue Sainte-Catherine est devenue presque impraticable; personne ne songerait à grimper les pentes abruptes de la montagne qui domine Montréal en quête d'un peu de chaleur humaine. La chaleur humaine, faudra la traquer à l'intérieur pour les prochains mois. Ce sera son premier hiver de cruising et François est déjà convaincu qu'il le trouvera très long. Et il n'est évidemment pas question qu'il s'en passe jusqu'au printemps.

Il a donc pensé à Morgan's, aux gars qui lui en ont parlé, parce que c'est là, prétendent-ils, que certains des plus beaux acteurs de Montréal se tiennent sous prétexte de s'acheter des vêtements

115

chic. Les œillades sont faciles au-dessus d'un comptoir à gants ou d'un présentoir de parfums, et les rendez-vous qu'on y glane sont, semble-t-il, des plus étonnants. François s'est dit pourquoi pas, j'ai rien à perdre, si j'aime pas ça, j'y retournerai pas... Mais si j'aime ça, faut quand même pas que j'en prenne l'habitude, c't'endroit-là est trop dangereux.

Quand il a demandé à un vendeur de gants du rez-de-chaussée où se trouvaient les toilettes des hommes, ce dernier lui a répondu que si c'était pour consommation immédiate, il se chargerait bien lui-même d'aller les lui montrer. C'était étonnant, direct et drôle. Mais François a fait celui qui ne comprend pas l'allusion, a remercié avec un sourire faussement candide qui a sûrement fait perdre son âme à l'autre l'espace de cinq longues secondes.

Il trouve tous les jours de nouveaux usages à ce sourire que, dès son enfance, on avait dans sa famille qualifié de dévastateur — sa mère, surtout, fondait quand François lui souriait, au point de faire rire d'elle par tout le monde —, il apprend à s'en servir non plus seulement pour obtenir ce qu'il veut, mais aussi pour promettre des choses qu'il n'a pas l'intention d'accorder, le grand amour, par exemple, ou, plus simplement, son corps. Il a réussi à lui imprimer une certaine dose d'ambiguïté désarçonnante pour ses interlocuteurs qui ne savent pas s'il les drague ou si son sourire, quoique provocant, est innocent. François est tout sauf innocent : il se sait irrésistible, il a seize ans, il porte beau, et la cruauté est son nouveau jouet.

Alors pourquoi aller perdre son temps dans des toilettes publiques? Peut-être tout simplement pour passer le temps? Ou parce que c'est excitant, en tout cas la drague plus que la chose elle-même? Par besoin d'aller fouiller là où c'est défendu? Pour braver à sa façon l'ordre moral, les codes de comportement hypocrites et dépassés qui lui ont été imposés depuis la naissance? Parce que c'est le fun?

Les toilettes publiques du magasin Morgan's sont réparties sur six étages; au premier, troisième et cinquième pour les femmes, aux étages pairs pour les hommes.

Déjà, François se sent frustré d'avoir à grimper deux escaliers au lieu d'un seul chaque fois qu'il voudra quitter une toilette trop ou pas assez occupée pour se glisser dans une autre. De plus, des ascenseurs conduits par des liftiers en uniforme voyagent sans arrêt entre les étages exactement en face des toilettes; il lui faudra donc être prudent pour ne pas qu'on finisse par le reconnaître et se demander pourquoi ce beau jeune homme hante les escaliers du magasin. Il ne veut surtout pas passer pour un voleur. Rester invisible est donc assez difficile: il faut étirer la tête en haut d'un escalier pour s'assurer qu'un ascenseur n'arrive pas au prochain étage, ouvrir doucement, pour la même raison, la porte des toilettes quand on veut en sortir, au risque de se faire renverser par quelqu'un qui entre ou qui sort, quelqu'un qui a vraiment envie d'uriner ou qui est vraiment soulagé de l'avoir fait, et François se fatigue vite de cet incessant va-et-vient qui ne mène nulle part. Les lieux, désespérément déserts, sentent trop à son goût le savon liquide vert qui laisse sur la peau une désagréable odeur de désinfectant bon marché. Il s'est déjà lavé les mains une bonne dizaine de fois et doute de jamais pouvoir se débarrasser de cette senteur un peu écœurante de couvent trop récuré.

Parce qu'en plus, ça sent l'école.

Si au moins il croisait quelqu'un qu'il connaît, ils pourraient rire, faire des farces plates, parler haut et fort — l'union fait la force —, braver les liftiers de Morgan's et prendre l'ascenseur pour voyager d'étage en étage, mais il est seul dans ce déprimant circuit — il n'y a même pas de *vrais* clients qui ont *vraiment* envie! —, l'ennui le gagne rapidement et il décide de quitter le magasin pour se réfugier au System, à côté, le cinéma le mieux «fréquenté» de la ville.

Tout se passe très vite. Il est assis sur le siège qu'il a gardé fermé parce que la propreté des lieux est quelque peu suspecte, il s'apprête à relever son pantalon pour quitter à tout jamais cet endroit d'un ennui mortel, une visite ça suffit, on va passer à autre chose, lorsque deux hommes entrent brusquement dans les toilettes et frappent à la porte de la cabine qu'il occupe.

«Police de Montréal! Ouvrez!»

La terreur. L'humiliation. La honte.

Il ouvre la porte en se donnant l'air le plus innocent possible, demande aux deux hommes avec une toute petite voix ce qu'ils veulent, prétend ne pas comprendre pourquoi on le dérange dans ses... dans son... il fait celui qui n'est pas capable de nommer la chose.

Ils sont grossiers, moqueurs, ricaneux et méprisants. Et François n'est pas loin de trouver qu'ils ont raison, parce qu'il se trouve ridicule, grotesque de s'être ainsi laissé piéger comme le dernier des débutants. En fait, il n'est qu'un débutant, il le sait bien, mais il s'est toujours cru trop intelligent, trop habile pour que ça paraisse. Et surtout pour se faire prendre comme ça, les culottes baissées, c'est le cas de le dire.

« C'est toé qui le dis que tu faisais rien de mal… Oublie pas qu'on est deux pis que t'es tu-seul ; qu'on est des polices pis que t'es juste un p'tit fif ! »

François s'essuie la bouche avec le revers de son chandail. Il ne saigne plus.

« Qu'est-ce que vous allez faire ? Crier partout que j'vous ai cruisés ? Tous les deux en même temps ? Personne va vous croire !

— Ah, tu fais pus l'innocent, là, tu fais pus semblant que tu comprends pas c'qu'on te veut !

— J'comprends c'que vous me voulez, mais ça veut pas dire que chus coupable. D'ailleurs, chus coupable de rien, j'ai rien fait !

— Que c'est que t'avais à monter pis descendre les escaliers de même, depuis une demi-heure ? Les toilettes étaient vides, tu pouvais faire c'que t'avais à faire n'importe quand. En tout cas, si c'que t'avais à faire était innocent ! Un gars innocent qui a envie de pisser passe pas son temps à changer de toilettes ! T'es pas un chat pour marquer plusieurs fois ton territoire partout oùsque tu passes ! »

Quoi répondre ?

Il rougit — une humiliation de plus —, se tait.

Le grand policier tape sur son petit calepin avec

119

son crayon. François est à un poil de lui demander s'il sait vraiment écrire. Pour l'écœurer. Pour l'humilier à son tour. Il se retient juste à temps. Ce n'est pas le moment de faire le fanfaron, de jouer les héros. S'il y avait quelqu'un dans une des autres cabines, s'il savait qu'un spectateur l'écoute, du moins un témoin, quelqu'un qui pourrait l'admirer en entendant ses paroles, il le ferait. Pour épater la galerie, comme d'habitude. Pour la gloriole. Pour laver aussi son honneur offensé. Il n'a rien fait et eux ne peuvent que faire des suppositions sur la raison de sa présence dans cet endroit. Il pourrait toujours prétendre qu'il faisait des exercices, qu'il avait choisi ces escaliers parce qu'ils étaient plus raides qu'ailleurs, meilleurs pour le cœur, il pourrait leur dire n'importe quoi qu'ils seraient obligés de faire semblant de le croire parce qu'ils ne l'ont pas surpris en flagrant délit de grossière indécence. C'est peut-être pour ça qu'ils ne l'arrêtent pas, d'ailleurs, qu'ils se contentent de lui faire peur. Mais vont-ils vraiment s'en contenter? Le pur plaisir de confondre un gars comme lui, un dégénéré, un maudit malade, ne l'emportera-t-il pas?

Il sait qu'il n'est pas en position de force, que la justice fonctionne autrement. Le grand policier a raison : ils sont *deux*, ils peuvent prétendre n'importe quoi, se protéger, se couvrir l'un l'autre, témoigner contre lui, lui n'est effectivement qu'un présumé, *présumé* fif sans pouvoir.

Il se déteste, il s'en veut, mais il joue le jeu : il arrondit les épaules, baisse la tête, prend le parti d'éclater en sanglots et de se faire suppliant.

Évidemment, la soumission fonctionne mieux que la bravade. Ils lui promettent presque, *presque* — pour que la peur continue, pour que l'inquiétude l'accompagne jusque chez lui —, de ne pas appeler ses parents s'il leur promet de ne jamais revenir hanter ces lieux. Il le promet, il le jure, il morve, il bavoche, il hoquette. Et les policiers finissent par le laisser filer. En riant.

« C'est ça notre avenir ! Le vois-tu aller avec ses fesses serrées ? Ça a seize ans pis c'est déjà pourri jusqu'au trognon ! Maudit dégénéré ! »

François est obligé de se retenir à deux mains pour ne pas lui répondre : « J'aime mieux avoir le trognon pourri que le cerveau ! » Non. Non. Laisse faire. Tais-toi. C'est pas le temps. C'est tellement tentant, pourtant ! Tellement !

Piètre consolation, en passant devant le vendeur de gants du rez-de-chaussée, plus intéressé que jamais par ce qu'il aurait à offrir, François lui glisse avec un grand sourire complice :

« La consommation sur place est des plus étonnantes, aujourd'hui ! Vas-y, une surprise t'attend ! »

*

Le tramway Sainte-Catherine vers l'est est bondé. Pendu à un anneau de métal qui a perdu son cuir, François a chaud. Il regrette déjà d'avoir cédé sa place à cette religieuse qui ne l'a même pas remercié en s'emparant du siège de rotin comme un dû, comme si son nom y avait été gravé, comme si de toute éternité Dieu lui-même avait décrété que ce siège-là appartenait à sœur Sainte-Quelqu'une de

Quelque-Chose et gare à celui qui l'oublierait, surtout si c'est un petit fif de Montréal de l'année 1956... Avait-elle senti le péché en lui, sur ses vêtements, sur son corps? Toujours est-il qu'aussitôt montée dans le tramway, elle était venue s'installer d'office à côté de lui en soupirant comme une balayeuse électrique. François sentait monter l'impatience de la religieuse: on osait laisser une servante du Seigneur poireauter debout dans un tramway où *certain* jeune homme s'entêtait à garder *certaine* place pour lui-même sans se préoccuper du rang prépondérant qu'elle occupait dans la hiérarchie de cette société catholique romaine au demeurant fort généreuse avec ses religieux de tout acabit! François pouvait l'entendre penser, il sentait son regard gris acier — toutes les religieuses ont un regard gris acier — le transpercer, il voyait monter son exaspération à elle pendant que la sienne était déjà à son paroxysme. Alors, avant que l'envie de lui sauter dessus ne devienne trop pressante, il lui a cédé sa place en la bousculant un peu sans s'excuser, pour faire bonne mesure.

Avec un parapluie d'homme qui lui troue le dos et un sac à main qu'une femme lui pousse entre les jambes, il aurait envie de hurler, de faire une crise, une vraie crise d'hystérie, au risque de passer pour fou, de tout sortir, sa frustration, sa hargne, en un flot de liquide brun et gras qui irait tacher à tout jamais la capine blanche et noire de la religieuse. Il voudrait avoir le courage de parler de cul devant elle, devant les autres, aussi, silencieux et tristes Montréalais qui ne soupçonnent pas qu'ils côtoient en ce moment même une bombe à retardement qui a enfin trouvé l'occasion et l'endroit rêvés pour exploser : il aurait le goût de raconter sa mésaventure en mots crus et précis et choquants, de crier l'injustice qui vient de lui être faite. Il ouvre la bouche. Ça y est, ça s'en vient. Il essaie de desserrer sa gorge qui reste nouée. Il lève la tête vers le plafond pour tenter d'attraper un peu d'air moins vicié par toutes ces haleines de dents pourries et de dentiers sales. Il est au bord de quelque chose de très laid et essaie en vain de s'y jeter. Mais il a été bien élevé — trop, à quoi ça sert dans des moments comme celui-ci ? —, il a appris à bien se tenir en public, à céder sa place aux personnes âgées, aux mutilés de guerre et aux religieux. On lui a inculqué le respect des autres, c'est vrai, mais on a oublié de l'inculquer aux policiers de la ville de Montréal! Sa rage exalte sa mauvaise foi, la galvanise, il sait qu'elle le fait penser tout croche, qu'il n'aurait pas raison de provoquer un esclandre dans ce tramway rempli d'irrémédiables quidams, de moutons bêlants qui se préparent pour leurs achats de Noël, même si Noël n'est que dans un mois, qu'il ne ferait qu'envenimer encore plus une journée qui a mal commencé. Mais. Il se met à hyperventiler. Il faudrait. La sueur coule à grosses gouttes sur son front et lui pique les yeux. Qu'il se passe quelque chose! Il voit des taches noires, sent ses genoux ramollir. Pour le soulager.

Il descend précipitamment boulevard Saint-Laurent en jetant presque par terre ceux qui avaient le malheur de se trouver entre lui et la sortie arrière. Il tombe à genoux dans la neige, reste là une longue minute sous les regards des passants qui sont descendus sur la Main pour s'amuser, pas pour voir un jeune homme, pourtant en santé, s'humilier devant tout le monde parce qu'il est trop paqueté. Si jeune! Si beau! Si tôt dans l'après-midi! Maudite boisson! Si jeune! Si beau!

Il entre au cinéma Crystal en se disant: Si je me fais prendre en flagrant délit, cette fois, j'me tue! Il fait là ce qu'il était allé chercher chez Morgan's, mais au su et au vu de tout le monde; il joue avec le feu, c'est sa roulette russe à lui, il se prend pour un kamikaze. Il reste debout dans l'allée tout au long de l'opération et ahane trop fort pour que tous y voient une jouissance qu'il ne ressent pas. Parce qu'il veut se faire prendre une seconde fois? C'est ce qu'il se demande en sortant du cinéma sans même se donner la peine de remonter sa braguette, sous l'œil goguenard de certains messieurs qui se sont rincé l'œil et les remarques désobligeantes des autres spectateurs qu'il a écœurés avec son comportement scandaleux.

Pourtant, il ne devrait pas y avoir de comportement scandaleux sur la Main: la Main n'existe-t-elle pas justement pour vous permettre d'évacuer les choses qu'on vous défend d'exprimer ailleurs? Une soupape, un exutoire, le no man's land où tout est permis? Il a osé faire debout ce que les autres se sentent obligés d'accomplir en se recroquevillant ou en se dissimulant avec un chapeau ou une tuque, on devrait faire son éloge, pas le conspuer!

Il reprend le tramway en tremblant. Pourquoi jouer avec le danger comme ça? Pourquoi? Autour de lui, on croit qu'il se mouche. Dans l'autobus de la ligne Saint-Hubert qui le mènera chez ses parents au nord de la ville, il s'endort comme une pierre et c'est le conducteur qui vient le réveiller au bout de la ligne...

Au bout de la ligne. Il est au bout de la ligne, *all right!*

*

Il fait noir depuis longtemps lorsqu'il pousse la porte de la maison de Pont-Viau. Tout est silencieux. D'habitude, à cette heure, sa mère, tout en préparant le souper, écoute les émissions pour enfants, *Le Grenier aux images* ou *La Boîte à surprises*, parce qu'elle ne peut pas voir la télévision de sa cuisine. Il l'a souvent taquinée à ce sujet:

«Si tu peux pas regarder la télévision, pourquoi t'écoutes pas la radio?

— Si j'veux écouter la télévision comme si c'était la radio, c'est de mes affaires, non?

— Mais c'est fait pour être regardé!

— Si c'tait juste fait pour être regardé, y'aurait pas de son!»

Il l'entend varnousser, comme d'habitude, ça sent bon dans la maison mais la télévision est éteinte; c'est mauvais signe.

Il n'ose pas crier c'est moi, j'ai faim, de peur de déclencher un cataclysme, de voir exploser l'appartement en cris, récriminations et reproches de toutes sortes. Si les policiers ont téléphoné. Mais ont-ils téléphoné?

Il a vu la voiture de son père devant la maison, celui-ci n'est donc pas passé par la taverne en

125

sortant de la firme de comptables où il a gaspillé les vingt-cinq dernières années de sa vie. Il n'est pas non plus au salon comme François s'y serait attendu, la pipe à la bouche, un journal à la main, les pieds posés sur le pouf, caricature parfaite du père nord-américain satisfait qui rentre chez lui pour se faire servir un repas chaud en attendant l'heure du coucher.

Vide, son fauteuil s'en trouve plus chaleureux : Albert Villeneuve est un être rigide et froid, du moins c'est l'image qu'il donne de lui-même. Il se trouve en perpétuel conflit avec ses cinq enfants dont il critique et condamne presque chaque geste, chaque choix, et sa femme qu'il trouve trop permissive et trop indulgente. Sauf avec lui, bien sûr. Elle n'est jamais trop indulgente avec lui, elle doit lui passer son alcoolisme, son mépris, ses absences prolongées, suspectes et jamais totalement justifiées, l'odeur de sa pipe jusqu'au tréfonds de ses sous-vêtements ; elle doit se soumettre à ses quatre volontés sans rechigner, sans même lever les yeux, en s'excusant presque d'exister. Albert Villeneuve fait partie de ces égoïstes, et ce sont les pires, qui s'ignorent et qui se croient généreux et justes parce que, quoi qu'ils fassent, la société leur donnera raison. *Father knows best.*

François a passé une grande partie des premières années de son adolescence à rêver qu'il tuait son père.

C'est peut-être déjà fait. Si, encore une fois, les policiers ont téléphoné. Il sourit malgré lui. Son sourire cynique pour les occasions gênantes.

Sa mère lui tourne le dos lorsqu'il entre dans la

126

cuisine. Il sait qu'elle sait qu'il est là, mais elle ne se retourne pas, elle a juste ce petit mouvement de raideur qui nous trahit quand on ne veut pas réagir à une situation et que nos nerfs sont plus rapides que nous, ce léger mouvement du coude qui ne trompe pas, puis le cou se raidit, le corps subit une tension qui ne lui est pas naturelle...

« Ça sent bon. »

Pas de réponse.

Ils ont téléphoné.

Aura-t-il droit à la douche froide du silence ? Il préférerait les cris et les menaces. S'il s'installe autour d'un sujet aussi scabreux, le silence sera insupportable. Il essaie d'imaginer les cinq autres membres de sa famille qui habitent encore à la maison — ses deux sœurs Marielle et Jacqueline sont mariées depuis quelques années — attablés en silence autour du pâté chinois ou des côtelettes de porc, ses frères fronçant les sourcils et s'interrogeant du regard, son père plongé dans son assiette — il sape tellement que François en avait honte lorsque, enfant, des visiteurs mangeaient avec eux —, sa mère les servant en évitant de le regarder, lui, le coupable, le mouton noir, le délinquant. Non. Les repas sont les seuls moments où un semblant de lien les rattache tous, où un début de communication se révèle possible parce que la nourriture est toujours délicieuse : ils ne vont pas se plonger à jamais dans l'aphasie, il ne resterait plus rien de cette famille ! À cause de lui. Non, il faut lutter contre tout sentiment de culpabilité.

Alors, pour provoquer une réaction de sa mère, la faire se tourner vers lui, au moins, voir son visage défait, essayer une fois de plus de dénouer sa propre gorge pour en faire sortir une explication qui le lavera de tout soupçon et peindra les deux policiers sous un jour défavorable, il joue les goujats — c'est comme ça qu'elle le prendra et ne pourra pas s'empêcher de se retourner! — et dit d'une voix enjouée:

«Rien de neuf?»

C'est gratuit, provocant. Et malhabile.

Le dos s'arrondit. Les mains qui épluchaient les patates se posent de chaque côté de l'évier. Un soupir. Une autre maudite preuve de soumission.

La honte envahit François avec une telle violence qu'il est obligé de se plier en deux derrière sa mère, en ouvrant la bouche pour chasser l'air qui le fait suffoquer. Elle ne savait probablement même pas que l'homosexualité existait avant l'appel des policiers, comment peut-elle imaginer son fils grimpant les escaliers d'un grand magasin pour aller trouver dans les bras d'un autre homme un soulagement qui pour elle est un péché, même quand il est solitaire? Cela n'avait jamais été aussi clair: *elle ne peut pas comprendre*. Son père non plus. Le reste de la famille non plus. *Ils ne pourront jamais comprendre*. Pour eux, ce qu'il fait, ce qu'il est en train de devenir, ce qu'il est déjà est-il d'une telle laideur que sa propre mère qui lui passe pourtant tout depuis toujours à cause de ses yeux cajoleurs et de son sourire irrésistible, est incapable de même le regarder en face?

Il ne veut pas avoir honte! Il refuse d'avoir honte! Ce sont eux qui ont tort! S'il ne peuvent pas le comprendre, qu'ils reconnaissent au moins le fait! Non. C'est impossible. Parfaitement impossible. Il le reçoit comme une révélation définitive que jamais rien ne pourra ébranler.

Sa mère a recommencé à éplucher les patates. Geste automatique répété à l'infini qui chasse toute autre pensée.

François quitte la cuisine en courant pour se diriger vers le boudoir qui lui sert de chambre à coucher. S'ils sont incapables de l'affronter, il fera sa valise et disparaîtra à jamais de leur vue.

Il passe devant la chambre de ses parents.

Une image le fige sur place.

Son père est assis de l'autre côté du lit conjugal, replié sur lui-même. Sa pipe fume dans un cendrier posé à côté de lui sur le lit. Il pleure à gros bouillons, comme un enfant, la tête enfouie dans ses mains blanches de comptable.

Une détresse tangible et désolante flotte autour de lui, François peut la goûter comme s'il l'éprouvait lui-même, c'est pesant et terrorisant, ça a des griffes et des dents pointues, ça crie et ça fesse, et l'impuissance qu'ils ressentent tous deux, le père dont le monde vient de s'écrouler à cause d'une faute qui dépasse son entendement, un péché d'une telle laideur qu'il ne faut même pas le mentionner de peur d'être définitivement sali, et le fils, raison de cette insoutenable douleur, porteur du germe de l'horreur, cette impuissance, donc, les écrase l'un et l'autre.

Albert, lui, ne sait pas que François est là; il se croit seul, submergé par un mal qui le rongera probablement pour le restant de ses jours. François reste longtemps derrière lui. Il ne l'a jamais aimé, il a souvent rêvé de le tuer, mais jamais il n'a voulu le faire pleurer. Les larmes d'un être aussi froid, aussi contrôlé sont beaucoup plus révélatrices que la pire des crises, la plus humiliante des engueulades. François comprend qu'il doit vraiment disparaître de cette maison à tout jamais, proscrit qui choisit lui-même de s'exiler.

*

Il ne les reverra jamais. Aucun d'entre eux.

Et ils n'essaieront pas de le retrouver. Ou s'ils le font — François a souvent imaginé sa mère suppliant son père, menaçant d'appeler la police, ce dernier la couvrant d'injures —, ils n'y parviendront pas.

Sa sœur Marielle finira bien par le rejoindre, cependant, à la mort de leur mère, quelques années plus tard, au moment où François commencera à chanter dans les petites boîtes pour un sandwich au jambon et un double espresso. Mais il refusera de se rendre aux funérailles, prétextant qu'il n'a rien à se mettre — ce qui sera vrai — et que, de toute façon, ils ne le reconnaîtraient pas dans ses nouveaux atours. Il utilisera cette expression parce sa sœur est depuis toujours maniaque de ce qu'elle appelle ses magazines d'amour, photos-romans d'un grand ridicule et d'un sentimentalisme à faire vomir dans lesquels ce genre de langage est de mise. Après tout, *nouveaux atours* pourrait signifier qu'il a réussi dans la vie. Mais si elle le voyait dans son jean crotté et son pull noir à col roulé qui sent la sueur, elle pousserait les hauts cris et insisterait pour venir à son secours. Il n'aura pas le courage de lui dire qu'il crève de faim et qu'il préfère ça à la lâche dépendance d'un adolescent qui ferme les yeux sur les tares de sa famille et exige qu'on lui rende la pareille.

Il prendra une brosse de trois jours en souvenir de sa mère, cette petite souris soumise qui aura passé sa vie dans l'ombre d'un égoïste infect qui jamais, au grand jamais, ne saurait qu'il l'a été. Parce que papa a toujours raison.

*

En attendant, il fait une petite valise, c'est-à-dire qu'il jette dans un sac à Tousignant quelques sous-vêtements, des chemises propres, des bas chauds parce que c'est l'hiver, sa trousse de toilette — mais peut-être se laissera-t-il pousser la barbe, même s'il la juge ridiculement follette —, des livres, de ceux dont on croit, à seize ans, ne jamais pouvoir se passer, et son petit cahier rouge dans lequel il inscrit depuis son enfance les mots qu'il trouve beaux.

Son père a dû prévenir sa mère, lui défendre de lui parler. Sa terreur est tellement grande qu'elle n'ose pas regarder son fils quand il vient lui faire ses adieux. Ce qui signifie que, de toute façon, son père avait prévu le mettre à la porte. François ressent une sorte de satisfaction méchante à la pensée qu'il l'aura privé de ce plaisir. Il tient son sac de papier brun dans ses bras, comme s'il rentrait de faire des commissions, et une boule de nostalgie lui monte à la gorge. Il a dix ans, tout à coup, il vient de faire des courses et il surgit dans la cuisine en criant : « J'ai trouvé des tomates potables ! » C'est l'hiver et sa mère est fière de lui.

« R'tourne-toi donc, maman. Tu pourrais me faire tes adieux en face.

— De toute façon, tu t'en vas pas pour toujours, je le sais. Mais insiste pas... y pourrait devenir méchant. »

François sait très bien ce que « devenir méchant » signifie, des images précises et affolantes, des bribes de souvenirs bloqués tant bien que mal dans sa mémoire remontent en vrac. Il revoit son père paqueté et s'en prenant à tout le monde, ses frères, ses sœurs qui pleurent, lui-même caché sous le lit de la chambre à coucher de ses parents. Son père ne les a jamais battus, mais sa violence verbale est telle que souvent, enfant, François s'était pris à désirer qu'il le frappe plutôt que de subir, ne fût-ce que quelques minutes encore, ce fleuve d'insultes, de menaces, de reproches qui emporte tout sur son passage.

Surtout, il revoit son père s'emparer de son appareil photo, après ses scènes les plus spectaculaires, les grouper tous, femme et enfants, sur le sofa du salon pour les photographier pendant qu'ils pleurent encore. Pour figer à jamais ce moment prévilégié, s'en délecter plus tard. Il enfonce une petite ampoule dans le flash qui ressemble à celui des photographes professionnels dans les films à la télévision, il leur dit méchamment à tous : « Souriez ! » ou « Essayez de sourire ! », le flash part, le monde s'efface pendant une microseconde, François pense à Hiroshima, la lumière

132

blanche, le souffle du vent radioactif qui emporte son père, le réduit en poussière toxique qui parcourra la terre pendant vingt-cinq mille ans.

Son père possède une imposante collection de ces photos qui montrent exclusivement des êtres humains qui pleurent, sa propre famille, et il s'en délecte parfois, le soir, la pipe à la bouche, les pieds posés sur son pouf râpé. Est-ce que ça lui donne l'impression d'avoir du pouvoir, d'être un homme, un vrai homme maître chez lui et pourvoyeur de larmes autant que de nourriture abondante et succulente? Ça et les injures?

François frissonne de dégoût.

«Envoye-le donc chier une fois pour toutes.»

Aucune réponse.

Elle ne se retournera pas.

Avant que son père ne reprenne ses esprits et ne vienne hanter le reste de la maison à la recherche d'une raison pour exploser en récriminations qui dureront peut-être des heures, François, sans rien ajouter et sans se retourner, tourne le dos à sa mère, longe une dernière fois le corridor qui a connu ses cris et ses courses d'enfant excité, ouvre la porte sur la nuit et le froid.

*

Cette première nuit, il la passera à la gare Centrale, au centre-ville, recroquevillé en chien de fusil sur un banc de bois; quand un gardien ou un policier le réveillera pour lui demander ce qu'il fait là, il répondra qu'il part tôt le matin pour Toronto. Ils ne seront pas dupes, mais n'auront pas non plus le courage de le jeter dehors par un temps pareil.

Un autre fugueur qui passe la nuit sur un banc de gare pour culpabiliser ses parents. Ils en voient toutes les semaines, de tous âges et de toutes provenances.

François, les bras bien serrés sur son sac à Tousignant, se laissera aller à un sommeil de plomb, sans rêve, réparateur. Jusqu'au matin.

Alors la grande errance pourra commencer.

*

Le lendemain matin, attablé au Select devant un mauvais café et un ordre de toasts tièdes, il essaiera de décrire sur un coin de serviette de papier cet homme, au demeurant détestable, mais soudain vulnérable et presque pathétique sous le coup du malheur.

Un homme qui pleure, de dos, dans une chambre vide, avec une pipe qui fume à côté de lui. Vient-il d'apprendre une mauvaise nouvelle ? Quelqu'un vient-il de partir ? De mourir ? On ne saura rien de lui, en fin de compte, seulement qu'il pleure parce qu'il est malheureux.

Tout au long de sa vie, il se demandera pourquoi il a écrit cette chanson. Pour donner le bénéfice du doute à son père avant de faire le grand saut ? Pour se convaincre, au contraire, qu'il a eu raison de partir et que cet homme-là, dans la chanson, dont on ne saura jamais pourquoi il pleure, n'est pas un être humain réel — il pourra donc oublier qu'il a vraiment vu ce monstre pleurer —, mais un personnage inventé de toutes pièces à travers lequel il essaiera de toucher son public éventuel, si jamais il arrive à chanter devant un public, pour qui les larmes sont l'apanage des femmes ?

Adieu, papa, va chier! C'est juste ça ?

*

Durant sa période d'errance (de son départ de la maison de ses parents, en 1956, à l'aube des années soixante), François vivra mille vies.

Se servant de sa beauté et guidé par son intelligence, il deviendra rapidement la coqueluche d'un monde chic, mais souterrain, ravagé par la peur, où une seule dénonciation, même pas, la moindre petite insinuation peut détruire toute une carrière, toute une vie. Mineur, il représentera à lui tout seul et pour beaucoup d'hommes haut placés et rongés par leur passion cachée cette terreur d'être découvert, jugé, puni pour une faute impardonnable, la pire de toutes, la pédérastie, même si le partenaire reconnaît avoir été consentant. Professeurs, avocats, docteurs, curés, ils seront fous de lui, se mettront en rangs pour lui faire la cour, se battront pour le « protéger », mais ils prendront toujours des précautions infinies, frisant souvent le ridicule, pour ne pas se faire prendre, pour que personne, jamais, ne se doute de quoi que ce soit en dehors de leur clandestin et exclusif cercle d'amis.

Ils joueront à croire qu'il a dix-huit ans quand il en aura seize, vingt et un quand il en aura dix-huit, il passera pour leur neveu, leur fils, leur petit-cousin éloigné envoyé à Montréal pour terminer ses études, leur secrétaire, même, quand il aura l'air assez vieux pour faire à peu près illusion.

Pour s'assurer un gîte temporaire, une croûte décente, des habits propres, François devra parfois se faire rassurant ou mentir sur son âge, mais jamais il ne sera méprisant avec ces admirateurs qui se considéreront ses bienfaiteurs parce qu'il a su calmer leur conscience troublée par la culpabilité. Sauf avec ceux qui le seront à son égard, les goujats qui le considéreront comme leur chose, un joli animal familier, un simple pourvoyeur de plaisirs violents et courts. Ceux-là, aussi nantis soient-ils, aussi puissants, aussi beaux même, parce que les beaux hommes riches sont les seuls que François n'aura pas pu supporter longtemps à cause de leur maudite arrogance et de leur insupportable supériorité, ceux-là, donc, il les abandonnera rapidement, les oubliera encore plus vite, eux, leurs maisons grandioses, leurs appartements immenses, leur mépris humiliant.

Au bout d'un an ou deux, lassé de se cacher dans le fond d'une chambre d'amis pendant qu'on s'amuse au salon, d'aller au cinéma parce qu'un repas important se prépare, de vivre sans cesse aux aguets, d'attendre que le téléphone sonne devant une télévision qui l'ennuie profondément, de rester enfermé à l'étage d'un presbytère qui sent la cire et la soupe au poulet, il finira par disparaître sans prévenir des cercles de la politique et de l'Église pour évoluer essentiellement dans un milieu moins snob, plus vivant, plus drôle : l'Est de Montréal, la Main en fait, avec ses folles sans complexe, ses travestis à la fois flamboyants et misérables, ses petits employés qui rêvent de grandeur dans un monde qui les méprise sans rémission et qui viennent là s'étourdir et se faire croire qu'ils sont quelqu'un en dépensant de l'argent qu'ils ne possèdent pas, avec ses waitresses inimitables à la coiffure savante et compliquée, ses guidounes des deux sexes, colorées et drôles, microcosme captivant des passions primaires, qui le ravira après le monde aseptisé des curés faussement généreux, à la main trop leste, et des professionnels coincés et peureux, qui vivent les yeux dans le dos.

Protégé d'un comique sur le retour, alcoolique impénitent et sentimental à donner la nausée, François fraiera pendant quelques mois avec une troupe de music-hall en tournée. C'est ainsi qu'il fera la connaissance de Roméo Pérusse, qui ne sera pas dupe du métier de cet adolescent trop beau mais fera celui qui ne voit rien parce qu'il le trouvera sympathique et intelligent. François suivra avec fascination les spectacles de Roméo Pérusse, d'une insondable vulgarité mais aussi d'une irrésistible drôlerie. Gargantuesque, Roméo Pérusse use de tous les trucs éculés qui font rire l'être humain depuis que le monde est monde, et le public l'adore. Revenu à Montréal et séparé de son protecteur, François s'intégrera lentement dans le milieu des cabarets qui le fascinera par sa franchise et sa simplicité. Il fera de la figuration, jouera de petits rôles, muets ou non, poussera quelques tounes devant un public indiscipliné et bruyant pendant qu'on sera en train de changer les décors, méritant pour la première fois de sa vie par un vrai travail cet argent de poche qu'il dépensera libéralement et avec un plaisir enfantin.

Puis, un soir de décembre, la vie lui semblera particulièrement malveillante après une rupture brusque et définitive avec un chanteur de charme qui l'aura jeté à la rue par pur caprice. Il se contentera de dire à François : « De la répétition naît l'ennui ; j'ai besoin de changement, bye bye. » Rejeté, donc, pour la première fois de son existence, il aura la chance de faire la connaissance du nain Carmen qui deviendra son meilleur ami, son mentor, qui fera péter les coutures de ses horizons par trop étroits en devenant son Pygmalion des bas-fonds de Montréal, de la rue de Lorimier à la rue Peel, de Montréal-Nord à Westmount, du PJ's au Blue Note, de Geracimo à l'American Spaghetti House.

À dix-neuf ans, après trop de péripéties et de pérégrinations, déjà vieux d'expériences de toutes sortes, il aura sa première piaule, payée de son propre argent, une grande chambre de la rue Sanguinet qui lui semblera un havre de paix, le summum du luxe après qu'il l'aura arrangée à son goût, mise à sa main et garnie du nouvel amour de sa vie, sa chatte Fanfreluche.

Et c'est là qu'il commencera sérieusement à composer des chansons sur un vieux piano droit acheté pour presque rien à l'Armée du Salut et une guitare volée dans un magasin de musique de la rue Mont-Royal.

PARIS, PAQUETÉ

(1963)

La rue Coquillière. La vraie rue Coquillière, étroite, bruyante, saturée des cris mêlés des forts des halles, des marchands de toutes sortes, des commissionnaires énervés, des poissonnières mal embouchées et des clients exaspérés qui veulent se faire servir tout de suite, remplie des couinements d'animaux affolés qui voient venir leur fin atroce, du bardassement des charrettes et des camions, gorgée des remugles de ce que Paris se mettra dans la panse le lendemain, toutes ces choses qui sentent trop avant qu'on les assassine, qu'on les sale, qu'on les fume ou qu'on les fasse cuire. Un boyau par où s'évacue tout ce qui peut se mettre dans la bouche, se mastiquer, s'avaler.

François pense au *Ventre de Paris*, à l'introduction de Florent Macquart aux Halles, à la célèbre symphonie des fromages. Les Rougon-Macquart, du moins les sept ou huit volumes qu'il a lus, ont pâmé son adolescence, lui ont donné le goût de se pencher sur une page blanche dans l'espoir de la remplir de mots odorants et coupants comme des scalpels. À la pensée qu'il y est vraiment plongé, que les vraies Halles se dressent devant lui, en même temps majestueuses et déglinguées, son cœur se serre et il voudrait se retrouver au milieu de ses amis, à Montréal, au El Cortijo ou à la Paloma, pour leur raconter tout ça, cette beauté, ces effluves, cette sensation de rêve éveillé parce qu'on n'a jamais vraiment cru que Paris existait, parce qu'on était convaincu que c'était une invention littéraire pour faire rêver les anciennes colonies, les écraser, les soumettre.

Il imagine la face du nain Carmen qui, à plus de vingt ans, n'a jamais quitté l'île de Montréal et s'en vante à qui veut l'entendre, ses yeux incrédules, sa voix de crécelle qui n'a pas plus mué que son corps : « T'es pas sérieux ! T'es pas sérieux ! Dis-moi que t'inventes tout ça ! Dis-moi que ça se peut pas, c'est trop beau ! Continue ! »

Il regarde autour de lui, au bord des larmes. Un monde tiré d'un roman du dix-neuvième siècle l'entoure. Une rue impensable à Montréal, pleines de recoins et de détours. Une église posée de profil à la rue et qui donne sur une place minuscule qui porte probablement son nom. Des déchets partout du côté des Halles, un semblant de propreté le long de l'église, le pandémonium en face du Pied de cochon.

François fait la queue devant le célèbre restaurant en compagnie d'un quidam qui l'a dragué boulevard Saint-Michel — ce n'est pourtant pas l'endroit — et lui a offert, en entendant son accent, de lui montrer ce que la capitale contient à son avis de plus typique, de plus folklorique, de plus « parigot », mais que les touristes, hélas de plus en plus nombreux et de plus en plus américains, visitent rarement.

François a été étonné. Les gars qu'il rencontre

depuis deux semaines qu'il sillonne les rues de la ville ont plutôt tendance à lui montrer l'Opéra et son grand escalier, la tour Eiffel et sa vue imprenable, le faux Moulin de la Galette et ses ailes rognées, le Sacré-Cœur et son dôme en meringue, le Paris de tout le monde, quoi, dont il a vite fait le tour et qui commence à l'ennuyer.

Après avoir bien visité, bien étudié tous les bâtiments incontournables qu'il connaissait déjà de réputation, il est parti à la recherche des coins d'ombre et des endroits déserts où se rencontrent des gars qui, comme lui, préfèrent l'odeur de la peau qui a beaucoup servi aux édifices noircis par le temps, les guerres et les émanations des pots d'échappement. On s'apprêtait d'ailleurs à ravaler tout ça pour lui redonner un semblant de santé et de jeunesse. Des gars, il en a trouvé, des tas, et s'en est délecté en délaissant tout le reste. Du cul, pourtant, il peut en trouver comme il veut, à Montréal, alors que des monuments séculaires...

Pour une fois, cependant, en sortant de son hôtel vers sept heures, il a décidé de passer une petite soirée tranquille en compagnie de lui-même et cette rencontre fortuite d'un beau gars en plein boulevard Saint-Michel l'a d'abord dérangé. Mais la chair, plus ou moins fraîche, ne se refuse pas quand, comme lui, on n'est jamais rassasié du corps des autres : il s'est vite trouvé sur les talons de cette grande silhouette dégingandée, trop sexy pour être honnête, qui se dirigeait vers le fleuve étroit et ses petits ponts.

En traversant la Seine — la Sainte-Chapelle se profilait sur la nuit tombante, François l'avait

visitée la semaine précédente et en gardait un souvenir ému même si les églises ne l'avaient jamais
intéressé —, il avait eu une petite réaction qui
avait fait rire son compagnon:

«C'est à cause de mon accent, hein?

— Plaît-il?

— La visite des Halles, c'est à cause de mon
accent? Vous trouvez que j'ai un accent du terroir
et vous voulez me montrer ce que Paris contient
de plus campagnard pour que je me sente pas
dépaysé? C'est ça? Avouez au moins que c'est ça!»

Il était un peu plus paqueté qu'il ne l'avait cru
et sa colère se trouvait exacerbée, affûtée par le
trop-plein de vin rouge bon marché avalé n'importe où en compagnie de n'importe qui depuis le
matin et qui commençait à lui brouiller le cerveau
en plus de l'estomac. Encore une fois, il s'entendait parler sans avoir vraiment planifié ce qui sortait de sa bouche. Il se disait attention, fais
attention à ce que tu dis, pour une fois que tu
rencontres un gars qui a de l'allure, va pas lui faire
peur avec des grands gestes pis des paroles incon-
sidérées, y va se sauver pis tu vas te retrouver tout
seul dans ta chambre miteuse qui sent la pisse
séchée et mille ans d'humidité.

Le Parisien avait souri et François s'était dit:
C'est-tu un sourire condescendant, ça? Si c'est un
sourire condescendant, j'y fends la yeule en sang!

«Pas du tout. Vous m'avez dit que vous étiez là
depuis deux semaines et j'ai pensé que vous aviez
probablement déjà tout vu ce que Paris peut offrir
aux étrangers non avertis qui se contentent de
visiter ce qui dépasse dans le ciel de Paris: la tour

Eiffel et le Sacré-Cœur! Vous connaissez déjà les Halles?

— Non. Pas du tout.

— Alors, de quoi vous plaignez-vous? C'est un des endroits les plus intéressants de Paris. Pour la drague autant que pour le reste, je vous montrerai. Quant à votre accent, il est charmant, c'est vrai, mais le terroir, au contraire de ce que vous semblez penser, ne m'a jamais intéressé.»

François avait failli ajouter: Ben oui, je le sais que c'est pas mon accent qui t'intéresse, mon trésor, mais il s'était retenu à temps. Le gars était assez beau. Pas vieux. (Il en avait soupé des vieilles sacoches françaises qui se prenaient pour la fin du monde et qui imposaient leurs chairs flétries comme si elles étaient un cadeau du ciel.) Et le jeune homme l'avait invité au restaurant. Au Pied de cochon, rien de moins!

Mais il est écœuré qu'on lui parle de sa façon de s'exprimer comme s'il n'était que ça, un accent ambulant, un roulement de «r» sur pattes, un restant de vieux français qui revient se faire entendre aux sources qui ont bien changé en trois cents ans et se moquent de ce qu'elles ont été, de la manière dont elles ont déjà sonné, trop préoccupées par l'importance de ce qu'elles croient être devenues. Chaque fois qu'il ouvre la bouche, on lui en parle, de son maudit accent: à l'hôtel, au restaurant, dans les taxis, dans les bars, jusque dans ces endroits de drague où on le prend pour un Périgourdin en goguette ou un Belge en cavale. Il a donc un accent même quand il chuchote et ahane?

«Excusez-moi. Mais j'me suis fait déjà demander si je viens du Canada au moins dix fois depuis
ce matin... »

Petit sourire. François se dit qu'il est même très
bien, ce Français, dans son déguisement de faux
Américain, de James Dean d'outre-Atlantique,
d'Elvis de Belleville : jean de fin velours cordé noir
très près du corps, chemise rouge sang pudique-
ment boutonnée jusqu'au cou, *Hollywood haircut*
bien pommadée et bien collée sur la tête, les yeux
d'un bleu plutôt rare tirant sur le bleuet du Lac-
Saint-Jean, presque mauves, la peau laiteuse à
force d'être blanche, la bouche tentante. Directement sorti de *West Side Story* ou de *East of Eden*,
mais du mauvais côté de l'océan !

« On va attendre longtemps comme ça ?

— Vous avez faim ?

— Oui. J'ai trop bu, aujourd'hui, pis j'ai un
peu de misère à me tenir sur mes deux jambes
trop longtemps. »

Autre petit sourire. Cette fois, c'est l'accent, il en
est convaincu. Le « pis » au lieu du « et », « misère »
au lieu de « mal »...

« On peut pas aller ailleurs ? Je l'ai vu, là, le Pied
de cochon.

— Mais vous n'avez pas goûté à sa table. Vous
n'avez pas senti son atmosphère. Vous n'avez pas
contemplé ses forts des halles...

— Pourquoi les forts des halles seraient plus
intéressants ici que de l'autre côté de la rue ?

— Parce qu'ils viennent se montrer. Et que ce
qu'ils ont à offrir est... disons... intéressant. »

François sursaute. Il vient d'apercevoir un cochonnet, près de la porte, l'air piteux, un fil à la patte, qui dévore des épluchures de pommes de terre en grognant.

« Quelle horreur ! Y' ont le droit de faire ça ? »

Le Français se penche un peu, contemple l'animal quelques secondes.

« Il est mieux là que dans notre assiette, non ?

— Pour le moment, oui. Mais y va ben finir là comme les autres quand y va être assez gras. »

François lève la tête vers le néon blanc qui flotte au-dessus de la rue Coquillière. Il a un léger étourdissement, se dit qu'il faut qu'il mange le plus vite possible, sinon il va s'écraser au milieu des Halles, à côté du cochonnet qui pourrait bien avoir envie de venger les milliers de générations de ses semblables qui sont passés par ici depuis si longtemps et lui bouffer le nez.

« Pourquoi riez-vous ?

— Parce que chus paqueté.

— Paqueté ? qu'est-ce que c'est, paqueté ? »

*

François a quitté Montréal sur un coup de tête. Il a eu envie de voir Paris en regardant un film français au cinéma Saint-Denis. Il a fait venir son passeport, s'est acheté un billet d'avion avec l'argent de quelques tours de chant donnés çà et là dans des boîtes à chansons que personne ne connaissait mais qui payaient bien, plus des emprunts contractés auprès de ses amis, le nain Carmen, bien sûr, qui vit de son physique plutôt particulier et qui s'est entiché de celui de François autant que de son culot et de son talent, d'autres prostitués — denrée nouvelle et très courue à Montréal, les prostitués mâles —, durs en affaires et qui ont imposé des intérêts dignes des pires shylocks, et Gerry Coulombe, que Carmen lui a présenté l'année précédente et qui lui court après d'une façon indécente depuis des mois.

Il a roulé Gerry dans la farine un soir de beuverie, lui a fait la grande scène de séduction, c'était facile, trop, ça cachait sûrement quelque chose. Non. Gerry Coulombe n'était apparemment qu'une victime consentante et François l'a méprisé un peu plus sans savoir, cependant, qu'il s'était piégé lui-même, qu'il venait de mettre le doigt dans un dangereux engrenage qui les mènerait tous les deux trop loin trop longtemps : la dépendance à l'argent.

Puis, quand est venu le temps de partir, la valise faite et l'argent transformé en chèques de voyage, il n'en a plus eu le goût, pris d'angoisse à l'idée d'aller si loin tout seul, à la recherche de quoi ? De quelques vieilles bâtisses noircies par le temps, de baguettes de pain français qu'on entame en marchant dans la rue et de ballons de rouge servis par des garçons de table hautains dans leur étroit tablier blanc et confits dans leur conviction d'être supérieurs à leurs clients, surtout les étrangers. Des clichés ! Partait-il uniquement pour aller vérifier sur place si tous les clichés véhiculés par tout le monde depuis son enfance au sujet des Français étaient fondés ? Parce qu'il ne voulait plus partir, parce qu'il voulait se trouver des raisons pour rester à Montréal qu'il n'avait pratiquement jamais quittée, il ressassait trois cents ans de frustrations et de récriminations plus ou moins légitimes, toujours les mêmes, refrain sans cesse répété d'une chanson trop longue chantée sur un ton trop geignard : la défaite des Français, l'abandon pur et simple de ce carré de terre trop grand, trop fruste pour être contrôlé, la Conquête, les Anglais qui permettent aux Canadiens français de rester francophones et catholiques à condition de se soumettre à leurs lois et à leur volonté, l'isolement, la solitude, l'ignorance encouragée, maintenue par un clergé pour qui le salut de l'âme est plus important que le bien-être terrestre le plus primaire... encore des clichés ! Des clichés de pleurnicheurs trop lâches pour relever la tête et crier ça suffit... Il utilisait l'histoire complète de son pays pour s'empêcher de partir ! Ridicule !

Alors il a pensé aux livres qu'il a lus, aux chansons qu'il écoute encore au seuil de la pâmoison, aux films qui ont changé sa vie, et le goût de retrouver un Paris qui n'existe que dans la culture l'a secoué avec une telle force qu'il est parti brusquement en claquant la porte de sa petite chambre : il inventerait le Paris qui l'intéressait s'il ne le trouvait pas, il le mettrait en chansons et il le partagerait avec le monde entier !

*

En arrivant dans la Ville lumière, avant même de se trouver une chambre, François s'est garroché rue de l'Ancienne-Comédie pour se payer une visite au Procope. Il voulait voir la banquette de reps rouge où jadis, disait-on, Verlaine avait mangé sa soupe et peut-être bu son absinthe. C'était un des grands buts de son voyage. Le restaurant était fermé. Il a posé ses mains en visière contre la vitrine, a essayé en vain de scruter l'ombre de la vaste salle carrée — des tables, mais pas de banquettes, elles étaient de l'autre côté, du côté du bar —, a fini par abdiquer en se disant qu'il reviendrait dans quelques heures, après s'être déniché un gîte quelconque et reposé de son trop long voyage.

Il faut dire que l'arrêt à Gander l'a rachevé : atterrir en pleine nuit dans un sombre bled au milieu de l'Atlantique après quelques heures de vol pour prendre du carburant, quelle horreur ! Déjà que l'énorme bombardier de la dernière guerre converti tant bien que mal en avion de passagers était scandaleusement inconfortable ! La traversée a été longue, pénible, épuisante et Paris, au bout de cet interminable tunnel, avait besoin d'en valoir la peine !

Tout près du Procope, dans une petite rue, il s'est trouvé une chambre, au Grand Hôtel de l'Univers, qui ne lui coûte presque rien. Il y habite depuis plus de deux semaines et rêve parfois de s'y installer définitivement, d'y crever de faim comme tout artiste qui se respecte, paqueté à longueur de journée, écrivant la nuit des chansons géniales restées inconnues jusqu'à sa mort où, évidemment, elles seraient considérées comme des chefs-d'œuvre ; il divague, il s'invente un destin tragique, n'y croit qu'à moitié, s'en délecte sans vergogne et, comme le personnage central du *Journal d'un curé de campagne*, il se saoule en trempant du pain dans du vin rouge, sa principale nourriture. Il a maigri, pâli, faibli, il erre dans les rues de Paris comme une âme en peine à la recherche d'autres âmes en peine comme lui et s'en trouve parfaitement heureux.

Quant au Procope, il s'y rend presque chaque jour. Il a choisi un endroit, au fond à gauche, où il s'est persuadé que Verlaine était venu passer ses journées, soixante-dix ans plus tôt, et vient y rêvasser de vers admirables et d'amours diaboliques. Il passe des heures les yeux fixés sur la banquette effectivement rouge, mais est-ce là du reps? C'est quoi du reps, au juste? Quand le coin Verlaine est occupé par un couple qui sape sa soupe à l'oignon ou un client solitaire, tête basse et le verre de blanc à la main, François se fait parfois dévisager et même engueuler parce qu'il ne se rend pas compte qu'il dérange les clients : il est plongé dans la fin du dix-neuvième siècle et, le cœur brisé, regarde se dégrader l'un des plus grands poètes que le monde ait jamais connu. À quelqu'un qui lui demandait un soir pourquoi il le dévisageait comme ça, il a répondu :

« J'vous dévisage pas. Je r'garde à travers vous quelqu'un de génial. »

Il a failli recevoir une gifle, s'est esquivé juste à temps et s'arrange désormais pour être plus prudent quand il va contempler son idole imaginaire. Il n'a pas encore osé aborder Verlaine, cependant — quand il a bu, il se prend vraiment pour Rimbaud —, il se contente encore de le lorgner, mais il a l'intention de le faire le plus tôt possible, un soir où son pain et son vin auront définitivement produit leur effet. Il sait que, ce jour-là, il aura franchi le pas décisif vers la folie, il aura dépassé le point de non-retour, culbuté à tout jamais dans le grand inconnu. Il s'en réjouit d'avance et, même, l'anticipe.

*

« Ça se mange, des pieds de cochon ?

— Le restaurant s'appelle le Pied de cochon, François.

— Ben, si y s'appelait le Toit rouge, ça voudrait pas dire qu'on peut manger le toit ! »

L'autre le contemple quelques secondes avant de répondre.

« Êtes-vous toujours comme ça ?

— Comme quoi ?

— Sur la défensive.

— Oui. Toujours. Pis chus sûr que j'ai raison ! Pis vous, commencez-vous à regretter de m'avoir invité ?

— Non, pas encore.

— J'suppose que vous me trouvez amusant.

— Et beau. Surtout beau.

— C'est vrai. Vous avez raison. J'oubliais comment on s'est rencontrés. Le physique est primordial dans la belle relation qui s'amorce entre nous… Courte, mais belle. Du moins je l'espère. Au fait, de quoi ça a l'air, des pieds de cochon ?

— Quand on n'y est pas habitué, c'est plutôt étonnant.

« — Est-ce que ça paraît que c'est des pieds de cochon, ou bien si ça vient en gelée ou en pâté ou en sauce ? »

François a de plus en plus faim, il est de plus en plus étourdi.

« On les sert tels quels mais frits. Il faut les désosser. Les os sont petits, dangereux. Il faut aussi enlever le gras et la peau, plutôt indigestes...

— Y reste quoi ?

— Pas grand-chose, c'est vrai.

— Mais ce qui reste vaut la peine ? C'est bon ?

— C'est... intéressant.

— Pourquoi vous en mangez si c'est juste intéressant ?

— Ça fait partie du plaisir de venir ici. »

Le garçon est arrivé, une espèce de bloc de chair compact et dur engoncé dans un tablier blanc et une veste noire, un mur de muscles d'où ne dépassent que deux petites oreilles décollées et roses. Un boxeur converti dans la restauration ou bien l'un de ces célèbres forts des halles qui a mal tourné ?

« Ces messieurs désirent ? »

La voix, flûtée, est surprenante chez ce taupin dont on se serait attendu qu'il rugisse et vous rudoie alors que le ton est onctueux, presque flagorneur et la posture humble, soumise.

François se retient pour ne pas éclater de rire.

« J'prendrais un homard thermidor. Rien avant. »

En entendant cet accent étranger auquel, semble-t-il, il ne s'était pas attendu, le garçon s'est un peu raidi et François se dit bon, ça y est, y va m'en parler.

Non. Le garçon s'est contenté de se racler la gorge avant de murmurer :

« Je ferai remarquer à monsieur que le homard thermidor est très très cher. »

Il s'est un peu tourné vers l'autre au milieu de sa phrase, pour bien marquer qu'il a compris que c'était lui, le plus vieux, qui allait payer la note et devait autant que possible ramener son compagnon à un choix plus raisonnable.

Il les prend tous les deux pour des Québécois ! François est ravi et parle avant que l'autre ouvre la bouche et évente la mèche.

« Oui, et alors ? J'veux un homard thermidor, c'est tout ! J'ai le droit, non ? »

Étonnamment, le garçon semble sincèrement confus, comme s'il voulait prévenir ces pauvres touristes qu'on allait les voler, les exploiter honteusement :

« Mais le homard thermidor est *vraiment* très très cher, vous savez. »

Les yeux sont suppliants. S'il vous plaît, croyez-moi, prenez n'importe quoi d'autre, les pieds de cochon, la soupe à l'oignon, ce sont les spécialités de la maison, mais pas ça, c'est du vol !

Puis François comprend tout : le garçon les prend pour un couple d'homosexuels étrangers plutôt sympathiques et, par esprit de fraternité, parce que c'est un confrère, veut les protéger de la scandaleuse cupidité du Pied de cochon.

François s'amuse trop, il veut confondre encore plus cet amas de chair sensible, même si sa générosité le touche :

« Alors j'en prendrai deux ! »

Il jette un coup d'œil en direction de son compagnon qui, après tout, peut très bien ne pas en avoir les moyens. Ce dernier éclate d'un grand rire qui fait se tourner les têtes et ajoute :

« La même chose pour moi. Et vous nous apporterez aussi des pieds de cochon en entrée. Monsieur est un néophyte et il n'aura pas son homard s'il ne commence pas tout d'abord par les pieds de cochon. »

Le garçon est rouge de confusion, on sent des excuses fleurir à sa bouche, il s'essuie le front avec un grand mouchoir propre. Comment, en effet, a-t-il pu confondre un Français de souche avec un cousin canadien ? Il est désolé, etc.

Le compagnon de François commande un pouilly-fuissé en riant et fait comprendre au garçon qu'il peut se retirer, un grand seigneur remerciant un domestique qui vient de commettre une amusante bévue. C'est élégant, mais ferme.

*

C'est la chose la plus laide qu'il ait jamais vue. Un pied d'animal complet, d'un réalisme indécent, à peine recouvert d'une légère panure, posé au milieu d'une assiette blanche. Tout seul. Sans garniture. Il devine les poils qui ont dû être noirs et raides, la peau rêche et rosée, la terre et les déchets de toute sorte sous le sabot pointu fendu au milieu. Il imagine un moment ce sur quoi le pied de ce cochon a pu se poser il n'y a pas si longtemps et ressent un léger haut-le-cœur qui le courbe au-dessus de son assiette. Il a si faim, pourtant !

155

«Vous pensez quand même pas que j'vais manger ça!

— Regardez. Je vais vous montrer.»

Julien — François a fini par lui demander son nom — prend son couteau, sa fourchette, et entame la peau épaisse qui découvre les petits os et les cartilages de l'animal. Une gelée transparente — du gras? — se détache qu'il étend sur une tranche de pain avec, au fond des yeux, une lueur de gourmandise.

«Vous allez voir, c'est délicieux.»

François, qui croit à une hallucination, s'appuie au dossier de la banquette en plaçant sa serviette contre sa bouche.

«Si je vous dis que ça m'écœure vraiment, que je vais me lever pis partir si vous continuez à me manger ça dans la face, allez-vous nous débarrasser de ces horreurs-là?

— Pas du tout! Il faut vous habituer! Ce n'est pas plus terrible que de manger un homard grillé ou une pauvre petite caille sans défense...»

Julien a un sourire sadique qui lui tire tout le visage vers le bas. On dirait que sa tête s'allonge, que son menton se plisse comme une vieille pomme séchée, mais François, en vidant son verre de pouilly-fuissé d'un trait, se dit que c'est peut-être le vin, au demeurant délicieux, qui lui brouille la vue. Une illusion d'optique de plus causée par l'alcool. S'il ne mange pas, au moins il aura goûté à un bon vin. Mais il a tellement faim!

Le garçon est aussitôt près d'eux, la bouteille à la main.

«Monsieur ne se sent pas bien?

— Monsieur veut mourir de dégoût!»

Le garçon ne peut pas s'empêcher de sourire. François fulmine.

«C'est l'accent, encore?

— Euh... oui, j'avoue.»

Tout tourne autour de François qui se dit : Je ne vais quand même pas vomir dans mon assiette ou dans celle de Julien ou sur le beau tablier blanc de Nestor!

Quelques personnes ont tourné la tête vers eux, les regardent en souriant. L'ont-ils entendu?

Pour dire quelque chose, pour affronter les effrontés qui le dévisagent comme s'il arrivait du fin fond de la Terre de Feu, pour détourner son attention de l'assiette de Julien, surtout, où se déroule un rituel barbare et d'une grande laideur, François parle un peu trop fort, de façon à ce qu'on l'entende bien, en exagérant son accent exprès, au point même de le détourner vers quelque recoin de la Gaspésie ou du Nouveau-Brunswick:

«'Coudonc, le restaurant au complet est-tu au courant que chus Canadien français pis que j'ai jamais vu un pied de cochon grillé de ma maudite vie?»

Des têtes hilares, des serviettes portées à des bouches pleines, des épaules secouées par la bonne humeur. François n'en revient pas. Il a autour de lui un public bon enfant qui ne demande pas mieux que de se faire divertir par cet accent qui vient du tréfonds de son propre dix-septième siècle, peut-être pour oublier lui aussi ce qu'il a dans son assiette, toutes ces cochonnailles saturées de graisse, ces bouts de bibittes de toutes sortes, enfarinées, plongées dans l'huile ou dans le beurre noir, rissolées, rôties, frites.

Il siffle un autre verre de pouilly-fuissé. Julien a décortiqué une grande partie du pied de cochon qui ressemble désormais au résultat d'une autopsie minutieuse, chair fendue au scalpel, intérieurs déployés, offerts.

« Mangez avant que ce soit froid, François. Froid, c'est parfaitement indigeste. »

Par pure bravade comme d'habitude, pour épater la galerie encore une fois, attirer l'attention sur lui, c'est vrai, mais pour changer le mal de place, aussi, utiliser l'énergie, l'adrénaline que l'alcool pompe dans ses veines, pour faire un bras d'honneur à ces inconnus qu'il ne reverra jamais et semblent le trouver si comique, François décide de faire le bouffon.

« Vous me trouvez drôle ? T'nez ben vos tuques ! »

Il sait que les regards des occupants des tables voisines sont sur lui, alors il exagère tout ce qu'il fait : il prend son couteau, sa fourchette, se met à fouailler dans la patte d'animal qui git dans son assiette, à séparer les os de la viande, il crie, il pousse des couinements de dégoût, il se scandalise, il sort quelques beaux sacres bien gras qui connaissent un triomphe appuyé de quelques discrets applaudissements.

Il est malheureux comme les pierres.

Une autre œuvre française. *Le roi s'amuse*, cette fois, ou le *Rigoletto* de Verdi, son dérivé. Il est Triboulet, le fou du roi, et amuse la cour pendant que son cœur saigne. Mais son cœur saigne-t-il vraiment ? Qui l'emporte, en ce moment, au milieu de ce restaurant à la mode, des soupes à l'oignon célèbres dans le monde entier et des pieds de cochon dégoûtants, le bouffon malheureux de son état, ou le cabotin prêt à tout pour attirer sur lui l'attention et les compliments de gens qu'il ne reverra jamais?

Quand il arrête de parler, on en redemande, comme dans les boîtes à chansons. Alors à son grand étonnement — j'dois être encore plus paqueté que je pensais — il entonne une chanson de la Bolduc. En plein restaurant. Assis devant une assiette dévastée dont il n'a pas goûté le contenu qui l'écœure, il s'époumone pour une cinquantaine de personnes hilares : « J'ai un bouton su'l'bout d'la langue qui m'empêche de turluter, pis ça me fait bé-gué-gué-gué-gué, pis ça me fait bé-bé-gayer. » Il lève les yeux sur Julien qui doit être blême de honte. Non. Lui aussi rit comme un imbécile. Rouge comme sa chemise. Plus du tout sexy. Ce n'est plus James Dean, c'est Bourvil.

François s'éponge. Il va s'évanouir. Mais non. Il va continuer. Le plaisir de faire rire mêlé à la honte d'utiliser son accent est trop... bon? Est-ce le mot juste? Est-ce que c'est bon? Est-ce que ça n'est pas plutôt horriblement gênant, parfaitement humiliant? On en redemande encore? Il se lève, cette fois, entonne un monologue de Clémence Desrochers, son favori, *Les filles du jeudi*, qu'il connaît par cœur pour l'avoir entendu des dizaines de fois. Il fait sa « Rollande insultée » qui joue au bowling le jeudi soir avec ses amies de filles, qui papote et potine, se chicane et se réconcilie.

Mais au beau milieu d'une phrase, il bloque.

L'adrénaline tombe d'un seul coup. Il prend conscience d'être debout dans un restaurant devant une bande d'inconnus qui le regardent faire le fou et un gars qu'il aurait volontiers baisé quelques heures plus tôt, mais qui le dégoûte désormais à cause des cochonneries pompeusement rebaptisées cochonnailles qu'il vient d'ingurgiter. Le silence tombe sur le restaurant, gêné parce qu'on croit qu'il a un trou de mémoire. Mais il a un trou dans le cœur. Il jette sur la table sa serviette qui servait quelques secondes plus tôt de mouchoir Brigitte Bardot pour Rollande, l'héroïne du monologue, murmure quelques excuses en direction de Julien, qui ne rit plus, et sort du restaurant en titubant.

Il veut mourir. Là. Tout de suite. Il exige de mourir sur-le-champ.

Le vent du soir le dégrise un peu. Trop peu. Il voudrait avoir toute sa tête, pouvoir réfléchir à ce qu'il vient de faire, l'analyser pour essayer de comprendre son comportement. L'alcool n'explique pas tout. A-t-il voulu se débarrasser de Julien, qui ne l'intéressait pas vraiment? Ou bien n'est-il qu'un vil cabotin, qui désespère d'attirer l'attention sur lui, au point même de s'humilier publiquement? Ou encore, n'a-t-il pas tout simplement voulu faire rire? Juste ça? Faire rire pour le plaisir de faire rire? Lui, toujours sérieux comme un pape! Lui, le cynique le plus méchant, le plus efficace de Montréal, s'abaisser à faire le bouffon devant une gang de Français en train de manger des pieds de cochon grillés? Et pourquoi?

En traversant les Halles, qui lui paraissent moins hystériques qu'une heure plus tôt, pataugeant dans les détritus de légumes et de viande, submergé par des odeurs moins enivrantes que celles décrites dans les romans de Zola, il se jure que jamais plus, jamais plus il ne fera rire si faire rire signifie vraiment s'abaisser, comme ça, devant tout le monde, sans raison.

Pour tout oublier, pour finir la soirée en beauté, se dit-il avec son fameux sourire, cette fois sans témoin admiratif, sans victime consentante, il s'engouffre dans un bar mal famé des Halles, avale coup sur coup trois cognacs qui l'achèvent, l'assomment, le laissent plié en deux de peur et de souffrance sur le plancher en tuiles blanches parce que son cœur palpite comme un oiseau qui veut quitter sa cage. Il est au bord du délire, de l'hallucination, son estomac brûle, la nausée le secoue, il ne sait plus où se trouvent le haut, le bas, ses mains tremblent, il se dit j'pourrai pas me relever, j'vais m'endormir ici, oui, c'est ça, j'vais dormir ici pis j'rentrerai chez moi demain matin. Où est-ce que j'habite, au fait? C'est quoi le nom de mon hôtel? C'est où, chez moi? Où est-ce que je suis, mon Dieu, où est-ce que je suis?

Le reste, des voix, des protestations dans un accent qu'il s'efforce de trouver drôle, qu'il voudrait trouver drôle, mais comment rire quand on est au bord de mourir, parce qu'il est convaincu qu'il va mourir d'un moment à l'autre, le reste est aspiré par une boule de coton qui goûte l'alcool mal digéré.

*

Il se réveille dans son lit du Grand Hôtel de l'Univers vers la fin de la matinée. Un mal de bloc lui fend le crâne, sinon il est étonnamment en forme. Frais comme une rose, se dit-il en posant les pieds sur le parquet de larges planches usées par des années de va-et-vient et de lavages à l'eau de Javel. Le plancher est doux, il s'y frotte les pieds en soupirant d'aise. Puis il pense à ce qui s'est passé la veille.

Il ignore comment il est rentré à l'hôtel, qui l'a ramené là, l'a déshabillé, mis au lit, lavé aussi, puisqu'il est propre comme un sou neuf. Julien? Julien l'a-t-il suivi, protégé, dorloté? Mon Dieu! A-t-il baisé avec Julien dans cet état-là? Ou alors est-il rentré tout seul par la seule force de l'habitude, sur le pilote automatique, comme aurait dit le nain Carmen, son grand ami — son petit ami, plutôt, en l'occurrence — qui lui manque quand même un peu? S'est-il étrillé, poncé sans s'en rendre compte, comme un bon Nord-Américain qui ne peut pas se mettre au lit sans se savoir parfaitement propre? Ce n'est pourtant pas son genre, lui qui vit depuis des années une errance où la propreté n'est pas toujours facile. Il essaie de se souvenir, se creuse les méninges. Rien. Un trou. Un noir. Son premier vrai black-out. Il a souvent entendu parler de ces pertes de mémoire, le nain Carmen, justement, qui boit comme un trou, lui a en décrit quelques-uns qui l'ont impressionné, mais il n'y a vraiment jamais cru. Comment peut-on *vraiment* oublier ce qu'on a fait la veille ? N'est-ce pas juste une échappatoire parce qu'on ne veut pas s'en souvenir, la perte de mémoire servant de mouchoir posé sur les dégâts qu'on a honte d'avoir causés ?

Il se regarde dans la petite glace au-dessus de cet évier rouillé qui lui sert non seulement pour ses ablutions, mais aussi pour pisser, la nuit, quand il n'a pas envie de se rendre au bout du couloir dans le noir complet. Il a peur que la minuterie dérange ses voisins de palier et se promène comme un voleur, sur le bout des pieds, l'oreille aux aguets. Aucune trace de la beuverie de la veille, heureusement. Son estomac tiraille, cependant ; il n'a pas mangé depuis au moins vingt-quatre heures. Il se brosse les dents presque avec rage. Un énorme petit déjeuner et puis hop ! on commence une nouvelle journée ! Cette fois, il *choisit* de ne plus penser à la veille.

Puis, pendant qu'il se gargarise en se replaçant les cheveux, quelque chose attire son regard au coin de son œil gauche. Il se penche, se passe le doigt sur la paupière, tout autour de l'œil… Ça ne s'efface pas. Ça ne peut pas s'effacer. Une fine ligne en diagonale qui part de l'œil pour se diriger vers la pommette… C'est très petit, très court, peut-être un quart de pouce, c'est léger, personne d'autre que lui ne peut savoir que c'est là… mais c'est là et il sait que ça ne s'effacera jamais.

Une ride.

Il plisse les yeux, pense à sa mère qui prétendait avoir des rides de caractère pour se consoler du réseau de lignes qui sillonnait son pauvre visage de martyre.

Il se penche plus près du miroir, se regarde droit dans les yeux. Longtemps. Il s'entend parler à haute voix et se dit ça y est, j'parle encore tout seul, chuis vraiment fou :

« C'est ça le prix à payer ? La punition ? Une ride pour chaque saoulerie ? Même à mon âge ? »

Puis il éclate de rire, un bon rire qui fait du bien, qui libère et soulage. Il crache dans l'évier, se rince encore une fois la bouche, pouffe.

« Fuck ! J'ai juste à être beau même avec des rides, c'est tout ! »

*

Ce jour-là, il mange encore n'importe quoi, mais plus que d'habitude, et boit en conséquence : des tonnes de frites avalées sans presque les mâcher et trop arrosées de sel ; des kilos de rillettes — s'il y a du pied de cochon là-dedans, au moins il ne s'en rend pas compte — et de divers pâtés, au poivre, au cognac, d'oie, de canard et même de veau ; une gigantesque assiette anglaise où, encore une fois, trônent les produits du porc, variés de couleur et de forme, mais qui tombent invariablement dans l'estomac comme du plomb ; du pain sans beurre à s'en écœurer pour le reste de ses jours ; tout ça copieusement arrosé de bière blonde le midi et, évidemment, de gros rouge qui tache, les vêtements comme l'estomac, le soir. Pour une fois, il est lourd de nourriture autant que d'alcool.

C'est une de ces journées privilégiées où tout semble enivrant dans ce Paris ensoleillé beau à faire peur, l'air qu'on respire, la couleur du ciel autant que ce qui s'offre à la vue. Est-ce vraiment le soleil, le ciel bleu, les petits oiseaux ou le simple soulagement de ne pas être malade comme il le mériterait après s'être autant empiffré? Il redécouvre la ville, s'en amourache, jette des exclamations de surprise et d'admiration à tout bout de champ. Titubant sous la chaleur, il grimpe vers la montagne Sainte-Geneviève, toujours sur les traces d'Arthur et de Paul, pour aller ensuite se jeter, ne les ayant toujours pas trouvés, sous le pilier de Claudel — enfin, celui qu'il a élu dans l'humidité de Notre-Dame de Paris — dans le but de se reposer un peu. Il dort un bon moment, ronfle probablement dans la fraîcheur bienfaisante de Notre-Dame, se réveille ragaillardi.

Après avoir parcouru l'aller-retour entre le Louvre et l'Arc de Triomphe, en s'attardant bien sûr aux Tuileries pour vérifier si quelque silhouette invitante ne semble pas à la recherche de ce qu'il a à offrir, épuisé et trempé de sueur, il vient s'avachir sur l'un des bancs de pierre en demi-lune du Pont-Neuf pour admirer le Vert-Galant comme le dernier des touristes. Il a pourtant fait tout ça les premiers jours, mais il a l'impression qu'il n'avait rien vu, trop impressionné par mille ans de culture qui lui tombaient dessus d'un seul coup ou trop empressé de trouver les bons spots pour baiser. Il est tellement fatigué qu'il prévoit, tout en sachant qu'il n'en fera rien, passer la nuit là, sur la pierre tiède, à regarder le ciel de Paris.

Le coucher du soleil est rose et mauve, puis il s'efface comme une lampe à l'huile qu'on éteint. François passe des heures à essayer d'imaginer son retour à Montréal, ce qui l'attend là-bas, si jamais quelque chose l'y attend, le succès qu'il espère, ou l'ombre angoissante des artistes respectés de leurs pairs mais que le public rejette sans qu'on sache pourquoi. L'éternelle relève qui n'arrive pas à se débarrasser de cette gangue étouffante qui s'abat sur ceux que l'on considère comme des espoirs et jamais comme des aboutissements. Il refuse absolument d'être la relève, lui dont on dit qu'il la représente à lui tout seul. Il veut se creuser une niche au milieu des plus grands, il lui arrive même de rêver de bousculer Félix Leclerc, de renverser Gilles Vigneault, de confondre Jean-Pierre Ferland qu'il a pourtant pillé sans vergogne. Pillé? T'exagères, encore... à peine cité!

Le public des petites boîtes à chansons, jeune et ouvert, l'a adopté d'emblée, François le sait. Ses chansons semblent lui dire des choses qu'il a envie d'entendre, c'est parfait. Mais l'autre, celui des grandes salles, plus vieux, plus aguerri, plus engoncé, souvent, dans ses certitudes et ses goûts, celui qui achète des disques, qui idolâtre sans mesure, fidèle au point d'assurer, du moins pendant un certain temps, une carrière intéressante, celui-là acceptera-t-il ses textes à double sens et à triples tiroirs, ces voies détournées et obscures que François veut faire prendre à ses chansons de façon à réveiller tant d'années d'ignorance volontaire, à exprimer ce qui a été jusque-là inexprimable et même impensable, à le décrire sans détours, à en rire ou à en pleurer, mais à l'étaler au grand jour une fois pour toutes? Regardez, j'existe, et vous allez m'écouter...

Ce hiatus qu'il s'est imposé avant de faire le grand saut, c'est du moins comme ça qu'il considère les mois qui viennent, lui sera-t-il aussi profitable qu'il l'avait espéré? Ces nuits sur la corde à linge, ces jours trop baptisés de tout ce qui est alcool ne laisseront-ils en fin de compte que le souvenir de la même orgie sans fin commencée à Montréal des années plus tôt pour ensuite déménager dans un décor différent, plus enchanteur, c'est vrai, mais qu'on oublie vite quand on tombe à genoux dans la boue ou sur des racines d'arbres à fleur de terre? À quoi sert le site enchanteur dans ces moments qui sont toujours les mêmes et qu'on peut vivre n'importe où?

François jette un coup d'œil autour de lui. La tour Eiffel au loin, la rive gauche où il vient bouquiner si souvent, la Samaritaine, sur la rive droite, le Pont-Neuf qui enjambe tout ça — encore un pont! — le Vert-Galant à sa gauche, qui déflore la Seine depuis des millénaires... Faire ça ici, oui, faire ça ici, devant tout le monde, au centre même de l'univers culturel occidental, ça signifierait quelque chose... Il en rêve quelques minutes, finit par hausser les épaules devant un rêve aussi utopique. Dans l'ombre il est, dans l'ombre il restera, à moins qu'il ne réussisse à exprimer tout ça dans ses chansons. Ses chansons sont son seul salut. Il faudrait donc qu'il travaille.

N'est-il pas venu se reposer d'abord, recharger ses batteries ensuite et... *écrire*? N'a-t-il pas promis à Gerry Coulombe, qui vient de s'improviser son gérant, un tour de chant neuf, énergique et punché? Il ne veut pas penser à tout ça. Il se relève, s'étire, il dit adieu à la surface de Paris pour ensuite se diriger à grands pas vers sa face cachée, son monde nocturne, son *underground* plein de pièges, pour le cœur et pour le corps.

*

Bourré de nourriture et imbibé d'alcool, François se rend jusqu'au quai Branly. Il n'a pas envie de baiser ni même de draguer. Une espèce de paresse lourde s'empare de lui tandis qu'il longe la Seine ; il ralentit le pas, s'assoit deux ou trois fois sur la pierre refroidie pour reprendre son souffle. Il regarde longuement le petit fleuve charrier ses eaux sales vers la mer si lointaine qu'elle en paraît improbable. C'est le contraire avec le Saint-Laurent, à Montréal : le fleuve est tellement large qu'on pourrait croire que ce gigantesque cours d'eau peut se suffire à lui-même, qu'il est sa propre mer, son propre océan, que l'océan n'existe pas. On lui a dit qu'à peine passé Québec, cependant, l'eau devient salée, l'estuaire s'élargit et le fleuve se fait vraiment mer. Ici, le fleuve est trop étroit pour qu'on imagine la mer, là-bas il est trop large. Il se prend à sourire. Il n'est jamais allé à Québec. Il parcourt Paris dans tous les sens depuis deux longues semaines, alors qu'il ne connaît même pas la capitale de sa province.

Il s'étend quelques minutes en tournant le dos à une péniche qui bouge à peine, mais assez pour lui donner la nausée. Il a peur de mal digérer, d'être malade là, au milieu des discrètes silhouettes qui s'observent et se tournent autour en silence, tout en se dirigeant vers le quai, là-bas, où tout est possible, ce paradis artificiel dont elles ne peuvent se passer et qui les déçoit la plupart du temps, comme tous les stupéfiants. Non. Ça va passer, cochonnailles et tout. Il prend de grandes goulées d'air qui le laissent un peu étourdi. Pourquoi s'entêter? Pourquoi ne pas retourner à l'hôtel, endormir son début d'indigestion en contrôlant sa respiration, comme son père le lui a si bien montré quand il était petit?

Au cas. Au cas où la grande chose se produirait, le grand choc, le grand frisson, la rencontre définitive, galvanisante, à laquelle aspire tout dragueur, même le plus aguerri, en sachant très bien qu'elle ne se produira jamais, ce cercle le plus vicieux de tous, cause de tant de perte de temps, d'énergie, de vies.

Comme tous ceux qui l'entourent, le serrent de près et essaient même parfois de le retenir dans un coin, il marche encore une fois vers une image avortée de bonheur trop grand, trop parfait pour être vécu qui sera remplacée comme toujours par une petite mort plus ou moins plaisante. Il se sent mélodramatique, se laisse aller à penser qu'il gaspille sa vie pour quelques secondes de jouissance glanées ici et là, vite essuyées, vite oubliées, puis hausse les épaules devant sa mièvrerie.

Arrivé à destination, façon de faire un pied de nez à ce qui l'attend, il produit un rot retentissant qui fait se tourner les têtes dans l'obscurité. Oser roter sur le quai Branly où tout se fait, même le pire, dans un recueillement compassé, quel manque de goût! Il rit. La faute est encore plus grave : on ne rit pas dans cet endroit sacré, on est sérieux comme des papes, discrets comme des grenouilles de bénitier, on s'exécute avec l'énergie du désespoir et le désespoir n'est pas drôle! Il se dit qu'après tout, il serait probablement choqué lui aussi si quelqu'un venait roter alors qu'il est en pleine activité.

Il jette un regard blasé autour de lui, se demande ce qu'il fait là s'il n'a pas envie d'y provoquer ce qu'on vient habituellement y chercher, et décide de partir sans même vérifier qui se tapit dans l'obscurité du quai Branly, ce soir-là.

Une ombre passe près de lui, courtaude, un peu penchée, le frôle à peine. La tête est massive, ronde, chauve. Le regard de reconnaissance ne dure qu'une demi-seconde, mais François se sent cloué sur le mur contre lequel il vient de s'appuyer tant l'énergie qui s'en dégage est puissante, nourrissante. Il ne sait plus où se mettre, se sent tout petit alors que le frôlement se fait plus insistant. Il regarde le crâne nu penché vers lui, il sent la main chaude sur sa cuisse, qui monte lentement vers l'entrejambe. Il voudrait hurler, s'enfuir.

Il a lu le *Journal du voleur* en une nuit, pâmé au point de ne plus pouvoir respirer, il s'est gavé de la poésie délétère de *Notre-Dame des fleurs*, il a dévoré presque toute l'œuvre, d'abord en cachette, parce que cet écrivain est un paria, puis avec fierté, en brandissant presque ses livres à bout de bras, dans l'autobus ou dans la rue. Il connaît cet auteur aussi bien que Verlaine, le vénère encore plus, mais jamais il n'aurait cru le croiser, lui si vivant, si présent dans la littérature contemporaine, alors qu'il est parti comme un imbécile à la recherche de l'autre, mort depuis longtemps, inaccessible.

François porte la main à sa bouche. Il ne peut pas. Il ne peut pas laisser ce dieu le toucher. Il n'en est pas digne. Il se raidit, se contracte, il veut disparaître, se fondre dans la nuit, se dérober à tout jamais à la présence de ce grand homme.

Le regard encore, puis une voix murmurante :
« Vous savez qui je suis, n'est-ce pas ? »

François est incapable de parler. Il se contente d'acquiescer, une boule dans la gorge, les larmes aux yeux.

Il lui a parlé ! Il s'est adressé à lui !

Plus rien, tout à coup. La main s'est retirée, l'ombre a fui, s'est coulée dans les ténèbres, probablement à la recherche de quelqu'un qui ne l'aura pas reconnue.

François glisse au pied du mur, plus troublé qu'il ne l'aurait cru possible. Lui le fort, le cynique qui peut se moquer de tout, partout et toujours, il pleure, il tremble, la morve lui coule du nez et il n'a rien pour s'essuyer, alors il s'empare de n'importe quoi, un papier qui a servi à éponger des écoulements dont il peut encore sentir l'odeur d'ammoniaque et qui traînait là comme une fleur morte. Il se mouche, sanglote encore un peu, il se traite d'imbécile parce qu'il a laissé passer une occasion unique de frôler, ne fût-ce qu'un instant, le Génie, le vrai, celui qui vous laisse galvanisé, écrasé, conscient de votre insignifiance mais aussi reconnaissant pour un moment d'attention dont on a eu l'honneur d'être gratifié.

Il sera éternellement reconnaissant de ce moment d'attention : son corps a plu à cet homme, il peut donc rêver pour le reste de ses jours que son âme l'aurait ravi, c'est ce qui le soulage et lui donne le courage de se relever.

*

La chanson qu'il compose cette nuit-là est difficile à classer ; c'est une chanson floue, drôlement structurée, tenant davantage du récitatif que de l'aria, une longue plainte qui exhale la solitude, mais aussi une ode à la ville vue à travers le prisme déformant de l'alcool. Le personnage naïf qui traversait le pont Jacques-Cartier il n'y a pas si longtemps est maintenant prévenu des pièges de la grande ville, il s'en est approché, curieux, intrigué, les a frôlés avec l'excitation que suscite le danger latent, puis il s'y est laissé prendre, en est devenu l'esclave consentant ; il en est maintenant prisonnier et le chante. Jamais plus il ne pourra se passer d'elle, surtout de ses si beaux pièges, il le sait et se soumet volontiers à sa nouvelle drogue. Il erre à travers les rues vides — en l'occurrence Paris, mais ce pourrait être n'importe quelle autre cité importante —, décrit ce qu'il voit, mais ce qu'il voit est plutôt impressionniste, il pense en taches de couleurs et en sensations, les mots qui lui viennent, étonnants, pas toujours compatibles, bâtissent des vers de guingois qui s'imbriqueraient mal si on ne savait pas que celui qui les chante est paqueté et que c'est le délire qui le guide. C'est une chanson délirante et il faut se laisser aller au délire si on veut la saisir, jouer le jeu. Il faut s'imaginer épuisé d'alcool, au milieu d'une ville qu'on croit connaître mais qu'on a mal explorée, entrer dans la tête du personnage qui chante; l'effet est alors, et alors seulement, saisissant de réalisme, sinon de réalité, et les images qui vous viennent sont splendides. Ceux qui apprécieront cette chanson quand ils l'entendront au retour de François à Montréal en sortiront toujours épuisés, mais heureux. Par contre, ceux qui ne l'aimeront pas, Gerry Coulombe le premier, la trouveront trop longue — sept minutes! — trop sérieuse, trop imprécise; ils se serviront même du mot «hermétique», ce terme maudit si affligeant quand il est mal utilisé et qui sert si bien ceux qui ne savent pas décortiquer une œuvre ou, pire, les paresseux qui ne veulent pas s'en donner la peine. François les enverra chier et continuera de la chanter.

François est penché sur sa table de chevet qu'il a tirée près de la fenêtre, pas pour la lumière, il n'y en a pas, mais pour ce qu'il y voit, les fenêtres, en face, trop près parce que la rue n'est qu'un goulot étroit entre deux rangées de maison, les rideaux qui bougent dans le vent frais de la nuit, un carré de ciel, au-dessus de tout ça, où trône... quoi au juste, la queue de la Grande Ourse, Vénus, Orion? Il écrit rapidement, presque sans ratures, il continue son délire commencé quai Branly, il offre cette œuvrette insignifiante à l'étincelle de Grandeur qui l'a frôlé quelques heures plus tôt, s'en trouve effectivement grandi en sachant que c'est ridicule, que la Grandeur est innée, qu'elle ne frappe pas, tout d'un coup, comme ça, à vingt ans. Mais il n'a jamais autant aimé coucher sur du papier blanc ces petits bonshommes d'encre qui finissent, en s'ajoutant les uns aux autres, par signifier quelque chose, au sens où ils font des signes, si petits soient-ils, sans grande importance, presque désespérés, à la grande horloge du temps et de l'espace, en espérant que quelqu'un les attrapera au vol et arrivera à les déchiffrer, à les comprendre, à les apprécier, surtout.

La musique lui vient en même temps que les paroles et il passe la nuit à murmurer et à chantonner ; il dit les vers à haute voix, les chante presque tout de suite après, d'abord hésitant, puis de plus en plus convaincu. La ligne musicale est toute cassée, il en est parfaitement conscient, mais elle est étonnamment précise pour lui, et l'effet de vertige qui s'en dégage passionne François, qui se dit qu'il devrait exploiter cette veine, laisser de côté ces chansons carrées, désormais trop faciles, parce qu'il en a fait le tour, pour se jeter à corps perdu dans cette voie dont il ignore encore où elle peut le mener. Mais son seul espoir de grandeur, quoi que cela puisse signifier dans son cas, se trouve dans cette direction, il en est convaincu.

Il va donc jusqu'au bout de sa chanson toute croche, elle le contrôle presque plus qu'il ne la contrôle, parce qu'elle veut sortir de lui plus vite qu'il ne peut l'écrire, et il passe l'une des plus belles nuits de sa vie.

SIXIÈME CHANSON

LA CHANDELLE
PAR LES DEUX BOUTS

(1963)

« François Villeneuve, même si on ne vous connaît pas depuis longtemps, vous vous produisez beaucoup en spectacle mais vous n'avez pas encore de disque sur le marché. Et pourtant, vous avez déjà la réputation d'être difficile à interviewer...

— Ah oui?

— Du moins, c'est ce qu'on dit de vous.

— Ah bon.

— Vous voyez...

— J'vois quoi?

— Je vous pose une question toute simple et vous répondez par monosyllabes.

— D'abord, vous m'avez pas posé de question, vous avez fait une déclaration, fausse d'ailleurs; ensuite, «Ah oui?» et «Ah bon» sont pas des monosyllabes, mais des phrases complètes.

— Avouez quand même que vous auriez pu développer un peu votre pensée...

— Si, comme vous le prétendez, j'étais vraiment difficile à interviewer, non, j'aurais pas pu développer ma pensée, parce que vous auriez eu raison. J'aurais dit oui, en effet, je suis difficile à interviewer et vous auriez mariné dans votre jus en essayant de me faire parler. Sinon... Posez-moi des questions sur des sujets qui m'intéressent, et je me ferai un plaisir de développer ma pensée. J'en suis parfaitement capable, rassurez-vous. Vous allez même être obligée de m'arrêter parce que, quand je commence à parler, j'arrête pus. C'est un de mes grands problèmes, d'ailleurs, de mes grands défauts, plutôt : un coup débloqué, chuis pus arrêtable. Dans des soupers, par exemple, ou dans des partys, tout le monde finit toujours par me dire : Arrête de parler, tu nous étourdis, écoute un peu ce que les autres ont à dire, ils ont eux aussi le droit d'avoir une opinion. Je suis un véritable verbomoteur ! Allez-y, posez-moi une question intéressante, sinon intelligente, et vous allez voir. Demandez-moi au moins comment j'ai trouvé Paris, si Paris m'a inspiré, c'est banal, mais ça pourrait être un début, j'en arrive, et vous le savez ; faites-moi parler de mes chansons, de leur style, de leur contenu, du spectacle que je prépare, de la politique, même, parce que des choses se brassent, le RIN en est une preuve flagrante. Tiens, demandez-moi ce que je pense de Pierre Bourgault, si je crois qu'il ferait un bon premier ministre, on pose cette question à tous les artistes qui se présentent à la radio ou à la télévision, ces temps-ci ; faites-moi parler du premier ministre actuel, le fédéral comme le provincial. Ou alors surprenez-moi, posez-moi des questions inattendues, au sujet de choses dont je n'ai pas encore parlé, y' en a des milliers, je suis un petit nouveau, personne me connaît, je viens d'arriver, personne sait d'où je sors : quelles études j'ai faites si j'en ai faites, et si j'en ai pas faites, qu'est-ce que c'est que cette prétention à vouloir devenir chansonnier dans un marché déjà encombré, déjà saturé? Quelles sont mes influences? Gilles Vigneault? Roméo Pérusse? Connaissez-vous Roméo Pérusse, madame? En avez-vous seulement entendu parler? Posez-moi des questions sur Roméo Pérusse, je sais tout de lui, je suis un de ses plus grands fans. Pendant un temps, je l'ai même suivi comme un petit chien, je connais même par cœur certaines de ses pires histoires cochonnes qui me feraient bannir à tout jamais des ondes sacrées de Radio-Canada, si seulement j'osais en répéter une ici, à votre respectable émission du matin. Allez-y, shootez, j'attends! Mais commencez surtout pas notre interview en me disant que j'ai la réputation d'être difficile à interviewer, vous m'aidez pas!

— Êtes-vous sous l'influence de quelque chose, François Villeneuve?

— Vous appelez ça une question intéressante?

— Pas vous? Vous me demandez de vous faire parler de choses qui vous intéressent et je vous demande si vous êtes sous l'influence de quelque chose. Il me semble que c'est clair, que ça devrait vous passionner...

— Pas du tout. Premièrement, c'est pas clair. Qu'est-ce que ça veut dire «être sous l'influence de quelque chose», pour vous? Du café ou des *goof balls*? Du thé trop fort ou de l'alcool? Du Coke ou de la robine?

— Vous le savez très bien. Vous vous êtes présenté ici hirsute, les vêtements froissés, les yeux à côté des trous, la bouche molle, presque titubant...

— J'titube pas! Même paqueté aux as, j'titube pas. Et chuis pas du tout paqueté.

179

— C'est ce qu'ils disent tous.

— Tous ? Qui, tous ?

— Voulez-vous vraiment qu'on aborde ce sujet ?

— C'est vous qui avez commencé avec vos insinuations. Vous voulez savoir si j'ai bu hier, c'est ça ? Si j'ai passé la nuit sur la corde à linge, comme tout bon beatnik qui se respecte, si j'ai dormi, si je suis rentré chez moi avant de venir ici, ou bien si je me suis rendu directement à la radio à huit heures du matin sans même prendre la peine de me brosser les dents ? Sans surtout changer de sous-vêtements ? C'est ça ? Est-ce que c'est l'état de mes sous-vêtements qui vous intéresse, madame ? Voulez-vous en plus savoir avec qui j'ai passé la nuit ? Ça vous intéresse plus que le talent que je pourrais avoir, que les choses que je pourrais avoir à dire sur la vie, l'amour, la mort ?

— Vous extrapolez...

— Avouez que j'ai mes raisons. Je me présente ici en toute bonne foi même si, oui, j'ai quelque peu fêté hier soir mon retour de Paris avec des amis. Je suis peut-être un peu échevelé, ça aussi c'est vrai, mais je suis toujours échevelé. Si vous m'aviez vu en spectacle, vous le sauriez, j'ai beaucoup de cheveux, ils sont noirs, plutôt bouclés, échevelés même, ben oui, échevelés, et je m'en sers parce qu'on me dit que c'est sexy ; mes yeux sont rarement en face des trous parce que je suis myope comme une taupe et trop orgueilleux pour porter des barniques ; mes vêtements sont éternellement froissés parce que je les aime froissés, sauf mes jeans qui me pètent littéralement sur la peau, j'espère que vous l'avez remarqué ; quant à ma bouche

180

molle, on me dit souvent que c'est ce que j'ai de plus beau, la bouche, et il m'arrive, c'est une coquetterie dont je devrais me débarrasser, de faire la moue pour faire bonne impression quand je suis nerveux ou que j'ai le trac! J'avais le trac en venant ici, surtout à cause de votre réputation d'ogresse des ondes, alors il est possible que j'aie eu la bouche un peu trop molle et que ce n'ait pas été joli à voir... Mais, évidemment, vous savez rien de tout ça. On dit de vous que vous ne vous donnez pas la peine de lire les livres dont vous avez à parler, ou de regarder les films que vous analysez ou de consulter les œuvres des gens que vous interviewez, surtout quand ils en sont à leurs débuts. Vous êtes au-dessus de tout ça... Ou trop occupée... Ou pas du tout intéressée. Allez donc savoir. C'est moi, tiens, qui devrais vous interviewer, ce matin.

— Vous êtes parfaitement injuste! Je suis peut-être une ogresse, comme vous dites, mais c'est parce que je suis une journaliste consciencieuse!

— Et moi je suis un artiste consciencieux! Jamais je ne me présenterais à une interview paqueté, entendez-vous?

— C'est bien alors, laissons cela et passons à autre chose. L'entrevue a mal commencé, c'est peut-être effectivement en partie de ma faute, il faut me comprendre, je ne suis pas encore habituée à votre genre... disons... excentrique. Disons que vous êtes un chansonnier différent des autres et que vous voulez que ça se sache... Faisons la paix, voulez-vous, faisons preuve de civisme et recommençons.

« — J'ai pas le goût.

— Pardon ?

— J'dis que j'ai pas le goût.

— De faire la paix ou de recommencer ?

— Ni de faire la paix, ni de recommencer l'interview. Ni surtout de faire preuve de civisme !

— Alors sortez du studio. Immédiatement.

— C'est justement ce que j'allais faire. Immédiatement. »

François se lève, prend sa veste qu'il avait posée sur le dossier de la chaise droite sur laquelle il était assis, sort du studio sans se retourner et en claquant la porte.

Charlotte Bonenfant s'essuie le front avec un kleenex tout en parlant dans son micro.

« Chers auditeurs, c'était là un exemple de ce qu'on ose appeler la relève. Avec une relève pareille, si vous voulez mon avis, la culture canadienne-française se dirige tout droit vers la catastrophe. En attendant, et pour nous nettoyer un peu les oreilles, écoutons Félix. *L'Hymne au printemps.* C'est autre chose que Roméo Pérusse. Ou que François Villeneuve. D'ailleurs, je ne devrais peut-être pas dire ça, mais, comme aurait dit mon père, la relève, ce matin, sentait le tonneau ! »

Presque aussitôt, la tête de François paraît dans l'entrebâillement de la porte. Il était en train de mettre sa veste et n'avait pas encore quitté la salle de contrôle.

« Votre père aurait certainement pas dit que la relève sentait le tonneau ! Y' aurait dit, comme tout le monde, qu'a' sentait la *tonne* ! Relisez votre *Frère Untel* ! Watchez votre joual ! »

François a chaud. Il ôte sa veste qu'il vient juste d'enfiler en sortant du studio. Le hall de Radio-Canada est étouffant, l'air, trop sec, brûle les muqueuses. Le système de chauffage qu'on utilise pour la première fois cette année doit être déréglé, ou bien on l'a fait démarrer alors qu'on n'en avait pas vraiment besoin, de peur que les acteurs se plaignent encore une fois qu'il fait trop froid dans les studios de radio ou de télévision.

Dehors, une pluie d'octobre, sûrement froide, mouille le trottoir de la rue Dorchester en larges vagues malmenées par le vent. François n'a pas de parapluie, il n'en transporte jamais, fier de sa capacité à lutter contre tous les germes et virus charriés par l'automne. Il ne se souvient pas de la dernière fois où il a toussé, où il s'est mouché, où il a dû garder le lit à cause d'une grippe ou d'un rhume de cerveau. Il passe tous ses hivers nu-tête, la falle à l'air, gelé comme une crotte, mais jamais malade.

Un vague souvenir de sa mère penchée sur son lit, tenant un bol de soupe au poulet Lipton — la soupe Campbell était trop grasse à son goût —, lui dessine un petit sourire triste au coin des lèvres, et une drôle de nostalgie le saisit. Il se voit couché depuis des jours dans des draps ravagés, des dizaines de livres gisent autour de lui, certains abandonnés en cours de route, d'autres lus, dévorés plutôt, en une seule journée ; des bols qui ont contenu toutes sortes de choses, des céréales, des fruits, des soupes rouges, des soupes vertes, des soupes jaunes, jonchent le plancher de la chambre; l'air sent les médicaments et la fièvre. Il est faible, il ne se lève que pour aller à la salle de bains, la toux le secoue encore de temps en temps, mais il va mieux, il sait que dans quelques jours il pourra se relever. Il est couché sur le dos, il a posé sa main sur sa poitrine, il sent le sommeil venir...

François est tiré de sa rêverie par un violent frisson. Tous les muscles de son corps sont secoués, maltraités par un tremblement foudroyant, de la base du cou jusqu'au bout des pieds, qui vient par ondes irrésistibles réglées sur sa respiration. Quand il inspire l'air chaud, il tremble un peu moins et arrive à se redresser, mais dès qu'il commence à expirer, il n'a plus aucun contrôle sur ses muscles qui se mettent à frémir et à vibrer comme des cordes de violon. Il voudrait s'étendre là, à même le plancher, et mourir, tant il est terrorisé. Qu'est-ce qui se passe? Il était en pleine forme quelques secondes plus tôt, épuisé par une nuit sans sommeil et plutôt agitée, tendu par une interview ratée, c'est vrai, mais tout de même en pleine forme!

Il passe un bras sur son front mouillé de sueur. Une plaque foncée tache sa manche de veste. Il pose la tête sur le mur, à la recherche d'une quelconque fraîcheur, mais tout est chaud, tout est trop chaud, il étouffe. Il tire sur le col roulé de son chandail de laine, essaie de prendre de grandes respirations. Les tremblements se multiplient. Il se plie en deux de peur et de souffrance en se disant: J'ai jamais eu une grippe comme celle-là, qu'est-ce qui me prend, j'vas-tu mourir sur le plancher de

Radio-Canada juste au moment où ça commence à bien marcher pour moi...

Une main sur son épaule.

«Vous êtes malade?»

Une voix de femme. Une voix qu'il connaît bien, mais qu'il ne reconnaît pas tout de suite. Il a envie d'envoyer chier l'intruse, de lui répondre non, j'fais semblant, épaisse! Il tourne un peu la tête.

Monique Leyrac.

Il se dit mon Dieu, c'est de cette façon-là que je vais faire la connaissance de Monique Leyrac!

«Avez-vous besoin d'aide?»

Il n'arrive même pas à formuler une réponse claire, une vague de frissons le secoue et tout ce qui sort de sa bouche est un gargouillis qu'il aurait en toute autre occasion trouvé comique, mais qui le cloue sur place de terreur parce qu'il n'a jamais rien ressenti d'aussi fulgurant que cette fièvre qui vient de lui tomber dessus sans avertissement.

«Ma voiture est sur Bishop, juste à côté... Essayez de vous redresser, François, je vais vous aider à sortir...»

Elle l'a appelé par son nom! Elle l'a reconnu! Monique Leyrac le connaît!

Il se laisse faire, étourdi par la fièvre, troublé, aussi, par la présence de cette femme, son idole depuis l'adolescence, qui a passé un bras autour de sa taille pour l'aider à marcher. Elle sent bon. Au moins, il n'a pas perdu le sens de l'odorat. Mais qu'est-ce qu'il lui arrive? Il ne s'est jamais senti aussi mal de toute sa vie.

Ils sortent par la petite porte de la rue Bishop,

là où, il n'y a pas si longtemps, François venait parfois espionner l'arrivée ou la sortie des artistes qu'il admirait. Il les regardait pénétrer dans le saint des saints ou en émerger, les acteurs souvent en bande compacte et bruyante, les chanteurs la plupart du temps seuls avec leur petite serviette de cuir qui contenait leurs partitions, et il se disait un jour ce sera moi, là, qui sortirai de Radio-Canada la tête haute, un petit morveux me regardera en rêvant d'être moi, pis je ferai semblant, comme eux autres, de pas m'en apercevoir. Jamais il n'a demandé d'autographe, cependant, il est trop orgueilleux, mais il lui est arrivé de suivre un acteur ou un chanteur à travers les rues avoisinantes, pour voir où ils allaient, où ils mangeaient, quelle était la marque de leur voiture, avec qui, surtout, ils pouvaient bien avoir rendez-vous, surtout ceux dont on disait qu'ils cachaient leur homosexualité. C'était presque toujours vrai, d'ailleurs. Un gars les attendait à une table retirée du Murray's de la rue Sainte-Catherine, ou au volant d'une voiture déjà en marche. François souriait méchamment, se disait qu'il allait peut-être se les taper, un jour... et retournait à son poste en sifflotant.

C'est la première fois qu'il emprunte cette sortie, lui qui en a tant rêvé; il est malade comme un chien et il est soutenu par une des plus grandes vedettes du Québec qui l'a pris en pitié! Il est à la fois humilié et fiévreux, exalté et tremblant.

Toujours secoué de spasmes, il s'engouffre dans la voiture de la chanteuse.

«Je vous amène à l'hôpital. L'Hôpital Général est juste en haut de la côte...

« — Non, non! J'veux rien savoir des hôpitaux!
Ramenez-moi chez moi, j'vais me coucher...

— Vous ne vous êtes pas vu...

— Je sais que chus malade, ça m'a pris tout
d'un coup, mais quelques heures de sommeil vont
tout arranger ça, rassurez-vous... C'est probablement juste de la fatigue. Une grippe attrapée à
Paris ou dans l'avion en revenant.

— Vous êtes couvert de boutons, François... »

Elle tourne le rétroviseur de façon à ce qu'il
puisse se regarder.

« Regardez-vous. »

L'horreur.

En se rhabillant, ce matin — le gars chez qui il
avait fini la nuit (Marcel? Michel?) ronflait
comme une locomotive —, il a bien aperçu
quelques petits boutons rouges à la saignée de son
bras, mais il s'est dit qu'il avait eu trop chaud ou
que le lit avait dû être infesté de puces de chat
(l'appartement donnait l'impression d'être une
succursale de la SPCA, l'odeur d'urine séchée était
accablante), et il n'y a plus repensé.

Il reconnaît à peine le visage qu'il contemple
dans la petite glace. Les boutons sont larges, épais,
durs. Lorsqu'il se passe la main sur la figure, il a
l'impression de toucher un parchemin bosselé, lui
habituellement si fier de sa peau lisse et veloutée.
Quelque part, très loin en lui, une petite voix rit
méchamment de cette expression: ta peau est pus
lisse ni veloutée pantoute, mon p'tit gars, t'as plutôt
l'air d'une pizza *all-dressed*, et François se rassure
en se disant qu'il ne doit pas être si malade s'il peut
encore rire de lui-même. Le teint est verdâtre, les

joues tremblotent toujours sous les poussées de fièvre, François est parfois obligé de se plier en deux tant il se sent faible. Il ne va quand même pas perdre connaissance dans la voiture de Monique Leyrac!

«Avez-vous une maladie contagieuse?»

Elle est pas gênée! J'ai-tu l'air d'un... Il bloque le mot dans son esprit. Pendant une fraction de seconde il a su ce qu'il avait, il a contemplé l'évidence, mais il choisit de l'oublier sur-le-champ, de se censurer pour se réfugier dans l'idée rassurante qu'il a simplement attrapé la grippe ou un vilain rhume.

«Non, non. C'est la fièvre. Ou la grippe.

— Ou autre chose. Je vous amène à l'hôpital, François. Vous prendrez un taxi pour rentrer chez vous si vous voulez, mais moi je prends la responsabilité de vous emmener voir un médecin.»

Il ne répond pas, battu, écrasé devant cette évidence qu'il ne peut plus éviter maintenant que quelqu'un d'autre l'a formulée à sa place.

«C'est la première fois que vous avez la fièvre comme ça?

— Oui.

— Il ne faut pas avoir peur. Si c'est ce que je pense, si c'est ce que vous pensez sûrement vous aussi, quelques petites injections vont suffire et vous allez arrêter de bourgeonner.»

Il la regarde, furieux.

Elle a rougi, elle se mord la lèvre du bas, elle a envie de rire, la tabarnac! Elle a beau s'appeler Monique Leyrac, elle n'a pas le droit de rire de lui!

«Vous trouvez ça drôle!»

Ils sont arrêtés à un feu rouge, au coin de Guy et Sherbrooke. La chanteuse le regarde.

«Non. Excusez-moi. Je pensais à l'interview de tout à l'heure que j'ai écoutée en me rendant à Radio-Canada. Vous avez du front, hein?

— Oui, pis y' est plein de boutons!»

Une nouvelle vague de frissons le secoue, qui l'empêche d'entendre le beau rire franc de la chanteuse.

«Mon Dieu! J'espère quand même que j'avais pas l'air de ça pendant que je l'engueulais!

— C'est peut-être ce qui a tout déclenché...

— On pourra dire qu'a' m'a vraiment tiré le méchant du corps!»

*

«Ça veut dire quoi, le deuxième stade?

— Ça veut dire que vous l'avez depuis un bout de temps, que vous avez dû avoir des symptômes il y a quelques mois, ou même plus, sans vous en rendre compte.»

C'est un vieux docteur doux et rassurant, de ceux qui arrivent à force de diplomatie à vous apprendre les pires nouvelles sans trop vous affoler. C'est ce qu'il est en train d'essayer de faire avec François, d'ailleurs, un François nerveux, tendu, qui a de la difficulté à rester assis sur la chaise droite du bureau des urgences, mais il a beau choisir avec attention chacun de ses mots, se faire le moins dramatique possible, il sait visiblement qu'il a devant lui un jeune homme intelligent qui devine parfaitement le sérieux de sa situation.

François lui sait gré de ne pas le traiter comme un enfant.

« Ça veut-tu dire que la maladie s'est développée... euh... j'sais pas comment dire ça... Y' a tellement de choses qui se disent au sujet de cette maladie-là... Ça veut-tu dire qu'y est trop tard, que c'est pus guérissable... Pis chus-tu encore contagieux?

— J'essaierai de répondre à ces questions-là pendant que je vous donnerai votre injection. J'espère que vous comprenez que l'important, pour le moment, c'est d'essayer d'endiguer la maladie le plus rapidement possible. »

François a envie de lui crier que l'important, pour le moment, c'est de le rassurer, lui, de lui dire qu'il ne pourrira pas sur place, qu'il ne mourra pas dans d'affreuses douleurs; après tout, ce n'est pas une minute ou deux de plus qui vont changer quoi que ce soit à son état.

« Étendez-vous sur la civière et baissez votre pantalon. »

Pour la deuxième fois en moins de dix minutes, François se retrouve couché sur la civière, mais sur le ventre, les pantalons aux genoux, la peur au creux de l'estomac.

La seringue est énorme, longue, remplie de ce liquide blanchâtre et inquiétant, cette fameuse moisissure antibactérienne découverte il y a à peine une trentaine d'années, cette panacée miraculeuse pour les malheureux comme lui qui sont allés fourrager là où la prudence leur conseillait de ne pas s'aventurer. François pense à Baudelaire, à Maupassant, qui sont morts de cette abominable maladie qui a la réputation de rendre génial, mais à quel prix! Il pense aussi aux prostituées des romans gothiques anglais, aux injections à base de sels de mercure qu'on a si longtemps imposées à ceux et celles qui en étaient atteints, aux gousses d'ail qu'on leur faisait avaler, au corps qui pourrit lentement, à la maladie mentale qui menace à tout moment de se déclarer, et il se trouve chanceux d'être né pendant la guerre où ce remède a été utilisé avec succès pour la première fois. S'il n'est pas trop tard, évidemment, si ses fonctions vitales n'ont pas encore commencé à se détériorer sans rémission...

Pour s'empêcher de crier de peur, François mord sa manche de chemise.

«Prenez une grande respiration, ça va brûler pendant tout le temps de l'injection.»

Ça brûle et ça pince. François pense au sourire méchant que ferait Charlotte Bonenfant si elle le voyait, le cul à l'air et la seringue plantée dans le gras de la fesse, et il se concentre sur cette image pour essayer d'oublier la douleur qui le chauffe.

«Avez-vous eu plusieurs partenaires, ces derniers mois?»

Ce docteur est bien gentil, bien doux, probablement très compréhensif, et sa question a été posée avec beaucoup de tact, mais comment François arriverait-il à lui expliquer qu'il ne pourrait pas compter les partenaires sexuels qu'il a eus ces derniers mois ou lui décrire la fréquence de ses ébats sexuels, son appétit irrépressible, la libido qui l'emporte toujours sur la réflexion et la prudence? Et ajouter que ces innombrables partenaires sont toujours des hommes? Lui, le fanfaron, le crâneur qui ne cache pas ses préférences dans la vie quotidienne, qui commence même à songer à aborder le sujet dans ses chansons pour se libérer, pour voir si le monde est prêt à l'accepter, pour enfin exprimer ses vrais sentiments, il se retrouve incapable de trouver les mots pour en parler avec un médecin qui non seulement a le droit de savoir, mais qui en plus serait bien placé pour l'engueuler de ne pas avoir été plus prudent! Qu'est-ce qui l'empêche de parler? Est-ce la situation humiliante dans laquelle il se trouve, la réputation que cette maladie a toujours accolée à ceux qui en étaient atteints, l'odeur de soufre et de péché qui l'a toujours entourée? Mais il aime l'odeur du soufre et il est rarement capable d'éviter un péché quand il se présente, alors pourquoi n'arrive-t-il pas à nommer celui-là? Il se fout de ce que le docteur pourrait penser de lui — il en a probablement vu de pires —, mais il est incapable de s'exprimer franchement devant lui!

«Oui, j'ai eu plusieurs partenaires ces derniers mois, mais j'sais vraiment pas qui peut m'avoir refilé ça. Vous comprenez, y' a beaucoup de rencontres d'un soir là-dedans... Pis j'arrive de Paris. On demande pas toujours les coordonnées des gens qu'on rencontre en voyage...»

C'est vague à souhait, ça ne porte pas à conséquence. François se trouve trou-de-cul encore une fois et s'essuie le front avec son col trempé de sueur.

Le docteur lui rabat la queue de chemise, s'éloigne pour aller poser la seringue sur le comptoir.

« Pis vous pouvez pas les contacter ? Aucune ?

— Non. C'est-à-dire que y' en a que je peux contacter, oui, bien sûr... Mais, comme je viens de vous le dire, Paris c'est loin...

— En tout cas, tout ce que je peux vous dire, c'est que vous l'avez pas attrapée là... Vous l'avez depuis un certain temps déjà, sinon vous en seriez pas au deuxième stade... J'espère seulement que vous avez pas déclenché d'épidémie, votre responsabilité serait très grande, vous savez... »

François ne le trouve plus du tout rassurant, tout à coup. Il le trouve même très bête. Ce n'est pourtant pas le moment de lui suggérer qu'il a peut-être déclenché une épidémie dans le milieu homosexuel, de Montréal à Paris en passant par Lille et Bourges, qu'il a « visitées » à toute vitesse !

« Je devrais vous engueuler et vous faire la morale, monsieur... Villeneuve, je crois... mais j'ai l'impression que vous savez tout ce que je pourrais vous dire. Les gens prévenus comme vous sont souvent les pires imprudents... De toute façon, j'ai d'autres malades à voir... »

François, qui a très bien senti le changement subtil dans le ton de la voix du médecin, remonte son pantalon, fait la grimace en s'assoyant.

« Vous m'avez rien dit de l'état de la maladie...

— On peut rien savoir pour le moment.

— Sauf que c'en est rendu au deuxième stade.

— Oui, le beau chancre qui se développait lentement sur votre gland en est une preuve irréfutable. Vous ne l'aviez vraiment pas vu ?

— Non. J's'rais venu vous voir avant.

— En tout cas. Y faut attendre le résultat des

tests pour en savoir plus long. Je vais vous garder au moins jusqu'à demain. On va vous trouver une chambre...

— Y' en est pas question... Je chante, ce soir, y'a trois cents personnes qui vont m'attendre...

— Vous êtes chanteur?

— Oui.

— Ça explique bien des choses. J'aurais dû y penser que vous étiez un artiste, quand j'ai vu avec qui vous êtes arrivé, tout à l'heure. C'est une de vos amies?»

Est-ce que François sent une insinuation dans cette petite remarque? Le vieux verrat ne peut pas s'empêcher d'extrapoler.

François ne cache pas son agressivité.

«Non. On était tous les deux dans le hall de Radio-Canada quand les frissons m'ont pris, pis madame Leyrac m'a gentiment offert de venir me reconduire à l'hôpital, pis est repartie parce qu'a' s'était mise en retard pour sa répétition générale de *Pleins Feux*...

— En tout cas, vous ne chanterez certainement pas ce soir. Ni les autres soirs de la semaine, d'ailleurs. Désistez-vous, c'est tout ce que vous pouvez faire.»

Ce singe poilu de partout — des touffes de poil lui sortent des oreilles, des narines, François ne voit que ça, tout à coup — ne le gardera certainement pas plus longtemps prisonnier dans cet hôpital qui sent les médicaments et l'eau de Javel! François aurait envie de lui grimper dans la face, tout à coup, de lui arracher le visage.

«J'peux pas faire ça. J'ai un contrat.

194

— Laissez-moi vous dire que vous aurez pas envie de vous montrer en public si vous vous regardez dans un miroir, ce soir. La pénicilline va faire son effet, pis vous allez avoir trois fois plus de boutons que maintenant... »

François porte machinalement la main à son visage.

« Ça risque-tu de me défigurer à tout jamais ? »

Le médecin ne peut pas s'empêcher de faire un petit sourire peut-être méchant, en tout cas narquois.

« Rassurez-vous, vous serez pas défiguré... si jamais vous guérissez. »

François est convaincu, soudain, que cet imbécile s'amuse à lui faire peur. Il est soulagé à la pensée qu'il est peut-être moins atteint qu'il ne l'avait d'abord cru, mais en même temps il est furieux contre le docteur qui se moque probablement de lui.

« Dites pas des choses comme ça ! C'est surtout pas ça que je veux entendre ! »

Le médecin boutonne sa chienne blanche, l'époussette avec ses mains comme s'il voulait la débarrasser de miasmes particulièrement dégoûtants.

« Je vais vous donner une autre injection demain matin, puis une autre le matin suivant. On verra comment vous réagissez pis on décidera en conséquence du protocole à suivre... Y faut que je fasse un rapport, aussi, j'sais pas si vous le savez...

— À la police ? Chus quand même pas un criminel, bonyeu ! »

Le docteur le dévisage quelques secondes avant de lui répondre.

« Non, pas à la police. Mais tous les hôpitaux de Montréal unissent leurs efforts pour essayer de garder une liste... »

François le coupe.

« Vous avez pas le droit de faire ça ! C'est une atteinte à ma vie privée !

— C'est ça, poursuivez-nous au lieu de regretter d'avoir été imprudent... »

Il se tourne, s'éloigne vers la porte.

« On va aussi vous donner quelque chose pour la grippe. C'est ça qui a tout déclenché... Vous êtes chanceux, les symptômes auraient pu tarder encore longtemps avant de se manifester, vous auriez pu continuer à faire des ravages sans vous en rendre compte... Quelqu'un va venir vous chercher quand votre chambre sera prête. En attendant, essayez de vous reposer. »

Se reposer ! Dans un moment pareil ! François a levé la main vers le docteur, comme pour le supplier de rester, de lui parler, de le rassurer. Il ne veut pas rester seul avec son angoisse.

Le docteur se retourne une dernière fois avant de quitter la pièce.

« Pratiquez l'abstinence jusqu'à ce que je vous dise que vous pouvez recommencer. Les condoms ne serviraient à rien. Vous êtes probablement encore contagieux. Toutes vos muqueuses sont contagieuses... »

C'est le coup de grâce. François est obligé de se recoucher sur la civière.

« Ça va aller ?

— Ben oui, ça va aller, je suppose, quand j'vais avoir tout assimilé ça...

— À demain.

— C'est ça, à demain... »

*

«Allô, Carmen?

— François, mon boy, où est-ce que t'es? J't'ai cherché partout dans le circuit hier soir, sans jamais te trouver! As-tu attrapé le gros lot?

— J'ai attrapé plus que le gros lot, mon p'tit gars... Chus à l'hôpital.

— Mon dieu! As-tu eu un accident?

— Si on peut appeler ça un accident... »

François a hésité avant de téléphoner à Carmen. La fatigue d'abord puis l'effet de la pénicilline l'empêchaient de penser clairement à ce qu'il allait dire au nain, comment il lui annoncerait la nouvelle, dans quels termes: brusquement pour s'en débarrasser comme d'un fardeau trop lourd, avec doigté pour ne pas affoler son ami parce qu'il leur arrive, dans les moments de découragement ou quand ils ne pognent ni l'un ni l'autre, de se soulager mutuellement dans le lit étroit de Carmen, qui sent à l'année le bonbon à la cannelle en forme de poisson rouge dont le nain fait une consommation affolante... Deux solitudes qui mêlent leurs humeurs sans véritable désir pour ne pas sombrer dans le désespoir.

Après un sommeil pesant, sans fond, qui a duré une bonne partie de l'après-midi, François a pris son courage à deux mains, s'est traîné jusqu'au

197

téléphone accroché au mur de la chambre à six lits et a composé le numéro du nain, qui lui aussi se réveillait.

« Explique-toi, François, j'comprends pas... »

À son grand étonnement, François trouve les mots justes, sa voix ne trahit pas son épouvante, son récit est cohérent, concis, il se fait même presque rassurant. Mais Carmen, sûrement sidéré, reste silencieux à l'autre bout du fil tout au long du récit. François ne l'entend même pas respirer.

« Tout ça pour te dire que chus en quarantaine de cul pour un bon bout de temps... »

Tentative de petite plaisanterie cynique qui tombe à plat. Carmen ne réagit pas. Le silence se prolonge un peu trop longtemps, François s'inquiète :

« 'Coudonc, es-tu toujours là ? »

La voix, à l'autre bout du fil, se fait froide, sans intonation, impersonnelle, mais un léger tremblement trahit l'inquiétude, la peur panique :

« Ça veut-tu dire que je l'ai ?

— Je le sais pas.

— François, réponds clairement ! Ça veut-tu dire que je l'ai, oui ou non ?

— J'te dis que je le sais pas ! Y faudrait que tu passes un test. Y faudrait que je dise à tous ceux avec qui j'ai couché depuis un an de passer un test... Vois-tu ça d'ici... J'en aurais pour un mois !

— Essaye pas de tourner ça en joke ! J'me sacre des autres, j'veux juste pas finir avec des boutons sur la queue pis une aiguille grosse comme un barreau de chaise dans le cul ! Pis moi aussi je rencontre beaucoup de monde, tu sais... Vois-tu

198

les dégâts d'ici? Nous vois-tu en train de taper sur l'épaule des gars avec qui on a couché pour leur dire d'aller passer un test pour les maladies vénériennes au lieu de leur demander de danser? Mais on va se faire tuer! Notre réputation est finie! Le sais-tu ce qui arrive à ceux qui ont ça? On les traite comme des pestiférés! Va falloir montrer un certificat de santé avant de trouver quelqu'un qui va accepter de baiser avec nous autres!

— Carmen, qu'est-ce que tu veux que je te dise? C'est comme ça! J't'appelle parce que t'es mon ami pis que j'ai besoin d'un peu de compassion, pas pour me faire engueuler!

— Un peu de compassion! T'as peut-être infecté une grande partie du monde qu'on connaît, pis une bonne partie du milieu homosexuel de Montréal, sans parler des petites surprises que t'as semées aux quatre coins de Paris pendant ton voyage, pis tu voudrais que j'te montre de la compassion!

— Choisis un peu tes mots, aussi! «Infecté»! Franchement!

— Comment tu dirais ça, d'abord? Tu nous as infectés, François, y' a pas d'autres mots! Essaie pas de minimiser les choses!

— T'es donc ben dramatique! Y me semble que «contaminer» serait moins pire, moins... définitif. Infecté! On dirait qu'on pourra jamais en guérir!

— Le docteur t'a-tu dit que c'était sûr que t'en guérirais?

— Carmen, on va juste recevoir deux ou trois

piqûres dans le cul chacun pis ça va être fini, on est pus au Moyen Âge, Jésus-Christ!

— Y t'a-tu dit que t'en guérirais?

— Ben oui, y me l'a dit!

— Es-tu sûr?

— Ben oui!

— C'est pas juste une petite gonorrhée que tu nous as refilée là, François, t'as pas l'air de t'en rendre compte!

— J'm'en rends très bien compte, je m'excuse, Carmen, j'te demande pardon, chus t'à tes genoux, j't'embrasse les pieds, chus pas digne de ton amitié, chus t'un écœurant, j'mériterais que tu me parles pus jamais, d'être banni des bars de Montréal, d'être traité comme un paria, t'as raison, mais va passer un test, c'est tout ce que je te demande! Si t'as rien, tant mieux, si t'as quequ' chose, *welcome to the family!*»

Il raccroche, rouge de rage. Et de honte d'avoir menti à son meilleur ami.

Les cinq autres occupants de la chambre le regardent avec un drôle d'air. Un vieux monsieur a même placé un mouchoir devant sa bouche et son nez.

François les nargue un à un avant de lancer à la cantonade, la tête haute et un sourire moqueur aux lèvres:

«Vous avez jamais vu ça, quelqu'un qui est pourri jusqu'au trognon? Ben c'est de ça que ça a l'air! C'est pas beau à voir, hein? Vous pourrez dire à vos petits-enfants que vous avez vu un pestiféré une fois dans votre vie!»

Il s'éloigne du téléphone, se traîne jusqu'à la

salle de bains, se contemple dans le miroir au-dessus de l'évier. Le docteur avait raison. Le visage qui lui retourne dans le miroir son regard terrifié est dégoûtant. Il a de la difficulté à se reconnaître dans ce réseau de boutons et de plaques rouges, ses traits sont gommés, ses yeux presque fermés, son nez a enflé. Sa mère aurait dit qu'il a l'air d'une forçure, un mot dont il n'a jamais saisi le sens exact ni l'origine, mais qu'elle utilisait pour désigner des choses particulièrement dégoûtantes, proches parentes de la viande avariée.

« Mon Dieu ! Si ça partait pus ! »

Il a soif. Il se verse un grand verre d'eau fraîche qu'il avale d'un seul coup. Il se sent faible, soudain, presque plus que ce matin... Il sort de la salle de bains en titubant, un verre vide à la main.

« Vous voyez, chus généreux avec vous autres, je garde le verre pour moi, pour pas vous... infecter ! »

*

Carmen a apporté des fleurs, trop grosses, des chocolats, trop mous, et une carte de prompt rétablissement d'un grande laideur, la plus quétaine qu'il a pu trouver, représentant une grand-maman au chevet de son petit-fils malade. La légende est imprimée à l'encre violette : « Dors bien, mon petit ourson, ta mamie prend soin de toi. » François a ri, ils se sont brièvement étreints en guise de réconciliation, sous le regard scandalisé des cinq autres malades qui les surveillaient du coin de l'œil.

« Tu m'as dit, hier, que t'étais couvert de boutons...

201

— C'est parti pendant la nuit. Y paraît que c'est bon signe. Je viens de recevoir ma deuxième injection. J'ai le fessier en compote pis le gorgoton comme du papier sablé. J'arrête pas de boire pis de pisser depuis le matin. »

La chaise droite étant trop inconfortable pour lui, Carmen a grimpé sur le lit de François comme un petit enfant et s'est appuyé contre le montant de métal, jambes croisées, cigarette aux lèvres. Il a l'air d'une grosse poupée de son que François aurait reçue en cadeau et posée n'importe comment au pied du lit.

« On a-tu le droit de fumer, ici ?

— Non, pis tu le sais très bien. Y faut aller au fumoir au bout du corridor...

— Allons-y donc. J'ai des choses à te dire. Pis j'ai l'impression qu'y' a cinq paires d'oreilles de lapins braquées dans notre direction. »

Il faut dire que Carmen, et pas seulement à cause de sa petite taille, passe difficilement inaperçu : il a récemment fait teindre ses cheveux en blond vénitien tout en gardant ses sourcils noirs, il porte un imperméable trop large pour lui par-dessus ses vêtements d'enfant disparates de coupe et de couleurs et, pour se grandir, il a fait coller à ses chaussures des semelles très épaisses, ce qui lui donne, grimpé sur ces cothurnes improvisés, un air de petit coryphée moderne qui aurait perdu son chœur.

Le fumoir est vide, sombre, vert hôpital, déprimant.

Carmen s'allume une cigarette, aspire une longue bouffée qu'il rejette par le nez, enlève un brin de tabac resté collé sur sa langue, fronce les sourcils.

«J'ai pensé à notre problème une bonne partie de la nuit...

— Tu vois, moi j'ai dormi comme une tonne de briques.

— La culpabilité t'a jamais empêché de dormir, François, on le sait...

— C'est à cause des médicaments. J'pense qu'y m'ont donné un somnifère sans me le dire.

— Voyons donc... À partir du moment où t'étais sûr de t'en sortir, toi, tu te sacrais ben du reste...

— C'est pas vrai, ça! Où est-ce que t'es allé pêcher ça?

— C'est pas de ça que je voulais te parler...

— Carmen, détourne pas la conversation!

— François, j'te dis que c'est pas le temps de te parler de ton égoïsme, ça prendrait trop de temps! Ou, plutôt, tiens, ça a justement un rapport avec ton égoïsme. Avec le mien aussi, d'ailleurs. Écoute... J'ai bien réfléchi... J'ai un rendez-vous chez mon docteur en sortant d'ici... J'veux bien me faire examiner la queue, les aisselles, le blanc de l'œil, mais j'ai ben de la misère à accepter que notre entourage soit mis au courant de tout ça... J'ai pas envie qu'on se retrouve tou'es deux tout seuls dans notre coin parce que pus personne veut nous parler... Écoute ben...

— Je le sais ce que tu vas dire...

— Quoi?

— J'y ai pensé, moi aussi... On s'entend pas bien pour rien, on pense pareil... Tu vas passer ton examen, pis si t'as rien, y' a des chances pour que les autres avec qui j'ai baisé aient rien eux autres non plus... Donc, si t'as rien, on se ferme la boîte en croisant nos doigts... pis on évite de recoucher avec les mêmes gars pour un bout de temps. C'est ça, non?

— Oui. Mais on fait quand même attention. On s'achète des capotes...

— Ben oui, ben oui... même si j'haïs ça...

— O.K. Mais si j'ai quequ' chose?

— On fait comme les docteurs disent, là on n'a pas le choix... »

Ils n'osent pas se regarder tant ils ont honte. Carmen fixe le bout incandescent de sa cigarette, François regarde par la fenêtre les voitures lancer de grandes gerbes d'eau sale. Il a l'impression d'ourdir un complot machiavélique qui met en péril la vie de son entourage, mais il préfère ça à l'affrontement, aux explications, aux insultes qu'il risquerait de subir s'il partait à la recherche de tous ses partenaires sexuels des derniers mois pour leur apprendre qu'ils sont peut-être malades. Après tout, ils ne sont peut-être pas malades! Il sait très bien qu'il évite par un dangereux subterfuge de faire face à ses responsabilités, il s'en veut, se méprise, se dit qu'il ne se le pardonnera jamais, il s'est même surpris, en se réveillant ce matin, à prier Dieu, lui qui se vante d'être un incroyant pratiquant, pour que tout ça soit une fausse alerte, à lui faire des promesses qu'il ne pourrait pas tenir parce qu'elles sont hors de toute proportion. Il s'est juré abstinence tant que tout danger ne sera pas passé, comme le lui a demandé le médecin; il a songé à se ranger, à se chercher un chum officiel, à devenir la petite moitié d'un petit couple fidèle qui se suffit à lui-même, qui ne sort pas et qui disparaît à tout jamais dans le ronron quotidien de l'amour exclusif, tout ça pour contourner un problème qui pourrait bien se révéler incontournable si Carmen est effectivement «contaminé»...

Pour alléger l'atmosphère et détourner la conversation qui risque de devenir pesante, Carmen fait une pirouette comme lorsqu'il veut annoncer qu'il va bientôt partir et, mine de rien, il dit à François :

«En tout cas, tu pourras certainement pas faire une chanson avec ça!»

François s'est souvent vanté devant Carmen de pouvoir composer des chansons sur n'importe quel sujet, même les plus intimes, même les plus scabreux, et Carmen a toujours voulu le prendre en défaut. François le sait et se sent d'attaque :

«Pourquoi pas?

— François! Franchement! Une maladie vénérienne!

— On n'est pas obligé de la nommer!

— Quand même! On fait pas une chanson avec une maladie vénérienne!

— On peut faire une chanson avec n'importe quoi!

— Recommence pas!

— C'est toi qui as commencé!»

Ils vont se perdre dans une discussion sans fin, ils le savent, et s'y jettent à corps perdu pour oublier leur honte, la noyer dans une ribambelle de répliques rapides et drôles; ils vont parier en riant, mais François se sentira obligé de relever le défi lié à cette gageure ridicule ; ils vont faire des farces plates d'adolescents boutonneux, se donner des tapes dans le dos, parler trop fort, s'étourdir, ils vont surtout s'étourdir pour éviter de reparler de ce qui les a au départ réunis dans ce fumoir... Si Carmen n'a rien, comme ils l'espèrent, ils n'aborderont plus jamais ce sujet, même pas pour s'avouer leur soulagement mutuel.

Et ils sortent de cette pièce déprimante hilares, ragaillardis, sciemment oublieux de leur lâcheté, complices, comme toujours, mais cette fois dans ce qui pourrait se révéler un crime grave.

*

Ça s'est d'abord intitulé *La Vie d'un libertin*, puis François a changé le titre pour *La Chandelle par les deux bouts*, qu'il trouvait plus musical et moins prétentieux.

Cette chanson, si belle soit-elle — elle deviendra rapidement l'une des favorites du public —, sera toujours une source de conflit entre son compositeur et le nain Carmen, ce dernier prétendant que François n'a pas su relever le défi, que le texte n'est pas clair, qu'on ne sait pas que ce libertin dont la chute nous est racontée avec tant de compassion est atteint d'une maladie grave — et surtout vénérienne —, que c'est une ballade comme les autres, genre dans lequel François excelle, c'est vrai, mais là n'est pas le propos, et que, donc, le chansonnier a lamentablement perdu son pari.

Quant à François, il opposera toujours aux arguments de Carmen les mots *subtilité*, *équivoque*, *artifice*, *demi-teinte*, il vantera les qualités du sous-texte, comme toujours, prétendra préférer l'allusion à l'étalage sans pudeur de vérités grosses comme des maisons. Il traitera son ami d'être terre à terre, prosaïque, vulgaire même, se sachant aussi simpliste qu'injuste, mais incapable d'avouer que Carmen a raison, que certaines de ses chansons, et en particulier celle-ci, parce qu'elle est née d'un pari très précis, ne sont que des palimpsestes qui servent plus à dissimuler qu'à révéler qui est François Villeneuve.

Pour comprendre vraiment *La Chandelle par les deux bouts*, il faudrait gratter les mots, se creuser la tête, se poser mille questions sur le sens caché de certaines expressions, faire des recoupements, risquer d'en arriver à des conclusions erronées, et Carmen — c'est vrai qu'il n'est pas toujours subtil — finira par dire à François que les gens qui viennent l'écouter ne sont pas là pour se creuser les méninges, mais pour regarder un beau gars chanter de belles chansons qui vont les faire rêver.

« Ou alors assume-toi complètement, secoue-les, fais-leur peur, sinon tu vas être obligé de mentir jusqu'à la fin de tes jours pis ton œuvre au complet va juste être une belle grosse joke.

— C'est facile pour toi de dire ça! C'est pas toi qui risques de te retrouver dans la rue demain matin!

— Tu l'es déjà, dans la rue!

— C'est justement! Laisse-moi le temps de

connaître autre chose avant de me demander de me trucider!

— Je te demande pas de te trucider! Tu pourrais être étonné! Y sont peut-être capables d'en prendre plus que tu penses!

— Un chansonnier homosexuel! Es-tu fou? Y me lyncheraient! De toute façon, un artiste, c'est toujours un menteur. La preuve, on se prépare à cacher à nos propres amis qu'y sont peut-être malades juste pour sauver notre peau!»

Troublé par les propos de Carmen, François s'enfermera pendant des jours dans son minuscule appartement, dans la seule compagnie de sa chatte Fanfreluche, relisant toutes ses chansons, les plus vieilles comme les plus récentes, les chantant à voix haute pour lui-même, pleurant de rage et de frustration chaque fois qu'il se prendra en flagrant délit d'imprécision volontaire ou d'autocensure, malgré les qualités évidentes des textes et de la musique. Il pourra entrevoir, le temps d'une retraite fermée, ce que son œuvre pourrait devenir s'il se laissait aller à décrire la vérité plutôt que ses dérivés. Il contemplera pendant quelques jours l'infime parcelle qui lui revient de cette Grandeur à laquelle il aspire et qui lui fait si peur.

Il ira même jusqu'à remplacer quelques mots de *La Chandelle par les deux bouts*, pour voir; il écrira un nouveau couplet, précis et dévastateur, qui racontera la vraie fin de son libertin et la cause de sa maladie, mais, terrorisé par le résultat d'abord puis par les portes que cette nouvelle façon d'écrire pourraient entrouvrir, François reviendra à la version originale, toujours efficace et désormais bien mièvre à son avis, la seule qu'il osera jamais chanter, l'autre risquant de nuire à son embryon de carrière.

À son retour de Paris et à cause d'un pari manqué, François commence à soupçonner qu'il faudrait que ses chansons deviennent plus explicites, qu'il serait peut-être temps qu'il fasse savoir au monde qui il est vraiment, où il en est rendu et de quel bois il se chauffe. Entre l'intention et la réalisation, cependant, quelques années passeront, pendant lesquelles il continuera à composer de splendides mystifications de peur d'être rejeté, menteur de vingt ans pour qui un début de notoriété est plus important que la vérité.

Il écrira à la fin d'un carnet de notes : « Je vis des choses et j'en décris d'autres. Si je n'ai pas raison, au moins j'ai *des* raisons. »

*

Carmen n'a rien eu ; ils se sont tus.

Il sortit de son bureau à grandes enjambées. Il avait besoin d'un coup de fouet, de quelque chose, un café par exemple, qui le secouerait un peu, qui chasserait les remugles de sentiments visqueux qui s'agitaient en lui depuis qu'il avait commencé à écouter le disque compact, une diversion qui l'empêcherait d'ouvrir la maudite bouteille de Beefeater. Une drogue douce pour éloigner le plus possible le moment où il aurait à choisir entre se réfugier dans le gin, sa drogue dure à lui, s'y complaire, s'y noyer, ou non.

Pourquoi ne pas mettre fin à l'écoute, alors? Éjecter le disque du lecteur et le lancer dans le panier? Les six premières plages l'avaient convaincu qu'il avait été un bon compositeur de chansons, soit; il avait retrouvé avec étonnement et joie la belle voix de ses vingt ans restituée et peut-être même améliorée par une technologie de pointe monstrueuse et quelque peu inquiétante, bon; mais le plaisir de retrouver une époque de sa vie où il avait failli être quelqu'un de bien, quelqu'un d'important, l'émotion ressentie devant ces chansons qu'il avait tout fait pour enterrer dans un inaccessible recoin de sa mémoire depuis si longtemps, tout ça constituait-il un rempart suffisant contre l'avalanche de souvenirs, dont très peu étaient agréables et sous laquelle il avait peur d'étouffer ? Son sentiment de frustration était toujours aussi cuisant devant tant de talent gâché pas seulement par lui — il était prêt à reconnaître ses torts, ils ne les avait jamais niés —, mais surtout par une société arriérée qui avait en fin de compte bien peu changé en trente ans et qui, déjà à l'époque, avait été bien loin d'être prête à les accepter, lui, sa façon de vivre, sa façon de réagir, sa façon de s'en servir et les chansons que tout ça inspirait et qui sentaient un peu trop le soufre.

Pourquoi continuer si l'aboutissement de toutes ces chansons se trouvait au fond d'une bouteille de gin ?

Se donner une raison de boire ?

Il s'arrêta brusquement devant un des ascenseurs, se croisa les bras en s'asseyant sur l'un des fauteuils qui y faisaient face.

Une excuse ?

Un paravent ?

Une image ridicule se forma dans sa tête : un paravent chinois, laqué de rouge, noir et or, était déplié devant la fenêtre de son bureau ; tout ce qu'il pouvait voir derrière était le cul d'une bouteille de Beefeater qui dépassait.

Il pensa au *Feu follet* de Louis Malle, au *Lost Weekend* de Billy Wilder, ces films qu'il avait vus des dizaines de fois — le commis au Club Vidéo Esprit avait cru un temps que François préparait une étude sur les films qui traitaient de l'alcoolisme et François lui avait répondu que la seule étude qu'il faisait portait sur lui-même —, ces œuvres fortes qui le rendaient parfois furieux parce qu'il n'y trouvait pas ce qu'il y cherchait et qui, d'autres fois, le laissaient épuisé de compassion pour Maurice Ronet et Ray Milland et, bien sûr, rempli de pitié pour sa petite personne.

Il se releva d'un bond, pressa le bouton de l'ascenseur.

Tout d'abord un café. On verrait ensuite.

Le vendeur d'espresso, à la porte de la cafétéria, n'avait peut-être pas encore fermé boutique. Il avalerait un double espresso noir et serait prêt, il en était convaincu, pour l'écoute non-stop des quatre chansons qui restaient.

Ne plus interrompre le déroulement du disque. Tout écouter jusqu'au bout d'une seule traite, boire jusqu'à la lie cette liqueur amère d'un début de célébrité qu'on avait étouffé dans l'œuf pour de mauvaises raisons, puis décider. Mais quoi ? Tout n'était-il pas déjà décidé ? Ne savait-il pas déjà, c'était là le plus désespérant, comment cette soirée de réjouissances allait se terminer, à quoi ce deuil de soi-même qu'il s'imposait allait servir ?

Les portes de verre et de métal de la cafétéria étaient tirées, les lumières éteintes.

Trop tard.

Il se rappela les machines à café, derrière la cafétéria, leur brouet infect qui lui donnait non seulement la nausée mais parfois même la chiasse, ferma les yeux en grimaçant.

« Besoin d'un petit café toi aussi, hein ? »

Un confrère de la télévision, alcoolique comme lui, que François retrouvait souvent au-dessus d'un café brûlant ou d'un Perrier tiède, se tenait à

213

côté de lui sans qu'il l'ait entendu arriver. Un gars formidable qui tenait depuis longtemps — *on the wagon*, comme disaient les Américains —, mais ce soir-là François n'avait surtout pas envie d'affronter un gars formidable qui tenait depuis longtemps. Lui-même était un gars formidable, et il en avait assez.

« Ouais. Mais un dernier, sinon j'dormirai pas pour les trois prochains mois. »

Faire des farces. Alléger l'atmosphère. Effacer de leur rencontre fortuite, indésirable, tout contenu de danger. Mais le gars formidable n'était pas dupe.

« Veux-tu en parler ?

— Parler de quoi ? Le café est pas un sujet qui me passionne tellement.

— O.K. O.K. Fâche-toi pas. J'ai compris. J'voulais juste t'aider. »

Nier. Nier pour ne pas s'écrouler comme une lavette en demandant de l'aide en chiffe molle incapable de faire face toute seule à ses problèmes.

« M'aider à quoi ? À défoncer la cafétéria pour m'emparer de la machine à espresso ? Mon besoin est pas si grand, tu sais. J'sais contrôler mes envies. »

Voilà. Le message est bien clair. Mon besoin est pas si grand. Dit les yeux grands ouverts, d'une voix forte et égale pour bien montrer qu'on n'a pas encore commencé, qu'on n'est pas encore en rechute, puis partir brusquement pour bien souligner la révolte qu'un tel soupçon soulève, surtout de la part d'un confrère dans le malheur.

Était-il dupe, cette fois ?

Bien sûr que non.

Mais c'était vraiment un bon gars : le regard qu'il posait sur François n'était pas goguenard, comme certains autres qu'il avait si souvent croisés dans des circonstances similaires, mais plein de magnanimité et de compréhension.

François, cependant, avait encore moins besoin de compréhension que de goguenardise — était-ce seulement un mot ? — et il quitta l'autre sans même lui dire bonsoir.

Pas de panacée, pas de palliatif, ce serait inutile.

Quatre chansons l'attendaient, qu'il écouterait sans les interrompre, cette fois.

LE MAL VERT

(1962)

Quand il fait son entrée quelque part, surtout dans ces partys *wild* — c'est le nouveau mot à la mode — où l'entraîne souvent Carmen, François ne fait pas le chien fou, comme certains jeunes hommes de son âge qui veulent absolument se faire remarquer de tout le monde dès qu'ils apparaissent et qui n'arrivent la plupart du temps qu'à provoquer l'antipathie avec leurs gestes trop flamboyants et leur voix de crécelle. Surtout pas de baguettes en l'air, ce n'est pas son genre. Il a appris la discrétion; il voit avant d'être vu pour choisir avant d'être choisi.

Après s'être emparé d'un verre de vin rouge ou d'une coupe de champagne — il commence à boire un peu trop, le sait, mais s'arrange pour ne pas y penser —, il se glisse dès son arrivée dans le salon de l'appartement, s'avachit dans un fauteuil inoccupé, de préférence à l'écart des autres, et sirote lentement le bienfaisant liquide en jugeant d'un œil critique, professionnel, la pièce, son ameublement, sa décoration et qui s'y trouve. Carmen, lui, a abordé trois personnes et s'est déjà assuré qu'il ne quittera pas le party seul alors que François n'a pas encore ouvert la bouche, dissimulé dans l'ombre, l'œil aux aguets, solitaire par

219

choix et désirant le demeurer, amusé sans le laisser paraître ou ennuyé à mourir par ce qui se passe dans le salon.

Il peut rester comme ça très longtemps, terré au creux d'un fauteuil ou à l'extrême bout d'un sofa, perdu dans ses pensées quand il a terminé son inspection, souvent jusqu'à ce que Carmen vienne lui dire une fois de plus qu'il est plate, qu'il est vieux, qu'il n'est pas là pour se paqueter tout seul de son côté en comptant des moutons mais pour s'amuser et, surtout, s'assurer une nuit excitante dans des bras obligeants. Carmen aime danser, bouger, se saouler en société, alors que François, qui en a déjà soupé de la société, se demande souvent pourquoi il suit son ami s'il n'en tire plus aucun plaisir. Des bras obligeants, il en trouve, et facilement ; des nuits excitantes, il en passe, des tas, mais un sentiment nouveau l'a envahi depuis quelque temps, le contraire d'un sentiment, en fait. Cela ressemblerait davantage à un engourdissement des sens et de l'esprit, désagréable et froid, qui lui serre le cœur lorsque vient le temps des émotions ou des enthousiasmes. Jusqu'à tout récemment, il ne faisait rien avec modération, il haïssait ou aimait avec passion, il se jetait sans réfléchir, pour le seul bonheur de les vivre, dans des aventures invraisemblables qui lui donnaient l'impression d'être un héros de cinéma américain ou un gitan de roman européen. Alors qu'aujourd'hui, depuis que cette pierre lui est tombée au fond du cœur, il n'arrive plus à s'enthousiasmer pour quoi que ce soit, surtout pas pour ses chansons, qui avaient été jusque-là ses bouées de sauvetage, ses points d'ancrage dans les moments difficiles, qu'il a désormais tendance à trouver mièvres, vides, sans chair et irrémédiablement quelconques.

Blasé ? À vingt-deux ans ? Le mot lui fait peur, l'absence de sentiment qu'il suggère, encore plus. Il a l'impression d'avoir déjà vécu toute sa vie et que le reste de son existence ne servira qu'à répéter la même chose ou qu'à vivre son contraire. Pour le moment, c'est le contraire qui l'emporte : il ne veut rien vivre, il se contente de regarder les autres, surtout Carmen, qui existe intensément et avec une énergie affolante, et de les juger en les trouvant trop verts, trop jeunes, trop insouciants, trop *vivants*. À l'âge où habituellement on regarde vers l'avenir taraudé par la peur de faire les mauvais choix, François regarde surtout vers le passé avec la certitude de les avoir déjà faits.

*

Ce soir-là, Carmen l'a entraîné avenue de l'Esplanade, juste en face du parc Jeanne-Mance et du mont Royal, chez un réalisateur de télévision où, semble-t-il, quelques acteurs connus se font présenter des jeunes gens qui ne détestent pas se laisser draguer par d'autres hommes. C'est une façon polie de dire que le réalisateur en question tient une maison de rencontres très courue où l'alcool coule à flots et les disques d'Ethel Merman (*Annie, Get Your Gun* ou *Gypsy*) et de Mary Martin (*Peter Pan*) font vibrer les murs pendant que sont échangés propos galants et numéros de téléphone. Ce n'est pas un bordel, l'occupant de l'appartement s'en défend bien, mais un service sain et sécuritaire pour un milieu démuni qui en a grandement besoin. Son salon, comme il l'appelle, est sa passion, et sa fréquentation est gratuite, à condition bien sûr d'y être invité. Philippe de Bellefeuille, c'est son nom, se promène au milieu de tout ça un verre de scotch à la main, sourire aux lèvres, distribuant poignées de main et encouragements à tous et chacun, impérial dans sa graisse molle de bébé, les yeux humides d'émotion quand, grâce à sa complicité, un couple se forme, l'air affligé lorsqu'il voit une rencontre avorter.

L'alcool, tel que promis, est excellent, la nourriture princière, mais d'acteurs, point. Carmen avait pourtant fait miroiter quelques noms alléchants, mais Carmen dit toujours n'importe quoi pour entraîner son ami dans son sillage. Frustré et furieux, François s'ennuie. Il a déjà refoulé les avances d'un auteur de radioromans et d'un traducteur de publicité, des hommes d'un certain âge à la conversation vive, avec lesquels, cependant, il ne peut pas s'imaginer en train de forniquer. Il cherche le nain des yeux pour essayer d'attirer son attention. Il veut partir. Tout de suite. Avant que ne le saisissent l'angoisse et l'amertume. Le quatrième gin, celui de trop, l'a assommé, il veut quitter cet endroit avant de s'endormir dans le profond canapé où il s'est réfugié ou de se rendre ridicule en proférant des sottises. Parce qu'il lui arrive depuis quelque temps d'exploser en colères qu'il ne sent pas venir, de se mettre à crier dans les endroits les plus inattendus et les situations les plus ordinaires : il n'a pas le temps de penser à se retenir que tout sort en une irrésistible logorrhée de mots inarticulés, quand il est trop saoul, ou d'insultes précises et dévastatrices quand il lui reste un semblant de conscience. Ça lui fait peur, il y pense beaucoup pendant ses nuits d'insomnie qui sont de plus en plus fréquentes, mais il n'en a encore parlé à personne, trop orgueilleux pour avouer à qui que ce soit qu'il n'est pas bien et qu'il a peut-être besoin d'aide. Il suffirait peut-être qu'il arrête de boire... La perspective de rester sobre l'angoisse. Où déverserait-il son mal d'être ?

« J'ai vendu un tableau ! »

Carmen est tout excité, ses petites jambes frétillent sur le velours rouge du sofa. François, qui le cherchait il y a pourtant un instant, ne l'a pas vu grimper à côté de lui.

« Voyons donc ! T'as pas sali une seule toile depuis des années ! J'avais même fini par oublier que t'es censé être peintre !

— Y m'en reste des vieilles ! Y m'en reste des tas, en fait. Mais j'vas m'y remettre dans pas longtemps. J'ai même sorti mes pinceaux, la semaine passée.

— Celle que t'as vendue, c'est une vieille ou ben une de celles qu'à t'entendre parler tu vas faire dans pas longtemps ?

— C'est ça, moque-toi ! C'est pas toi qui viens de faire soixante-quinze tomates !

— Soixante-quinze ! Y doit la trouver belle rare !

— Y l'a pas vue...

— Y' a acheté un tableau sans le voir !

223

— J'pense que c'est pas tellement le tableau qui l'intéresse...

— Depuis quand tu te caches derrière la vente de tableaux pour faire la guidoune, toi?

— T'es ben désagréable!

— Chus réaliste.

— En tout cas, j'venais te dire que je l'emmène visiter ma galerie, ben oui, c'est comme ça que j'ai appelé mon appartement, pour qu'y choisisse la toile qu'y veut.

— Celle qu'y veut, je l'ai sous les yeux.

— J'te défends de parler de moi au féminin.

— J'te comparais à une œuvre d'art, Carmen. C'est du genre féminin, œuvre d'art... Pis c'est bien difficile de pas parler de toi au féminin, Roger, quand tu te fais appeler Carmen!

— T'as encore trop bu?

— Trop, non. Trop vite, oui.

— Y' est même pas dix heures...

— Qu'est-ce que l'heure a à voir avec ça?

— Qu'est-ce que tu vas faire le restant de la soirée?

— En tout cas, c'est pas avec toi que j'vais le passer, hein...

— Le chantage pogne pas, François, tu le sais...

— Ben oui, j'sais tout ça! Va donc fourrer, là, pis laisse-moi donc tranquille!»

Sans qu'il l'ait senti venir, encore une fois, surtout sans l'avoir voulu, François se rend compte que sa voix a monté d'un cran, devenant criarde et sèche. Stridente. Désagréable. Quelques têtes se sont tournées dans leur direction.

«S'cuse-moi.»

Carmen a sauté en bas du sofa, un peu comme un enfant qu'on vient d'évincer parce qu'il se conduisait mal.

« C'est correct. Mais tu devrais aller te coucher.

— Beau samedi soir…

— Tu ressortiras demain…

— Pour vivre la même chose ?

— François, t'es t'exaspérant quand t'es comme ça ! On sait pus quoi te dire, par quel bout te prendre… »

François a sifflé le reste de son verre.

« C'est correct, tu peux partir tranquille… J'vais aller faire un beau pipi d'amour pis j'vais aller me coucher… »

Carmen s'éloigne en faisant signe à un monsieur entre deux âges, désespérément quelconque, qui l'attendait dans l'encadrement de la porte du salon.

Cette fois, François réussit à retenir la repartie foudroyante qui lui est montée aux lèvres.

« Ouf. Chus moins saoul que je pensais. J'vais garder mon ami pour un bout de temps encore. »

L'appartement s'est rempli dans la dernière demi-heure, y circuler est devenu une aventure qui demande une patience que François n'a pas. Il joue du coude et de la voix pour se frayer un chemin dans ce rassemblement d'hommes à l'affût, au regard errant, incapables de se concentrer sur la personne avec qui ils jasent au cas où leur échapperaient une silhouette intéressante, un profil émouvant, un sourire invitant ou *la* bonne occasion, l'homme de leur vie, *Mister Right* en personne. Chacun d'entre eux est convaincu d'être le *Mister Right* de quelqu'un d'autre, le problème est de trouver le sien dans une foule où le choix est trop varié pour qu'un seul s'impose. Dans un groupe de *Misters Right* qui draguent, tout le monde est perdant, ils le savent, mais continuent. Au cas.

À en croire les œillades de convoitise qu'il devine sur son passage, François se dit que bien des imaginations se leurrent à son sujet. Il n'est pas, ne sera jamais le *Mister Right* de qui que ce soit. Pourquoi tu dis ça? Tu rêves de tomber en amour... Il a parfaitement conscience de briser quelques cœurs en traversant le salon, parce qu'il essaie de marcher droit devant sans draguer, comme s'il ignorait que la drague existe, au lieu de faire comme tout le monde et de chercher désespérément ce qu'il sait très bien n'être pas là. Il devine les têtes qui se tournent, les regards qui le toisent, qui le jaugent, les conversations qui se mettent à languir parce que ce qui se disait est tout à coup sans importance. Il s'en trouve flatté et sa déprime s'allège un peu.

Arrivé à la cuisine, une immense chose très élaborée tout en cuivre et en acier rutilants, qui a dû coûter une petite fortune et qui explique le tour de taille de l'hôte de la soirée, François trouve un attroupement de messieurs en pantalons de chino blanc ou bleu pâle qui chantent à l'unisson avec Ethel Merman (*No you cain't get a man with a guuuun!*) tout en préparant des salades et des hors-d'œuvre extravagants et élaborés, au cas où quelqu'un — eux, en fait — aurait un petit creux quelque part vers onze heures.

Étonnamment, la salle de bains est libre. Ça sent la cigarette froide, l'eau de Cologne de diverses marques et de qualité variable, et le savon Palmolive. Son envie soulagée, il s'examine dans la glace pendant qu'il se lave les mains. Va donc te coucher, tu fais peur quand t'as bu. Ceux qui l'ont regardé avec convoitise quand il passait près d'eux, tout à l'heure, ne savent pas quel choc il peut provoquer lorsqu'il est en forme et qu'il est décidé à plaire. On dit de lui qu'il a le cul imprimé dans le visage, et c'est le plus beau compliment que certains hommes peuvent lui faire. Mais, comme dit toujours Carmen, c'est quand tu fais dur, que t'es sale, que tu pues le dessous de bras pis que t'as oublié de te brosser les dents que tu pognes le plus! Et François d'ajouter: Pis que t'as de la misère à te tenir sur tes deux jambes parce que t'as trop bu.

À sa sortie de la salle de bains, il est intercepté par Philippe de Bellefeuille à qui il a été présenté plus tôt, mais avec qui il ne s'est pas donné la peine de faire plus ample connaissance parce qu'il n'en avait pas le goût. L'hôte de la soirée l'attendait-il à la porte des toilettes de son propre appartement? François ne peut pas s'empêcher de sourire. Quelle platitude l'autre va-t-il trouver pour l'aborder?

«Carmen me dit que vous écrivez des chansons?

— Oui.

— Et que vous avez commencé à les chanter en public...

— Ça fait pas longtemps. C'est juste dans des

petits cafés, dans des petites boîtes à chansons sans importance...

— Quel genre de chansons ?

— C'est moins campagnard que Vigneault, pis moins mièvre qu'Hervé Brousseau. »

François a marqué un point, il le sent à l'air étonné de Philippe de Bellefeuille qui ne s'attendait probablement pas à tant de franchise ni d'arrogance de la part d'un petit nouveau.

« J'aimerais ça que vous me fassiez signe la prochaine fois que vous allez chanter...

— Guettez les affiches ronéotypées collées sur les poteaux de téléphone... »

François va s'éloigner, se ravise.

« Carmen me dit que vous êtes réalisateur de télévision ?

— Oui, mais faites-vous pas d'illusions... »

François le coupe.

« J'me fais pas d'illusions, j'cours pas après une job, je sais que vous travaillez aux nouvelles.

— À l'information...

— Y' a une différence ?

— Les nouvelles, c'est ce qui arrive au jour le jour, l'information, c'est plus large, plus global.

— Vous êtes un réalisateur global !

— Si on veut, oui. »

Philippe de Bellefeuille voit très bien la lueur de moquerie dans les yeux de François, mais il ne s'en laisse pas imposer, il se sent à la hauteur de l'ironie et du cynisme qu'il devine chez ce beau jeune homme trop sûr de lui. Il en a vu d'autres, les a toujours matés, a toujours fini par les mettre à sa main, et celui-ci, il le sent, ne ferait pas exception s'il s'en donnait la peine. Mais pour le moment, il a un party à orchestrer, une réputation d'hôte hors pair à soutenir. Ce n'est que partie remise, cependant, ce blanc-bec va sûrement goûter un jour à son remède contre la présomption.

«Où chantez-vous, la prochaine fois?

— Au El Cortijo, vendredi et samedi prochains...

— J'sais où c'est. J'ai vu Tex Lecor faire ses débuts y' a quequ's' années... Vous me permettez d'aller vous entendre?

— J'ai pas de permission à vous donner. J'chante pour être entendu.»

Philippe ne va tout de même pas la laisser passer, celle-là!

«Pour être vu, aussi, j'en suis sûr...»

François le regarde de longues secondes avant de lui répondre. Philippe sent un petit frisson lui titiller le creux du dos et il se dit que celui-là est quand même plus coriace que les autres, infiniment plus intelligent et dangereux, aussi, au point même qu'on ne devrait jamais l'approcher si on ne veut pas souffrir. La réplique qui vient aux lèvres de François en est la preuve:

«Si j'avais pas les cheveux noirs bouclés, les yeux gris, les jambes qui finissent pus, le cul rebondi pis la bouche pulpeuse, viendriez-vous quand même m'entendre chanter? C'est-tu mon talent de chanteur qui vous intéresse, ou bien un autre que vous devinez infiniment plus excitant?»

Pour se donner une contenance, et aussi parce qu'il sait apprécier une bonne repartie, Philippe rit. Son rire est célèbre dans toutes les salles de spectacle de Montréal : il a déjà fait soupirer d'exaspération Paul Buissonneau au milieu d'une tirade, a distrait Guy Hoffman au premier acte du *Malade imaginaire* et Denise Pelletier, ce n'était pourtant pas le moment, pendant le songe d'Athalie ; Philippe se vante même d'avoir été mis à la porte de trois théâtres, dont un à Londres, parce qu'il riait trop. Et surtout trop fort.

Tout le monde se tourne vers eux dans la cuisine. Seule Ethel continue de beugler *There's No Business Like Show Business* comme si le sort du monde en dépendait.

Un gros homme efféminé pointe un index enduit de farine dans leur direction.

« T'as ton rire faux, Phil, quequ' chose est sur le bord de se passer ! »

Philippe semble impatienté par l'intrusion de son ami dans leur conversation.

« Tais-toi donc, Édouard, et retourne donc à tes pets-de-sœur ! C'est tout ce que tu sais faire, ça et vendre des chaussures ! »

Quelques moqueries fusent, des remarques très précises et peu flatteuses pour Phil montent dans la cuisine surchauffée, tout ça fait rougir un peu l'hôte de la soirée.

« J'vais retourner à mon party. Rappelez-moi votre nom ? »

Le sourire de François est franchement méchant, tout à coup, quelque chose de vraiment laid se lit dans ses yeux ; Philippe a un recul involontaire.

« Rappelez-moi donc le vôtre ? »

En le regardant s'éloigner, Philippe se demande

quel genre de chansons peut composer un drôle de moineau comme celui-là.

Un autre de ses amis, un roux toujours vêtu de vert, Irlandais jusqu'à la racine des cheveux par sa mère, mais au nom on ne peut plus québécois — il s'appelle Aurèle Simard —, lève un couteau maculé de moutarde de Dijon.

«Philippe est en amour!»

Édouard renchérit avec un évident plaisir.

«C'est au moins la troisième fois ce soir!

— Oui, mais là c'est la bonne!

— Comme d'habitude!

— Y va nous revenir la tête penchée, la main sur le cœur...

— Pis y va nous dire...»

Les deux hommes se tiennent par le cou comme s'ils allaient entonner un duo d'opéra et disent à l'unisson:

«Les gars, chus très troublé...»

Des rires explosent dans la cuisine, des applaudissements crépitent, un peu de farine volète au-dessus de la table, tombe dans les drinks.

Philippe hausse les épaules.

«On devrait jamais inviter des gens qu'on connaît quand on donne des partys!»

*

La première personne que François aperçoit en revenant au salon est un Gerry Coulombe agité, le col détaché sur son cou déjà gras, rouge comme une pivoine parce qu'il vient probablement d'ingurgiter trois ou quatre scotches d'affilée, en grande conversation avec un inconnu sur qui il semble avoir jeté son dévolu et qui ne sait pas ce qui l'attend, le pauvre... Quand Gerry a bu trop vite et qu'il entreprend quelqu'un, ce dernier ferait mieux d'annuler ses rendez-vous pour le reste de la semaine. Gerry est une insupportable sangsue. Mais il a bon cœur et sa réputation d'agent d'artistes est excellente...

François veut à tout prix éviter son nouvel agent, qu'il doit rappeler depuis des jours et à qui il n'a pas encore eu le courage d'avouer qu'il n'a rien composé durant ce mois qu'il s'était donné pour préparer un spectacle un peu plus consistant, un peu moins amateur que celui qu'il traîne depuis plus de deux ans. Ce n'est pas l'inspiration qui manque, c'est le goût, le simple goût de s'installer au piano pour travailler, de chercher un sujet, les mots pour le décrire, la mélodie pour le chanter. Le goût de vivre, surtout. François n'a plus le goût de vivre. Mais ça, il ne l'a qu'entrevu, il n'a pas l'énergie d'affronter cette réalité, préférant penser que, pour le moment, il n'est que blasé.

Il n'aurait pas dû s'embarquer dans cette histoire de nouveau spectacle, aussi. Après tout, il n'est peut-être taillé que pour une petite carrière de chansonnier qui se contente de gratter gentiment sa guitare le samedi soir sous des filets de pêche. Mais il n'a plus le goût de vivre ça non plus, il le sait très bien.

Après être venu l'entendre chanter une dizaine de fois, Gerry Coulombe l'a pris sous son aile protectrice — c'est vraiment l'expression qu'il a utilisée, et François a failli l'envoyer chier —, l'a convaincu qu'il vaut beaucoup mieux que la petite carrière d'idole de sous-sols d'église qu'il connaît depuis quelques années, l'a supplié de voir plus loin que le El Cortijo ou la Grelochette, lui a même fait miroiter la possibilité de faire ses débuts au Patriote parce que les propriétaires sont des amis.

François, n'étant pas convaincu que les intentions de Gerry étaient parfaitement pures, a été très clair : pas de cul en affaires. Gerry a accepté, mais il était à jeun quand la scène s'est déroulée, et depuis François a appris à connaître une autre facette de la personnalité de son agent : il subit presque sans cesse des assauts pitoyables, des déclarations d'amour ridicules, déformées par l'alcool, mal articulées, aux odeurs de gin qui fermente une deuxième fois. Quand il n'a pas bu, François déteste l'haleine d'alcool qui lui rappelle trop son enfance, son père au retour de la taverne, ses sœurs le dimanche matin, et il rejette énergiquement les avances de Gerry qui, lorsqu'il se retrouve sobre, se confond en excuses encore plus plates que ses déclarations d'amour et en promesses de ne plus recommencer. Promesses d'ivrogne, aurait dit la mère de François.

Alors pourquoi endurer tout ça s'il n'a même pas envie de faire carrière ? Il n'en a pas envie pour le moment. Mais ça viendra. Et quand ça viendra, il sera très content d'avoir Gerry à ses côtés... Alors il endure Gerry. Au cas.

Il tourne le dos au salon, se passe la main dans les cheveux pour les replacer un peu, reboutonne sa chemise parce que la nuit est probablement fraîche. Il va rentrer. Se coucher. Dormir. Avec Fanfreluche étendue dans son cou ou enroulée autour de sa tête. Mais au moment où il va se glisser dans le corridor pour se diriger vers la porte, François a une vision qui le cloue sur place.

Debout dans l'entrée de l'appartement, la tête penchée vers quelqu'un qui lui parle à l'oreille, grand, mince, aussi blond que lui-même est noir, les yeux brillants et les traits parfaits mais pas du tout féminins, jeune surtout, il n'a peut-être pas encore dix-sept ans, se tient le plus beau gars qu'il ait jamais vu de sa vie, déjà un homme par son assurance, encore un adolescent dans son corps gracieux sans être fragile.

Un silence s'est fait dans le corridor rempli d'hommes en sueur voulant profiter de l'air frais qui s'engouffre par la porte de l'appartement restée ouverte sur les arbres du parc Jeanne-Mance. François n'est pas le seul à avoir aperçu le nouveau venu. Ils ont tous les yeux rivés sur lui. Le temps s'est suspendu, les cœurs se sont arrêtés la durée de deux ou trois battements. On n'en croit pas ses yeux, on reste abasourdi devant cette apparition inattendue au milieu d'un party aussi quelconque. Puis un murmure, presque inaudible, monte dans le corridor, quelques gars se glissent dans le salon pour annoncer l'arrivée de cet être d'une exceptionnelle beauté, un reflux se fait dans le passage étroit, il y a trop de monde, tout à coup, on se pousse du coude, on se lève sur la pointe des pieds pour mieux voir. Qui est-ce... Personne ne le sait, tout le monde veut le savoir dans la minute qui vient. Le murmure devient brouhaha, des remarques d'appréciation pas toujours subtiles sont échangées, des messieurs sur le retour portent sans s'en rendre compte la main à leur portefeuille, les plus jeunes se font plus jeunes encore, les plus toffes prennent des mines patibulaires : on ne connaît pas encore ses goûts, alors on fait ce qu'on peut avec ce qu'on a et on a peur que ce qu'on a ne suffise pas.

La chasse est ouverte, on a sonné l'hallali avant même que la bête soit aux abois.

Et pour la première fois de sa vie, François se retrouve du côté de ceux qui regardent. Il n'est plus le centre d'attraction, il s'en rend très bien compte. Il aurait beau utiliser tous les trucs qu'il a développés au cours des années pour attirer l'attention, ce mouvement de la tête, par exemple, qui découvre son cou en même temps qu'il agite sa chevelure, ou ce fameux sourire qui a fait se damner tant d'âmes, il sait que ce serait inutile, que quoi qu'il fasse, il passerait inaperçu dans cette foule anonyme qui découvre un nouveau sujet d'admiration et ne voit plus rien ni personne d'autre. Il vient d'être supplanté en moins d'une minute et, d'un seul coup, il se sent *physiquement* vieux.

Un sentiment d'une force cataclysmique s'empare alors de lui, quelque chose de laid, de définitif, de tellement fort qu'il pose la main sur sa bouche pour ne pas crier. Un goût de bile reflue dans sa gorge et il pense au Fermentol, à cet affreux remède vert à saveur acidulée que sa mère lui imposait, enfant, quand il faisait une indigestion.

Ça goûte amer, ça goûte vert, ça brûle presque. Il essaie de ravaler, mais ça ne veut plus redescendre. Il a l'impression qu'il va étouffer. Il a peur de s'écrouler là, sur le beau plancher de pin pâle passé et repassé à la cire d'abeille, et de vomir toute sa vie d'une seule giclée de bile chaude et puante. Le mal vert s'est emparé de lui. Il est jaloux.

Le jeune homme a enfin pris conscience de l'intérêt qu'il déclenchait et il a rougi tout d'un coup en baissant la tête et en se tournant vers la porte, les arbres, le parc, comme s'il voulait fuir tous ces regards effrontés.

François, qui n'est pas dupe de cet artifice, parce qu'il est convaincu que c'en est un, a envie de crier croyez-le pas, croyez-le surtout pas, je connais ça, je connais ce subterfuge-là, je l'ai utilisé des centaines de fois, y m'arrive encore de faire semblant de rougir pour paraître innocent ou timide devant un parterre d'admirateurs, r'gardez, y fait semblant de rien, mais y vous guette pour voir si y captive bien votre attention, si y captive bien *notre* attention puisque je le regarde, moi aussi !

Il est convaincu d'être la seule personne présente à ne pas désirer ce cruel prédateur déguisé en faible proie. Il est furieux de la naïveté de ces mâles qui salivent sans se rendre compte qu'on rit d'eux. Il aurait envie de se lancer sur le jeune présomptueux pour le démasquer, pour prévenir tous ces imbéciles de sa fourberie, de son hypocrisie sous ses airs de jeune fille innocente. Il se voit, à peine quelques années plus tôt, dévaster lui aussi par sa seule apparition un rassemblement d'hommes de tous âges presque prêts à s'entretuer pour se gagner ses faveurs; il se voit choisir avec une moue dédaigneuse, puis faire l'enfant gâté, tourner le dos à toutes les offres et partir, seul, la tête haute, la croupe bien en vue, après avoir brisé le plus grand nombre de cœurs possible. C'est lui-même, là, qui fait ses débuts, le cœur battant et l'ambition gonflée à bloc sous une image de timidité virginale. Tout ça est-il déjà révolu? À tout jamais?

Il sait très bien que sa réaction est hors de proportion, qu'il est ridicule de ressentir une aussi cuisante jalousie devant un freluquet probablement sans expérience à qui il pourrait en remontrer n'importe quand, qu'il écraserait en quelques secondes, pour le renvoyer ensuite chez ses parents inquiets, qui le recevraient à bras ouverts. Il serait même capable de le séduire et de le faire souffrir s'il le voulait, parce qu'il n'a quand même pas perdu sa force de séduction. Mais les vannes de son cœur se sont ouvertes malgré lui, le flot est trop puissant, il ne peut que le subir, insignifiant et frustré, emporté par cet indomptable maelström qui vient de s'emparer de lui pour l'attirer dans les profondeurs insondables de son âme.

Lui qui croyait ne plus avoir de sentiments, il se retrouve désarmé devant la découverte que non seulement il en possède encore, mais que libérés, ils sont plus forts que lui.

Il n'est certainement pas blasé, car en ce moment, il n'a même jamais été aussi passionnément furieux. Contre la naïveté des gars qui l'entourent et qui s'imaginent déjà au bras du jeune homme blond trop beau et trop ambitieux pour la plupart d'entre eux, contre celle de ce jeune freluquet sorti d'on ne sait où qui croit qu'il va tout révolutionner par sa seule présence, et la sienne propre, aussi. Parce qu'il se trouve lui-même naïf d'avoir pensé que ce genre de choses ne risquait pas de se produire, qu'il allait régner sur ce milieu pourtant perpétuellement à l'affût de tout ce qui est nouveau *parce qu'il ne vieillirait jamais*. Il n'a que vingt-deux ans et il vient déjà de prendre son premier coup de vieux.

Il joue du coude sans s'excuser, mais cette fois c'est pour fuir.

*

Le Mal vert est la première chanson de François Villeneuve à connaître deux versions différentes, l'une écrite au masculin qu'il gardera pour lui, l'autre au féminin (c'est-à-dire que la personne à qui s'adresse le protagoniste est une femme) qu'il chantera dès le samedi suivant au El Cortijo.

Pour exorciser ce nouveau démon auquel il n'a pas encore eu le temps de s'habituer, si primaire et si foudroyant, pour le transposer, aussi, parce qu'il se sent incapable de décrire une jalousie ressentie devant une collectivité, se concentrant surtout sur le feu qui l'habite et l'humiliation qui le tue, François imagine la fin d'une histoire d'amour des plus banales : un gars quitte un autre gars pour un troisième, plus beau et plus jeune, celui qui se retrouve seul crie sa jalousie, sa rage, son humiliation à travers un texte agressif, un bloc de récriminations d'une grande méchanceté exprimées en mots simples et crus portés par une musique très rythmée, presque endiablée, qui traduit en même temps la colère et le désarroi du personnage qui chante. On est bien loin de la ballade sentimentale qui a toujours été le moyen par lequel les auteurs de chansons ont décrit une peine d'amour ou une crise de jalousie, et François est tout heureux de ce qu'il croit être une innovation, la chanson agressive issue d'un besoin irrépressible d'exprimer quelque chose de laid.

La principale qualité de cette chanson vient du fait que, pour une fois, François ne triche pas en la composant : pour éviter de déguiser comme d'habitude son sujet en histoire hétérosexuelle ou subtilement asexuée, conduit par sa propre jalousie, il écrit son texte à la première personne et au masculin. S'il n'est pas salutaire parce que le sentiment de François est trop neuf et trop puissant pour être exprimé si rapidement, l'effet est du moins apaisant : le chansonnier a plus l'impression de se vider le cœur que lorsqu'il triche, les mots lui viennent aisément, la fureur de son personnage — la sienne — s'exprime en mots précis et le texte y gagne une clarté et une force qu'il n'avait jusque-là jamais atteintes.

C'est sa première chanson depuis longtemps, il la trouve magnifique — au diable l'humilité —, il en est fier même si l'élément déclencheur le consume encore et, il le sent, est loin de vouloir s'éteindre. Au moins l'envie de composer lui est revenue. Il se sent vivant. Profondément malheureux, mais vivant.

Il hurle sa chanson toute la nuit en s'accompagnant au piano — tant pis pour les voisins — ou à la guitare, lorsqu'il décide enfin de se mettre au lit. Il la retravaille, la peaufine, la vire à l'envers, la recommence, puis finit par revenir à une des premières versions, incontestablement la meilleure, et, vers six heures du matin, l'œuvre achevée, il ouvre sa fenêtre et la chante à pleins poumons dans le jour naissant pour laisser savoir aux habitants de la rue Sanguinet que François Villeneuve est de retour du pays des blasés, qu'il est écorché, rongé par un cancer qui le consume à grand feu, c'est vrai, mais sous contrôle, et qu'ils n'ont qu'à bien se tenir !

En se réveillant en fin d'après-midi, ce jour-là, il écrit la deuxième version en cinq minutes. Celle où c'est une femme qui a quitté celui qui souffre. Celle qu'il va chanter. Parce qu'il se sait trop lâche pour essayer d'imposer l'autre. Ça reste une très belle chanson, personne ne se rendra compte de rien, les sentiments sont là, la souffrance, l'exutoire. Comme d'habitude. Mais il place le premier texte bien en vue sur le miroir de sa commode. Il sait, c'est la première fois que ça se produit, qu'il y reviendra tôt ou tard.

*

Les premiers spectateurs que François aperçoit en se dirigeant vers la chaise droite sur laquelle il va s'asseoir pour chanter sont Philippe de Bellefeuille et ses amis Édouard, Aurèle et les autres messieurs d'un certain âge, qui s'affairaient à préparer un lunch dans la cuisine quand il a quitté précipitamment le party de Philippe le samedi précédent. Philippe a tenu sa promesse. Ils lui font de petits signes de reconnaissance. Édouard, qui n'a pourtant jamais entendu François chanter, y va même d'un bravo bien sonore, qui claque comme un coup de fusil dans la minuscule salle enfumée. Dans leurs complets proprets — celui de Philippe est même assez bien coupé —, ils font tache au milieu de ce rassemblement de beatniks de province et d'existentialistes attardés qui forment l'essentiel du public du El Cortijo. Ils ne semblent pas s'en formaliser, cependant — Philippe de Bellefeuille se considère comme un découvreur de talents et prétend avoir entendu Ferland, Vigneault, Gauthier, Desrochers avant tout le monde —, et sirotent leur espresso avec des gestes délicats, un peu comme s'ils se trouvaient au neuvième étage de chez Eaton's à l'heure du thé. Mais les habitués de la place, eux, ceux qui se retrouvent là tous les soirs, presque toujours installés aux mêmes tables et égrenant sans fin les mêmes sujets de conversation, les reluquent sans cacher leur mépris et se moquent d'eux ouvertement.

Sans saluer, sans se présenter, debout devant la chaise droite et la guitare pendant au bout de sa main gauche, François commence d'emblée son récital, comme d'habitude, avec *Le Pont Jacques-Cartier*, sa chanson a cappella. Il ne regarde pas les spectateurs, il chante au-dessus d'eux, vers un point au-delà de la porte d'entrée ; ce n'est pas à eux qu'il s'adresse, il est devenu un personnage qui se parle à lui-même.

Mais il n'est pas concentré, il est distrait, il s'écoute chanter au lieu de vivre sa chanson. Une idée bête vient de le frapper, qui le secoue comme une révélation, alors que Gerry Coulombe lui dit depuis des mois qu'il ne devrait plus chanter au El Cortijo, que c'est du temps et de l'argent perdus, qu'un public assoiffé de nouveaux talents l'attend dans les boîtes à chansons plus importantes ou les salles de théâtre : il vient de se rendre compte que si Philippe de Bellefeuille et ses amis n'étaient pas présents ce soir-là, aucun nouveau spectateur ne découvrirait ses chansons, les habitués les ayant déjà entendues des dizaines et des dizaines de fois. C'est un public chaleureux et fidèle qui le soutient et l'encourage depuis longtemps, mais c'est aussi un public qui ne se renouvelle pas beaucoup, le El Cortijo étant un cénacle plutôt fermé. François chante donc toujours pour les mêmes oreilles. Depuis trop longtemps. C'est la même chose dans les autres boîtes à chansons, où on le redemande pour la simple raison qu'on le connaît. Il ne va quand même pas passer le reste de sa vie à chanter pour les mêmes *happy few* qui vont le regarder vieillir en l'écoutant radoter !

François est distrait, nerveux, mais réussit à le cacher et à rendre assez bien sa première chanson.

Le Pont Jacques-Cartier est bien accueillie, comme d'habitude. Mais les applaudissements sont plus nourris et François devine d'où ça peut venir. Il se permet un petit regard en direction de la table des messieurs d'un certain âge, halo de couleurs douces au milieu des noirs et des bruns dont sont affublés les autres spectateurs. Il devine dans le regard de Philippe, qui se trouve à une dizaine de pieds de lui à peine, un étonnement qui le ravit. Tu t'attendais pas à ça, hein, vieux snoreau? Tu pensais entendre une quelconque petite chansonnette un peu quétaine, et j'ai déjà réussi à t'imposer un personnage qui te touche et que t'es prêt à suivre partout dans ses pérégrinations...

Alors, sur un coup de tête, il décide de chambarder l'ordre de ses chansons pour passer tout de suite au *Mal vert* que personne ne connaît, même pas Gerry qui se cache dans un coin pour verser du scotch dans son espresso.

D'habitude, il garde ses nouvelles compositions pour la fin, pour ce moment ingrat où il sent que l'attention des spectateurs commence à flancher, parce qu'ils pourraient chanter les chansons par cœur et qu'ils ont hâte de retourner régler le sort du monde à coup de théories glanées ici et là et mal digérées, même s'ils l'aiment bien et lui trouvent beaucoup de talent. En cassant *Le Mal vert* tout de suite, tout le monde en sera au même point, les habitués qui le connaissent trop, comme les nouveaux qui sont venus vérifier s'il avait du talent en plus d'une belle croupe et d'une belle gueule. En les mettant au diapason, il s'assurera donc, dès le début de son récital, d'une écoute totale, d'une attention toute concentrée sur les choses terribles que dit la chanson. La structure de son récital en sera perturbée, cependant, son personnage connaissant la désillusion et le malheur avant même d'avoir commencé à vivre, mais le risque, il se sent, en vaut la chandelle et, sans transition, il s'assoit sur la chaise droite, plaque ses mains sur sa guitare et se lance dans *Le Mal vert*.

Du coin de l'œil, il aperçoit Gerry qui lève le nez de son espresso.

Et cette fois il regarde les spectateurs dans les yeux, chacun à son tour — ils sont à peine une quarantaine —, pour les prendre à témoin de son malheur, pour attirer non pas la pitié, son personnage est beaucoup trop fier, mais la compassion, cette compassion que les grandes chanteuses, Piaf, Colombo, Sauvage, Leyrac, savent déclencher par leur grande sincérité, mais que par pur orgueil les interprètes masculins se gardent bien de provoquer : un homme n'attire pas la compassion, un homme s'impose ! François crie plus qu'il ne chante, il sue, son texte sort comme une coulée de sentiments brûlants qui submerge les beatniks comme les nouveaux visiteurs du El Cortijo qui ne s'attendaient sûrement pas à être touchés de cette façon ; tout le monde a connu ça, tout le monde a été abandonné et s'en est senti humilié autant que bouleversé, tout le monde a été jaloux, tout le monde a eu envie de dire ces choses-là, de composer cette chanson-là pour se vider, se libérer ; les spectateurs sont suspendus à ses lèvres, ce sont eux que François chante autant que son personnage, autant que lui-même ; ils ne le savent pas encore, mais ils lui sont déjà redevables et lui seront bientôt reconnaissants.

Gerry est resté figé à sa place, au milieu de son geste. François le dévisage. Qu'est-ce que tu penses de ça, hein ? Qu'est-ce que tu penses de ce nou

veau François Villeneuve là? Hein? Hein? C'est
ça que t'attendais? T'attendais que je sois prêt?
Ben chus prêt!

Lancée comme une bombe dans la petite salle
enfumée, *Le Mal vert* est une chanson encore plus
puissante que ne l'avait cru François. Des spectateurs reculent sur leur chaise, d'autres s'accoudent
à leur table, se penchent vers lui, étonnés. Philippe
de Bellefeuille a un sourire de connaisseur et les
larmes aux yeux. Édouard a porté la main à son
cœur. La peau d'Aurèle est devenue aussi rouge
que ses cheveux, et le gros homme semble luire
doucement dans la pénombre, comme un tison.
François voit son premier fan club naître sous ses
yeux.

Triomphe, bien sûr. Le chanteur, ému, salue
longuement. Mais une pensée le trouble qui vient
un peu gâcher son plaisir. Si j'avais chanté la
version masculine, qu'est-ce qui serait arrivé? Y
seraient-tu tous, sauf les grosses moumounes, en
train de me cracher au visage? Y sont-tu prêts à
ça? Y sont-tu prêts à m'accepter comme chuis
vraiment?

FANFRELUCHE

(1960)

C'est une nuit désespérante. François tourne autour d'un sujet qui le hante depuis une semaine — un petit garçon, quelque part dans les années cinquante, communie en état de péché mortel —, mais le blocage est complet, rien ne vient, la vision reste floue, les mots lui échappent; il sacre intérieurement et même à haute voix, sous l'œil étonné de sa chatte, qui se réveille et tend le cou chaque fois qu'il grogne.

C'est pourtant un bon sujet, il le sent, tous les petits Canadiens français ont connu cette terreur d'être précipités en enfer parce que, la veille de la communion, ils ont oublié, ou omis, de confesser un péché mortel ou, plus souvent, parce qu'ils n'ont pas pu s'empêcher d'en commettre un avant de s'endormir.

Il se souvient très bien du goût de l'hostie qu'il a si longtemps associé à celui de la culpabilité. En revenant s'asseoir à sa place, à l'église, chaque dimanche matin, il sentait l'hostie fondre sur sa langue et il se disait, le cœur battant, les jambes flageolantes, que ce goût de papier journal mouillé qui lui donnait vaguement la nausée était celui qu'il retrouverait quand, le doigt tendu et le sourcil froncé, Dieu en personne le condamnerait à

249

rissoler éternellement pour avoir pratiqué de mauvais touchers sur son corps chaque samedi soir et osé communier dans cet état, alors qu'il savait très bien que Lui, le Tout-Puissant, le Tout-Partout, pouvait le voir. Un remords indescriptible le prenait alors, il se jetait à genoux comme les grands pécheurs dans les films français, faisait un examen de conscience complet, un acte de contrition d'une totale sincérité, se frappait la poitrine, promettait, jurait de ne plus jamais recommencer. Mais il savait qu'il était trop tard, la tache qui avait séché pendant la nuit sur son drap en faisait foi, il était un pécheur irrécupérable, son cas était désespéré et il allait payer! Plus que les autres parce qu'il était plus intelligent!

Il a son titre, *Le Goût du remords*, qu'il a inscrit au haut d'une feuille de papier à musique, et cette vision floue d'un petit garçon désespéré agenouillé sur un banc de bois. C'est tout. Sa tête reste vide, ses yeux sont fatigués à force de fixer des portées que pas la moindre petite note n'est venue orner. Il est installé là comme un imbécile depuis des heures et rien ne s'est passé. Il supporte mal qu'un sujet lui échappe. Ça ne lui arrive pas souvent, et quand cela se produit, il se sent indigne du métier qu'il veut pratiquer, de la carrière dont il rêve et qu'il croit mériter, parce que ses chansons, du moins celles qu'il réussit à mener à terme, sont bonnes. Ce n'est pourtant pas sorcier : une église, un petit garçon, une hostie qui fond sur sa langue, un péché tout frais, le remords...

Il lance son crayon à mine qui rebondit sur le piano droit avant d'aller atterrir sur le faux tapis

de Perse qu'il vient d'acheter pour un prix déri-
soire et que Fanfreluche a aussitôt adopté, pensant
probablement que c'était un cadeau qui lui était
destiné.

Il se lève, fait quelques pas, se penche sur sa
chatte qu'il caresse derrière les oreilles. Elle se met
aussitôt à ronronner, se tourne sur le dos, écarte les
pattes, ferme les yeux comme pour se concentrer.

«T'es une grosse cochonne, hein? Oui! T'es
une grosse cochonne qui aime ça se faire gratter la
bédaine!»

Il a pris l'habitude de parler à Fanfreluche
comme à un bébé naissant, et Carmen lui dit souvent qu'il a l'air d'un arriéré mental quand il joue
avec sa chatte. Mais Carmen est peut-être jaloux.
Ils se connaissent depuis très peu de temps, se
fréquentent beaucoup parce qu'ils sont tous les
deux habités par le même humour noir devant la
vie qu'ils mènent pour subvenir à leurs besoins. Ils
peuvent rêver à voix haute, François de chansons
qui vont tout révolutionner, Carmen de tableaux
d'une laideur repoussante, mais irrésistibles; ils se
soutiennent quand ça va mal, s'encouragent
mutuellement quand ça va mieux, fêtent quand ça
va bien, mais François, après avoir surpris des regards qui ne mentent pas et fait semblant de ne
pas entendre des paroles sans équivoque, a bien
été obligé de se rendre à l'évidence : le nain est
amoureux de lui. Il est flatté, bien sûr, mais il
préférerait une bonne camaraderie virile et franche
à cette amitié ambiguë, que Carmen semble vouloir cultiver, faute de pouvoir connaître le grand
incendie et les violentes débâcles.

Et François, qui se doute depuis longtemps qu'il ne pourra jamais connaître de passion amoureuse, se laisse aimer selon son habitude.

Il allume la lampe sur la petite table de cuisine qu'il a poussée près de la fenêtre pour profiter de la lumière de la rue Sanguinet quand, ce qui est plutôt rare, il prend ses repas chez lui. Le ciel a pâli, le jour va se lever et il n'a pas écrit une maudite ligne ni une maudite note. Il se verse un gin en sacrant. Il est épuisé, mais il sait qu'il ne pourra pas dormir s'il se couche, alors il sort ses crayons de cire et se met à dessiner n'importe quoi sur de grandes feuilles de papier de mauvaise qualité qu'un de ses soupirants, vendeur chez Pilon, vole à son intention et lui offre en rougissant.

Il se laisse aller, trace des ronds, des carrés, des triangles, puis, sans trop s'en rendre compte, passe à des formes humaines, d'abord vagues puis de plus en plus précises. Il change souvent de bâton de cire, se sert surtout de couleurs violentes, crayonne à grands traits rapides, brusques. Quand il réalise enfin qu'il est en train de dessiner sa chanson — une nef, des bancs, des enfants, la lumière qui entre par les vitraux et surtout ce petit bonhomme, dans le coin gauche, en bas, qui se poignarde avec un crucifix —, il sourit et dit tout haut à sa chatte pour qu'elle l'entende bien :

« Le problème, ça va être de tout mettre ça en musique ! »

Elle se lève, s'étire, allonge la patte arrière sous laquelle elle fouille avec son museau en produisant ce bruit de succion qui amuse toujours François. Il trouve qu'elle a l'air de jouer du violoncelle et le lui répète encore une fois. Son nettoyage partiellement terminé, Fanfreluche s'approche de la table, saute dessus et — François en est convaincu — évalue le dessin en clignant des yeux.

« C'est laid, hein ? Ben c'est comme ça que je me sentais ! »

Elle lance un « yeowwww » éloquent qui lui sert de commentaire et se jette sur le crayon vert pistache que tient François. Il l'agite, elle devient nerveuse, sursaute, donne des coups de patte au crayon, le mordille. François le fait courir sur le dessin, elle le suit en piétinant sans scrupule l'œuvre à peine achevée. Il passe son dessin complet au vert pistache à la grande joie de Fanfreluche, ravie de l'exercice, qui bondit et miaule en agitant la queue. Alors François vide sa boîte de crayons sur la table et se joint au jeu de Fanfreluche. Les bâtons de cire revolent partout, la chatte saute sur le plancher pour aller jouer au hockey, François se roule à côté d'elle en hurlant de rire.

Dix minutes de pure folie suivent, le chat et son maître miaulent, chantent, ruent, se roulent sur le plancher, jouent à la cachette et finissent, heureux, l'une dans les bras de l'autre. François est épuisé et souffle comme un phoque, la chatte se lèche doucement l'avant-patte, digne et jouant celle que rien ne fatigue.

François reste couché sur le plancher de sa piaule à regarder le jour se lever. Un carré de ciel grand comme un mouchoir ressuscite pour son seul plaisir et il sourit, béat, les mains derrière la tête, la jambe gauche posée sur son genou droit.

Ça passe du gris au bleu, du bleu à l'or pâle quand le soleil se lève; les corniches des maisons d'en face semblent surgir du néant, on ne les voyait pas du tout, et soudain elles offrent leurs encolures de bois et leurs dentelles chantournées, vestiges d'une lointaine époque d'aisance et de grandeur; quelques nuages viennent faire de la figuration en passant rapidement, poussés par ce vent du sud qui annonce toujours chaleur et humidité.

Il se réveille en sursaut. Fanfreluche, qui dormait sur sa poitrine, ouvre un œil vide. François la soulève doucement au-dessus de lui, la brasse un peu pour qu'elle agite les pattes de derrière. Elle est affolée quand elle ne sent pas le sol sous elle et il prend souvent un malin plaisir à la déstabiliser en la tenant dans les airs par les pattes avant. Il sait qu'elle va le bouder s'il exagère, mais il se sent bien, tout à coup, il est détendu, même s'il n'a dormi que quelques minutes et, surtout, il vient d'avoir une idée qui l'enchante.

«Ma belle pitoune d'amour, c'est à matin que je fais ton portrait! Pis pas avec des crayons de cire! Avec un crayon à mine pis des notes de musique!»

Vite, au piano!

François racontera souvent que Fanfreluche a assisté à la naissance de sa chanson bien installée sur le piano droit, l'oreille collée au bois verni, les yeux clos de reconnaissance, visiblement ravie. C'est faux, bien sûr. Quand François reste trop longtemps au piano, sa chatte va se cacher sous le lit et il a toute la misère du monde à l'en tirer tant elle est excédée. Si elle a vraiment été témoin de la naissance de *Fanfreluche* — elle ne pouvait pas faire autrement, elle était depuis des mois prisonnière de cette pièce trop petite pour deux —, c'est du plus loin qu'elle put, sous le lit défait, parmi les bas sales, les papiers d'emballage de tablettes de chocolat et plusieurs générations de bilous de poussière qui la faisaient parfois éternuer. A-t-elle dormi? A-t-elle sacré d'exaspération en poussant des soupirs longs comme des mois de novembre? Elle seule aurait pu le dire. Ce que François dira, lui, cependant, c'est qu'elle a assisté à tout du haut du piano droit et n'a pas bougé d'un poil pendant tout le temps qu'il composait pour ne pas les déranger, ni lui ni, surtout, son inspiration.

Et l'inspiration est bien là. Il sent ce picotement à la base de son cou, cette excitation au plexus solaire quand quelque chose se passe, une rime qu'il trouve originale, une ligne mélodique surprenante, un refrain bien tourné, même s'il n'aime pas les refrains, ou un couplet qui décrit en peu de mots des choses précises et claires. Il ne sent pas le temps passer, il n'a pas faim, il n'a plus mal, le petit garçon coupable a été abandonné à son sort, François le retrouvera bien assez tôt à son goût.

Le portrait achevé — à peine deux heures, plaisantes, apaisantes, un baume sur la blessure de la nuit, le contraire de ce qu'il avait prévu composer, mais un contraire qui fait du bien, un exercice qui soulève son âme au lieu de la précipiter encore plus bas dans le tourbillon de ces idées noires qui l'accablent depuis quelque temps —, la chanson terminée, François l'a tout de suite transcrite au propre. Les cours de solfège qu'il prend chaque semaine en grappillant des sous ici et là commencent à porter fruit et il ne deviendra pas, comme tant d'autres, un compositeur de chansons qui ne connaît pas la musique. Il a peut-être quitté l'école très jeune, mais il est consciencieux, et jamais il n'aurait osé se prétendre auteur de chansons s'il n'avait pas su lire la musique. Quant au français, il a toujours été premier à l'école et a gardé une vieille grammaire qu'il consulte volontiers. Il lit tant qu'il peut, il scrute le style des autres, il retient, il apprend, se forge une culture, pleine de trous mais personnelle. Il s'amuse à se dire que, lorsqu'il sera prêt, il pourra voler de ses propres ailes, sans emprunts, sans influences, un François Villeneuve complet et sous contrôle qui planera loin au-dessus de tous les autres. Il rit de sa naïveté tout en caressant ce rêve très sérieusement. Il n'en est pas à une contradiction près.

La grande Colette elle-même aurait apprécié ce portrait de chat, c'est du moins l'espoir que caressera François pendant les cinq années où il le chantera. Tout y est, non seulement le physique, plutôt facile à décrire pour un amoureux de la race féline, mais aussi le caractère changeant, les caprices inattendus et souvent insupportables, les faims soudaines, les subits et inexplicables dédains de la nourriture, les gentillesses dont on ne sait pas si elles en sont vraiment ou si elles procèdent plutôt d'un égoïsme monstrueux qui réussit à vous faire croire qu'on vous aime alors qu'on vous manipule. Chaque fois qu'il interprétera cette chanson, une de ses favorites qu'il placera toujours avant les plus noires, les plus difficiles — le baume avant la blessure —, François verra son chat très précisément et chacun des spectateurs le sien, tant ce portrait est pertinent. Aucun propriétaire de chat ne pourra jamais résister à cette chanson ; il la fredonnera ensuite à son Minou, ou à son Tit-Mine, ou à son Léo qui, lui, n'y verra bien sûr que des sons discordants, pénibles à son oreille si fine et si sélective.

*

« C'est cute.

— Comment ça, c'est cute ! C'est tout ce que t'as à en dire ?

— François ! C'est pas un des chefs-d'œuvre immortels du vingtième siècle, c't'un portrait de chat !

— Ben oui, mais « C'est cute », c't'un peu court, non ? Développe un peu…

— Qu'est-ce que tu veux que j'te dise ? Chaque fois que t'écris une nouvelle chanson, y faudrait que j'me pâme pendant des heures, que j'analyse chaque mot, chaque note, que j'te complimente à pus finir… Quand c'est bon, j'te dis que c'est bon, quand c'est magnifique, j'te dis que c'est magnifique…

— Pis là c'est juste cute ?

— Ben oui ! C'est juste cute ! C'est correct que ce soit juste cute, non ? T'as fait le portrait de ton chat, tu l'as réussi, c'est très bien, mais attends-toi pas à ce qu'en plus on se pâme !

— Carmen, t'es encore plus dramatique que moi ! J'te demande pas de te pâmer…

— Oui, tu me le demandes !

— Non ! J'te demande juste des commentaires… Mais pas *un* commentaire, par exemple, *des*
commentaires !

— C'est pas vrai ! Tu veux que je m'étende de
long en large, que j'me répande en compliments,
que je te dise que ça me bouleverse pis que ça me
jette par terre, même si c'est juste une jolie petite
chose que t'as faite en attendant de faire quequ'
chose de plus important que t'arrives pas à composer parce que t'es bloqué. Tu veux que je te dise
que c'est ta meilleure chanson parce que c'est ta
dernière, tu veux que j'te rassure parce que t'es pas
sûr, j'te connais assez pour le savoir !

— On se connaît pas depuis assez longtemps
pour que tu saches tout ça de moi !

— François ! Sors pas ta mauvaise foi en plus !
Je regarde les autres, moi ! Les choses évidentes
sont évidentes, même chez les gens qu'on connaît
pas depuis longtemps, pis on les voit vite, c'est
tout !

— Pis pour toi, c'est évident que chus toujours
à la pêche aux compliments !

— Ben oui ! C'est normal, François ! Ton pain
sort du four, tu veux qu'y sente bon ! Tu veux que
ce soit le pain qui sente le meilleur au monde pis
que tout le monde te le dise !

— Pis toi, t'es pas comme ça ? Quand tu finis
une peinture, tu voudrais pas qu'on te fasse des
compliments, qu'on te dise que c'est ta meilleure
pis ta plus belle ?

— Quand est-ce que je t'ai montré une peinture que je venais de finir, hein ?

— Tu veux jamais que j'aille chez vous...

— Pis tu t'es jamais demandé pourquoi...

— Tu dis toujours que c'est trop petit, que c'est sale, que ça sent le diable...

— Mais tu t'es jamais demandé pourquoi j't'ai jamais invité une seule fois?

— Ben oui...

— Pis...

— Ben...

— Sors-le, François, franchement!

— Ces choses-là sont difficiles à dire!

— T'as pensé que j't'invitais pas chez nous parce que tout était fait petit, c'est ça? Des p'tits meubles, du p'tit linge, d'la p'tite vaisselle... Un appartement de nain oùsque tu te sentirais trop gros pis mal à l'aise, c'est ça? Une succursale du Palais des Nains de la rue Rachel, avec son petit bol de toilette pour bébé pis ses commutateurs trop bas!

— Pis c'est pas ça?

— Pour quelqu'un qui écrit de si belles chansons, si sensibles, si pertinentes, j'me demande des fois si t'es intelligent! Ou ben si tu vois les autres!

— J'vois les autres! Commence pas avec ça!

— Permets-moi d'en douter! T'es ben bon pour analyser tes propres sentiments, pour parler de tes expériences, pour te chatouiller le prurit pour voir si ça fait encore mal...

— C'est quoi, ça, le prurit?

— Tu iras voir dans le dictionnaire pis tu mettras ça dans ta prochaine chanson! Pis tu l'ajouteras à ton cahier rouge!

— Jamais de la vie! C'est un mot trop laid!

J'aime pas les mots qui sont pas beaux pis j'les utilise pas... pis j'les ajoute surtout pas à mon cahier rouge!

— Change pas la conversation, sinon j'pourrais penser que c'que j'me préparais à te dire sur moi-même t'intéresse pas, pis ça me donnerait raison!

— O.K., O.K.! J'te le demande, là. Pourquoi tu m'as jamais invité à ton appartement, Carmen?

— Es-tu sûr que ça t'intéresse?

— C'est toi qui penses que ça m'intéresse pas.

— O.K. Écoute. Y' a une grande différence entre nous deux. Toi, quand t'as fini une chanson, tu serais prêt à monter sur le toit de la maison pour la chanter à la ville au grand complet.

— Tu disais toi-même tout à l'heure que c'est normal...

— J'te dis pas que c'est pas normal... Pis inter-romps-moi pus, sinon j'vas arrêter de parler!

— O.K. Vas-y. J'parle pus. J'flatte ma chatte pis j'ferme ma yeule.

— Moi, quand j'ai fini un tableau... Tu m'as toute mélangé, là, j'sais pus par où continuer...

— C'est correct, prends ton temps, y' a rien qui nous presse, on a toute la nuit devant nous...

— Quand j'ai fini un tableau, chus sûr que c'est le plus laid du monde, comprends-tu, que ça vaut pas d'la marde, que c'est juste une croûte infâme que personne voudra jamais regarder. J'ai envie d'le détruire, d'le mettre au feu pour l'oublier, ou ben de le déchirer en petits morceaux pour en faire des confettis, mais c'est dur de déchirer une toile encore humide... Autant toi t'es convaincu d'avoir du talent pis de mériter une grande carrière, François, autant tu vas finir par en connaître une, grande carrière, parce que t'es naïf, pis égocentrique, pis qu'y' a rien qui va t'empêcher de foncer, autant, moi, chus sûr que j'en ai pas, de talent, que j'en ai jamais eu, que j'en aurai jamais, pis que j'me fais des accroires, que je salis des carrés de toile pour éviter de me pendre tou'es soirs avant de me coucher! J'garroche n'importe quoi sur des toiles, François, comme si je vomissais tout ce que j'haïs chez moi! C'que je fais, François, c'est laid, c'est pas de ma faute, j'voudrais que ce soit beau pis bon, mais ça l'est pas! C'est quétaine, non, c'est pas vrai, c'est pas quétaine, les choses quétaines savent pas qu'elles le sont, c'est pire que ça... c'est... c'est quelconque, c'est ça, c'est quelconque, pis ça me désespère, parce que ça vient de tellement loin, pis y me semble que je mériterais tellement que ce soit beau! Si la souffrance donnait du talent, François, j's'rais tellement génial, tu peux pas savoir! Pis si j'avais pas la peinture pour me vider de mon trop-plein de bile pis de rancœur, y m'auraient retrouvé depuis longtemps pendu au plafonnier de ma chambre, comme un petit bibelot sur lequel on peut tirer pour que la lumière s'allume! J'fais pas de la peinture pour me faire admirer, François, j'fais de la peinture pour m'empêcher de mourir! Toi, tu t'aimes, tu t'admires, tu te trouves bon, pis tu vas imposer aux autres l'idée que t'es génial, t'as déjà commencé, t'es l'idole incontestée du El Cortijo, le haut lieu de la beateniquerie montréalaise, parce que t'es beau pis que la beauté, dans ton cas, te sert de moyen pour arriver à tes fins! En plus,

261

t'as du talent, François! Si t'en avais pas, on pourrait t'haïr! Ce que tu fais est toujours au moins cute, pis la plupart du temps magnifique! Pis des fois, c'est extraordinaire! Ben oui, ton maudit portrait de chat est réussi! T'as pris un sujet tout à fait ordinaire pis t'as réussi, vite en plus, tu le dis toi-même, t'as réussi à en faire une belle chanson alors que n'importe qui d'autre se serait probablement cassé la yeule! T'as tout pour toi, François Villeneuve, le savais-tu? R'garde-moi, François, pis dis-moi ce que tu ferais à ma place! Si je t'invite chez nous, chus convaincu que tu vas avoir un sursaut de dégoût devant mes peintures, que tu sauras pas quoi en dire, que ça va nous gêner tous les deux, pis que tu vas finir par me mentir pour pas me faire de peine, pour la simple raison que j'm'aime pas!»

Les corniches qui s'étaient si orgueilleusement extirpées de la pénombre le matin viennent de disparaître dans un après-coucher de soleil qui a été splendide. Il ne reste plus d'elles que des taches floues, dont on se demande si elles sont vraiment faites de bois, ou si elles ne sont pas plutôt un reste de nuage orangé qui s'étiole sur le ciel vieux rose.

François a pris Carmen dans ses bras et le berce en silence. Tous deux regardent venir la nuit. À vingt ans passés, c'est la première fois de sa vie que François se retrouve devant le tragique avoué de quelqu'un d'autre, et il ne sait pas quoi dire pour consoler son ami ou pour contrer les flots de détresse qu'on vient de déverser sur lui. Ce n'est pas que les problèmes de Carmen ne l'intéressent pas, son ami a tort à ce sujet-là, mais il ne peut juste pas en parler. Il est convaincu qu'il pourrait en tirer une chanson bouleversante, mais là, en ce moment, alors qu'il tient son ami dans ses bras, son ami qui l'a appelé à l'aide, qui s'est mis à nu devant lui pour qu'il réagisse, qu'il se fâche, qu'il proteste, qu'il le console, aussi, parce qu'il vient de se rendre compte à quel point la vie de Carmen doit être insupportable et que son rôle devrait être de l'apaiser, une boule dans sa gorge l'empêche de s'exprimer, un poids sur son cœur qui lui vient de ce qu'il a été élevé dans une famille où jamais rien d'important ne se disait, sauf les insultes imbibées d'alcool du père qu'on devait endurer en silence.

Au bout de quelques minutes, Carmen se mouche dans sa chemise, lève la tête vers son ami.

«Mon Dieu. On doit avoir l'air de *La Pietà*!»

Fanfreluche sursaute, tant l'éclat de rire est brusque et bruyant. Elle va rejoindre les bilous, en dessous du lit, en maudissant ce visiteur qui vient trop souvent à son goût perturber la vie tranquille que son humain et elle se sont aménagée.

Carmen est maintenant assis sur les genoux de François. Dans la pénombre qui a complètement envahi la chambre, ils forment un tableau des plus bizarre : un trop jeune père et son trop gros enfant viennent de vivre un moment essentiel de leur existence, mais ils n'osent plus se regarder à cause de la pudeur exagérée de l'un d'eux qui a rompu la scène, l'empêchant de parvenir à son terme.

«J'pense souvent à arrêter de peindre, à accrocher mes pinceaux. Y m'arrive même de me dire que ça me fait plus de mal que de bien, que je serais peut-être mieux si j'en faisais pus...

— Tu viens de dire le contraire.

— Ben oui. Pis la plupart du temps je pense le contraire.

— J'te suis pus...

— Moi non plus. Y faut pas écouter ce que je dis. J'dis n'importe quoi. Tout le temps. »

Un rapide baiser dans le cou, une pirouette, une grimace comique, et Carmen a quitté la chambre.

Quand François chantera *Fanfreluche*, il verra toujours sa chatte, c'est vrai. Mais il entreverra souvent aussi le visage de Carmen tordu par le dégoût de soi et regrettera de ne pas avoir été plus réceptif en cette nuit où son ami avait tant besoin de lui.

Le téléphone.

François décrocha presque rageusement.

«Qu'est-ce qu'y' a, encore?

— J'voulais savoir si t'étais toujours là.

— Ben oui, chus toujours là.

— T'as pas encore fini d'écouter le disque?

— Non. Mais j'achève. Y me reste juste deux chansons. J'en étais à l'intro de *Samarcande*...

— Ça va?

— Ça veut dire quoi, ça, «ça va»? Si tu veux savoir si j'ai commencé à boire, non, j'ai pas encore commencé à boire. Si tu veux savoir si j'en ai l'intention, j'te dirai que non, j'en n'ai pas l'intention, mais ça veut pas dire que j'le ferai pas... Tu me connais depuis assez longtemps pour savoir tout ça...

— J't'espionne pas, François, si c'est ça que tu penses...

— Pourquoi t'appelles, hein? Pour me demander de mes nouvelles! Ben demander de mes nouvelles, dans les circonstances, c'est déjà espionner!

— C'est avec des raisonnements comme celui-là que tu fais des rechutes, François!

— C'est avec des remarques comme celle-là que tu m'en fais faire, Constant!

— C'est jamais moi qui te fais faire des rechutes ! Jamais ! Sors pas ta mauvaise foi par-dessus le marché ! J'voulais juste savoir comment tu te sentais... devant le disque... devant tes chansons... Excuse-moi une fois de plus de m'intéresser à toi... après tout, ça fait juste dix ans qu'on est supposés tout partager !

— On continuera l'interview et la discussion quand je rentrerai... si je rentre... ou si chus en état d'en donner une...

— Crisse, que t'es bête quand tu t'y mets ! »

François se retrouva une fois de plus avec la tonalité au fond de l'oreille, ce bourdonnement qu'il avait dû subir des centaines de fois depuis qu'il vivait avec Constant. Cela le prenait toujours de court, parce que Constant, très soupe au lait, raccrochait souvent au milieu d'une phrase de François quand il ne trouvait pas d'arguments, et même au milieu d'une des siennes propres, pour s'empêcher d'aller trop loin et de proférer des choses qu'il regretterait plus tard. Constant se censurait, François non.

Il s'étira. Longtemps. Il roula des épaules, se tordit la tête, se massa les tempes pour éloigner cette migraine qu'il sentait poindre derrière son œil gauche, se cambra dans son fauteuil en prenant de longues respirations.

Le lecteur de disque compact tournait à vide, le petit chiffre rouge annonçant la neuvième plage clignotait joliment — c'était un très beau rouge, brillant et fluide, surtout dans la pénombre du bureau —, mais François hésitait à tout remettre en marche parce qu'il avait l'impression que le fil de ses idées avait été coupé à un moment particulièrement inopportun.

Il se leva, fit quelques pas, jeta un coup d'œil sur l'est de Montréal plongé dans la nuit. Le boulevard René-Lévesque s'arrêtait brusquement, presque à ses pieds, comme un cul-de-sac. Plus loin, grotesque bateau blanc au mât penché, grosse dinde au cou tordu, le stade olympique encombrait le panorama.

Comme cela arrivait de plus en plus souvent, l'intervention de Constant et sa semonce provoquée par sa propre mauvaise foi le mettaient mal à l'aise. Son chum pourtant si adorable, si aimant, si dévoué, en essayant de s'occuper de lui pour lui prouver son amour, n'avait réussi une fois de plus qu'à accentuer cette volonté, ce besoin qu'il éprouvait depuis quelque temps de se retrouver tout seul pour ce qu'il appelait ses séances d'épluchage de bobos, libre de toute attache et, surtout, de comptes à rendre sur ses pensées et ses sentiments à qui que ce soit. Il détestait les questions et encore plus d'avoir à y répondre.

Était-ce une fois de plus le signe de la fin de quelque chose ? François était pourtant persuadé de beaucoup aimer Constant, si tant est qu'il pût aimer quelqu'un. Constant avait été le point d'ancrage des dix dernières années de sa vie, une présence non seulement stable — ils avaient depuis longtemps usé tous les jeux de mots imaginables au sujet du nom de son chum —, mais aussi bénéfique, rassurante. Mais d'amour, il n'avait jamais été question entre eux. François avait été clair là-dessus dès le début de leur relation, mais les sentiments de Constant qui, eux, étaient réels, affleuraient sans cesse, alors que ceux de François, plus nébuleux, de l'ordre de l'amitié amoureuse plutôt que de la passion, restaient imprécis et, surtout, la plupart du temps inexprimés. Chacun s'en était contenté longtemps, mais de l'insatisfaction, chez l'un et chez l'autre, avait commencé à se manifester, et ils étaient de plus en plus souvent à couteaux tirés, se criant par la tête pour un oui ou pour un non, visiblement désolés de voir leur relation se détériorer ainsi, incapables pourtant de trouver un point d'entente ou, du moins, un semblant de statu quo.

Sauf au lit.

Ils continuaient à baiser frénétiquement, le corps noir de Constant sur les draps blancs de leur lit exaltant encore les désirs de François, qui laissait tous ses doutes de côté pour se repaître des odeurs épicées de son chum. Constant, lui, qui faisait encore l'amour avec la reconnaissance et l'émotion des premiers jours — c'est du moins ce qu'il semblait à François —, mettait un frein à ses récriminations pour se plonger chaque fois dans l'illusion d'être vraiment aimé d'une sorte d'amour qu'on ne trouve que dans les livres ou au cinéma, complet et parfait jusqu'à la caricature.

Mais pourquoi penser à tout ça maintenant? François se dit qu'il pourrait y revenir — ou non — en temps et lieu. En attendant, il lui restait deux plages à écouter, l'une, poétique, exaltante, préparant la franchise sans pudeur de l'autre, cause de sa chute.

*

Ils s'étaient rencontrés d'une façon plutôt inattendue.

François fréquentait la succursale de la Banque Nationale située au coin de Laurier et de l'avenue du Parc, à l'époque où il habitait cet étrange et labyrinthique appartement de la rue Hutchison, qu'il avait tant aimé, parce qu'il s'y sentait toujours perdu. Il aimait l'impression de malaise que lui procuraient les pièces mal réparties sur une surface pourtant intéressante, les planchers qui craquaient, même lorsqu'on ne marchait pas, les murs lézardés et les plafonds tavelés d'humidité — tout ça, se disait-il en se moquant, à l'image même de son âme hypothéquée.

Outremontains pure laine et néo-Québécois aux accents diversement parfumés s'y côtoyaient sans jamais se mêler, les premiers sûrs de leur supériorité et cachant mal leur mépris ou leur condescendance, les autres parfois bougons, parce qu'ils trouvaient qu'on les traitait mal, et toujours pressés de se faire servir parce que, souvent, leur commerce les attendait et qu'ils devaient retourner travailler le plus vite possible.

Ce jour-là, pour une fois, François était de bonne humeur. Particulièrement fier de son émission du matin, une rétrospective de la carrière d'une étoile de la chanson française des années trente, vite disparue et rapidement oubliée, une demi-heure bien documentée et animée à la perfection, surtout grâce à la présence de Clairette, la

Marseillaise la plus québécoise de toute l'histoire de France, une Clairette en verve qui avait raconté de façon hilarante la courte carrière de cette lavandière devenue star malgré elle et qui avait traversé le palmarès de la chanson française en y laissant un bouquet de campagne, un souvenir de coin de terre recuit par un soleil meurtrier. Surtout content d'avoir déniché lui-même au fin fond des archives de Radio-Canada ce nom aujourd'hui inconnu et d'en avoir tiré une émission de radio passionnante, François s'était présenté aux guichets de la banque l'air guilleret et une vieille ballade en tête, où il était question de l'amour d'une prostituée de gare pour un conducteur de train. On n'était pas loin de *La Bête humaine* et François avait beaucoup ri en l'écoutant la première fois. On était à la fois très près de Zola par le choix du thème et très loin par le manque de génie flagrant chez l'auteur du texte.

En entrant à la banque, il avait tout de suite remarqué le superbe jeune Noir à la caisse du centre et s'était placé au bout de la file pourtant longue des clients qui allaient se faire servir par lui. Durant les dix minutes suivantes, étirant le cou comme un habitué impatient mais, en fait, de plus en plus intéressé par le caissier, il avait eu le temps d'apprécier le front large et intelligent, les cheveux d'un noir d'encre séparés au milieu et qui retombaient sur le front en deux belles ailes souples (ce jeune homme devait déployer beaucoup d'efforts pour défriser sa crinière), le sourire dévastateur et les yeux au blanc éblouissant et aux iris pétillants qui semblaient incendier tout ce sur quoi ils se posaient.

Le caissier s'aperçut de son manège et parut flatté (il y a de ces sourires, à peine esquissés, qui ne trompent pas). François se présenta donc devant lui avec ce qu'il appelait sa moue six bis, un mélange de candeur et d'évidente crânerie, qui faisait presque immanquablement son effet, et sur laquelle il pouvait toujours compter quand il ne savait pas trop comment aborder quelqu'un qui l'intéressait.

François était encore beau, mais ses conquêtes se faisaient plus rares parce que l'ère de la Jeunesse et de la Beauté commençait à fleurir sérieusement un peu partout en Amérique du Nord et, à quarante-cinq ans, et malgré son physique avantageux, il se trouvait de plus en plus souvent classé parmi les aînés dans ce milieu sans pitié où on passait pour vieux à trente ans.

Pour qu'on se retourne sur son passage, dans le village gay, il fallait désormais qu'il se déguise en faux cow-boy ou qu'il s'écourtiche au seuil de l'indécence, et ça l'humiliait, lui qui avait si longtemps eu, et si facilement, tous ceux qu'il avait désirés. Il avait la désagréable impression que ses costumes impressionnaient plus que lui-même.

Mais une surprise l'attendait qui le renversa.

«Bonjour, monsieur! Qu'est-ce que je peux faire pour vous, aujourd'hui?»

François s'était attendu à un accent haïtien ou alors à se faire aborder avec ce français teinté d'anglais qu'il trouvait si sexy qu'utilisent les quelques Canadiens anglais qui se donnent la peine d'apprendre le français, mais le parler de ce jeune Noir était typiquement montréalais, au seuil même du joual, les « r » presque roulés, le ton chantant et saccadé. François en fut si étonné qu'il mit une seconde ou deux à rassembler ses esprits.

L'autre continuait de sourire.

« Mon Dieu ! Avez-vous oublié c'que vous vouliez me demander ? »

C'était la première fois que François entendait un Noir adulte parler québécois, et il trouvait ça si beau qu'il en restait pantois, incapable de sortir son compte de téléphone qu'il payait toujours directement à la banque.

« Êtes-vous sourd et muet, 'coudonc ? »

François rassembla enfin ses esprits.

« Non, non. C'est juste… Ça fait combien de temps que vous êtes ici ?

— Chus arrivé hier matin. Avant, j'étais à la succursale Outremont, sur Bernard.

— Non, non, j'veux dire ici, au Québec.

— Ah ! Chus venu au monde ici, comme tout le monde ! En 1964 ! Mes parents ont été parmi les premiers Haïtiens à venir s'établir à Montréal, au début des années soixante. Y' étaient rares, mais y' en avait. »

François se sentit encore plus vieux. Les enfants des premiers émigrés haïtiens étaient déjà des adultes ! Ce jeune homme si beau n'avait pas connu le pays d'origine de ses parents et avait grandi comme tous les autres petits Montréalais, s'imprégnant de l'accent ambiant parce qu'il y était né, se développant en Nord-Américain, vivant comme le Québécois qu'il était, entre ses origines françaises et ses racines américaines.

«Excusez-moi, mais y' a des gens derrière vous, pis on n'est pas supposés conter nos vies aux clients... surtout quand y' en a d'autres qui s'impatientent. »

François, toujours vif quand il s'agissait de draguer, sauta sur l'occasion.

«Vous pourriez peut-être me conter tout ça devant une bière... ou au-dessus d'un bon repas... »

Rendez-vous fut pris, sourires de connivence à l'appui et, comme disent les Américains, *the rest is history*. Parce que Constant — quel beau nom pour un être aussi beau — était tout bêtement l'être exceptionnel dont François avait tant besoin depuis si longtemps, celui qui pourrait non seulement le supporter, mais aussi le circonscrire, le retenir et même, oui, le guider. En l'aimant.

Et ces dix années passées dans les bras de Constant étaient trop précieuses pour qu'il les saborde, comme ça, en une seule soirée.

Il composa le numéro à la maison.

Pas de réponse.

SAMARCANDE

(1965)

Les séances d'enregistrement sont longues, épuisantes, François et Gerry Coulombe ne s'enten-
dent sur rien, le premier convaincu qu'il faut
suivre les traces de Monique Leyrac, qui vient de
produire un disque magnifique consacré aux chansons de Gilles Vigneault et Claude Léveillée,
l'autre hurlant à qui veut l'entendre que si on veut
vendre des disques, il faut aller là où le public vous
attend, c'est-à-dire en dessous de vos propres
goûts.

Mais Gerry est rarement de bonne foi. Humilié
par l'incident qui s'est produit pendant l'enregistrement de la chanson a cappella — surtout que
François a fait à sa tête et que le résultat est con-
cluant, donnant ainsi tort à Gerry devant tout le
monde —, démoli par sa relation avec François
qui part à vau-l'eau et ne peut mener qu'à une
pénible rupture, paqueté dès dix heures du matin
pour se donner une contenance, on dirait qu'il a
décidé de contredire le chanteur sur tout, de tout
critiquer, de tout rejeter, même si le disque a été
minutieusement préparé depuis des mois et que
ceux qui y sont mêlés, inspirés par le talent de
François et convaincus de travailler à une chose

importante, s'y donnent à fond de train et œuvrent dans la joie.

Il est le seul à ne pas apprécier les séances d'enregistrement et il énerve tout le monde. Il fait perdre un temps précieux en interventions souvent ridicules, le disque a pris du retard à cause de lui : il n'est pas d'accord avec l'interprétation de telle chanson qu'il trouve molle ou, pour utiliser son expression, à tendance «powétique», ou alors il critique les arrangements de Jacques Gratton, trop lents ou trop rapides à son goût, il dénonce des fausses notes que personne n'a entendues, il est d'humeur exécrable, engueule tous ceux qui se trouvent dans son champ de vision, sans se rendre compte qu'il court à sa perte à force de gestes désespérés d'enfant malheureux qui se sent abandonné.

La goutte d'eau qui fera déborder le vase viendra de *Samarcande*, chanson que François a composée en un temps record et qu'il décidera d'incorporer au disque à la dernière minute.

*

François a besoin de plus d'une chanson entre *Le Mal vert* et *Mon amour, ma vie, ma perte*, dont il a d'ailleurs décidé, très rapidement et sans le dire à Gerry, de chanter les versions écrites au masculin. Ce disque va rester, il se doit d'être plus que le souvenir approximatif que laisse un bon spectacle, un témoignage de ce que François est à ce moment précis de sa vie. Et François, à ce moment précis de sa vie, est un homme qui écrit des chansons sur d'autres hommes. Il n'a prévenu personne, il a simplement l'intention d'arriver au studio et de chanter la version masculine de ces deux chansons. Au diable le reste, les crises de Gerry, la réception du public et de la critique, la marque au fer rouge qu'il s'inflige à lui-même. Tant pis si ça lui coûte cher, il est prêt à payer le prix de son intégrité. Il triche depuis cinq ans, c'est fini, il en a assez. Si on refuse de le prendre tel qu'il est...

En attendant, il voudrait séparer par plus d'une chanson les deux gros morceaux du disque, *Fanfreluche*, malgré sa joliesse et sa légèreté, ne suffisant pas à elle seule à leur servir de tampon. François voudrait que le public ait le temps d'oublier un peu le choc du *Mal vert* avant de lui asséner le grand coup avec *Mon amour, ma vie, ma perte*. Sur les conseils de Gerry, il a quand même enregistré *La Voix du remords*, qui devait d'abord constituer la neuvième plage. Mais il n'aime plus cette chanson depuis longtemps, la trouve nostalgique et peu maîtrisée, il voudrait la couper et, de toute façon, elle serait maintenant mal venue à cet endroit précis, à cause de son trop grand sérieux et du détour vers l'enfance qu'elle représente et qui est désormais inutile. Quant aux autres, elles sont soit trop faibles à son goût, soit trop anciennes — *L'Homme qui pleure* est la seule œuvre antérieure à 1960 qu'il a gardée — et il se dit qu'il ne peut quand même pas produire un disque qui ne contiendrait que neuf chansons : déjà que les producteurs de la Columbia en voulaient douze au départ !

Il faut qu'il trouve quelque chose. Et vite. Mais quoi ?

Il va fureter dans son petit cahier rouge.

C'est un cahier d'écolier bien ordinaire, ligné de bleu, aux marges définies par une ligne verticale rouge, qu'il traîne avec lui depuis toujours et dans lequel il inscrit, non pas des sujets de chansons ni des rimes ni des bouts de vers, mais, à la queue leu leu et bien tassés, des mots. Des mots qu'il aime, des expressions qu'il trouve belles, soit à cause de leur sonorité un peu bizarre, soit pour leur force d'évocation, soit pour le parfum d'exotisme qui s'en dégage.

Il y puise rarement, cependant, les mots qu'il y retrouve étant ou trop compliqués pour être incorporés à une chanson (allez donc placer *rastaquouère* dans un refrain !), ou trop longs (*imputrescibilité*) ou carrément inutilisables (*zérumbet* sonne bien, mais *gingembre* serait plus simple si par le plus grand des hasards il en avait besoin). Mais il adore s'y promener comme dans un dictionnaire, se rappeler le moment où il a inscrit telle expression ou telle autre et pourquoi, étonné de certains choix, ravi de certains autres qu'il avait oubliés. Il rêvasse volontiers devant *mélodica* ou *encorbellement*, voyage en *landau-calèche* ou chasse le *zorille*, traversant à toute vitesse les coups de foudre de toute sa vie pour des locutions qui l'ont séduit.

Il est convaincu qu'il ne trouvera pas de sujet de chanson dans ce ramassis sans forme et sans autre but que son propre plaisir de se rappeler de beaux mots, ce florilège commencé dans son enfance — *pingouin* est inscrit sur la première ligne en lettres bien dessinées d'enfant qui s'applique à transcrire un mot qu'il trouve comique — et qu'il traîne avec lui depuis plus de quinze ans. Le cahier rouge l'a suivi dans toutes ses pérégrinations, jusqu'à Paris, jusqu'en prison, une nuit, quand on l'a arrêté au parc Lafontaine pour vagabondage, à l'âge de dix-sept ans et qu'on l'a relâché au petit matin, après un sermon aussi ennuyeux que paternaliste. Il l'a perdu deux fois, a pleuré de bonheur en le retrouvant, la première fois au fond d'un sac à déchets, parmi les journaux de la semaine, la deuxième derrière le bol de toilette. Il ne reste plus qu'un feuillet ou deux à remplir. Quand il était enfant, François imaginait que la dernière ligne de la dernière page de son cahier rouge correspondrait à la fin de sa vie. Il essayait d'imaginer où il serait à ce moment-là, quel âge il aurait, ce qu'il aurait accompli. Le cahier est presque entièrement noirci, François n'a que vingt-cinq ans et, du moins l'espère-t-il, sa vie ne fait que commencer.

Il n'a pas utilisé son cahier depuis des mois, il va donc vérifier le dernier mot qu'il y a inscrit, par simple curiosité. C'est un nom de ville. Samarcande.

Aussitôt lui reviennent à l'esprit tous les noms de villes qu'il a notés depuis son enfance, des mots chatoyants ou rudes, aux odeurs d'épices ou de pinèdes en hiver, des sons qui vous transportent immédiatement dans des mondes tellement différents du vôtre que le vôtre vous semble désespérément quelconque, des mots qui vibrent comme des bourdons de cathédrale — Budapest! — ou qui s'élèvent dans le ciel d'une seule venue comme des prières — Samarcande! Samarcande. Quel beau mot! Qui ne voudrait pas habiter une ville qui s'appelle Samarcande! À côté, Montréal sonne comme le bruit d'une poubelle qu'on traîne dans la neige. Mais est-ce que pour les habitants de Samarcande (les Samarcandais? les Samarcandiens?), Montréal exhale un parfum exotique qui les fait rêver? Peut-on rêver de Montréal?

Il fouille partout dans son cahier rouge, tourne les pages, les parcourt avec cette excitation de quelqu'un qui se sent au bord de trouver une chose importante, qui la renifle à la frange de sa conscience et veut la saisir avant qu'elle ne disparaisse à jamais dans les rejets de la mémoire sélective. Il jette pêle-mêle tous ces noms si beaux sur une feuille à musique, puis les relit plusieurs fois, ébloui.

La chanson est là. Il n'a besoin de rien d'autre que ces mots si juteux, qui goûtent si bon. Il plaque ses mains sur le clavier. Des lignes mélodiques, parfois longues et langoureuses, parfois courtes et brusques, interrompues ou se terminant par un nom de ville: Maracaïbo, Vladivostok, Buenos Aires, Marrakech, Salamanque, Tombouctou, Montevideo, Helsinki, Carcassonne, Gdansk, Cuernavaca, Singapour, Burgos, Jakarta, Kyoto, Casablanca, Bénarès, Namur, Quito, Syracuse, Bangkok, Valparaiso, Dakar, Veracruz, Samarcande, Samarcande, Samarcande, qui revient non pas comme un refrain, mais comme une mélopée obsédante.

Il a trouvé. Faire voyager le public, voyager lui-même juste avant les aveux de *Mon amour, ma vie, ma perte.*

La chanson terminée, bien copiée au propre, il est épuisé, il sue. Il prend une douche brûlante, fait sa toilette en chantonnant des noms de villes, se rhabille et téléphone à Jacques Gratton pour lui demander un rendez-vous. Il faudra que le musicien travaille rapidement, pour que les arrangements soient prêts pour le lendemain.

« Tiens ben ta tuque, mon Coco, j'arrive ! »

*

« Vous souvenez-vous de moi ?

— Bien sûr. Je n'oublierai jamais la façon... disons... originale dont nous nous sommes rencontrés. »

François et Monique Leyrac se sont croisés à la porte d'un studio de radio ; la chanteuse en sortait, François, appuyé contre le mur, sa guitare pressée contre lui comme s'il avait peur qu'on la lui enlève, attendait son tour d'être interviewé.

« Est-ce que j'avais bien deviné ?

— À quel sujet ?

— Au sujet de... de ce que tu avais attrapé.

— Ah ! ça. Oui. Vous aviez bien deviné. Mais c'est fini, là... chus complètement guéri !

— J'espère bien ! Après deux ans !

— C'est vrai. Chus bête. J's'rais mort depuis longtemps. »

Elle va se retourner pour s'éloigner, se ravise.

« J'ai bien hâte d'entendre ton disque, François. »

François rougit, ne sachant que répondre.

Puis il trouve :

« Votre disque, à vous, est... sublime.

— Tu l'as déjà entendu?

— Je l'ai déjà usé!»

Elle rit, flattée.

«Ça va bien, l'enregistrement?

— Non, ça va plutôt mal. Enfin, pas les enregistrements eux-mêmes, mais ce qui les entoure...

— Avec Coco, ça va?

— Avec Coco, c'est la joie. C'est pas ça le problème...»

Il ne va quand même pas confier à Monique Leyrac ses démêlés avec Gerry!

«Le bon vieux doute?»

Il va protester, lui dire qu'il ne doute pas de la qualité de ses chansons, qu'il est plutôt convaincu que ce sera un disque superbe si on lui donne la chance de le terminer comme il l'entend, puis il se dit qu'il est sûrement préférable qu'elle croie qu'il doute, que ça fait moins arrogant, moins prétentieux. Il acquiesce en baissant la tête, puis change de sujet de conversation.

«Ça m'avait étonné, y' a deux ans, que vous connaissiez mon nom, mais ensuite vous m'aviez dit que vous veniez d'entendre mon interview à la radio...

— J'te connaissais avant. J't'ai entendu chanter au El Cortijo il y a presque quatre ans...

— Ah, oui! J'ai jamais su ça. Comment ça se fait?

— Quelqu'un avait mentionné ton nom, je ne me souviens plus qui... Françoise Berd, peut-être. Ou quelqu'un de l'Égrégore. J'aime bien aller entendre ceux qui commencent... Surtout ceux qui composent des chansons qu'on dit intéressantes.»

Son petit sourire de connivence chavire le cœur de François. La grande Monique Leyrac, celle qui interprète non seulement Vigneault et Léveillée, mais aussi Aragon-Ferré et Brecht-Weill comme personne, est-elle en train de lui dire qu'elle s'est déjà intéressée à lui, qu'elle s'intéresse peut-être encore à lui ? Ça ne lui arrive à peu près jamais, les personnes qui peuvent se vanter de l'impressionner sont rares, mais il reste bouche bée et il est sûr que ça paraît.

« Je t'avais trouvé un peu vert. Intéressant, ne va pas penser le contraire, mais vert. Tes chansons étaient parfaites pour toi, mais aucune ne pouvait être chantée par quelqu'un d'autre. Et j'avoue que je t'avais trouvé culotté, ce matin-là, à la radio… Si tôt dans ta carrière, alors qu'on ne te connaissait pas encore, aller engueuler Charlotte Bonenfant qui avait eu la curiosité, la gentillesse de t'inviter… J'avais trouvé ça culotté… mais sympathique.

— A' m'a toujours énervé.

— Et pourtant, tu es là ce matin. Tu te prépares à lui parler. À la même émission. Et je suis sûre que tu seras plus gentil avec elle, cette fois… »

Il avale sa salive. Il a l'impression que ça fait un bruit d'évier qu'on débouche. Si elle n'était pas Monique Leyrac, elle aurait une belle main rouge étampée sur la joue droite. Alors il revient à l'arrogance si « sympathique », si « culottée ». Il jette sur elle un regard plein de défi.

« Et maintenant, qu'est-ce que vous pensez de mes chansons ?

— Je ne t'ai pas entendu au Patriote, j'étais à

l'étranger. Pauline Julien m'a dit que tu étais assez étonnant... J'attends ton disque. Il y a beaucoup de nouvelles chansons?»

Devant tant de sollicitude après cette vacherie qu'elle vient de lui dire — mais peut-être ne sait-elle pas que c'en est une, qu'elle s'imagine avoir fait une simple constatation —, son arrogance tombe d'un seul coup et il redevient le petit garçon qui veut qu'on s'intéresse à ce qu'il fait.

«Si vous m'avez entendu y' a trois ans, y doit en rester juste deux ou trois que vous connaissez sur les dix. La preuve qu'y' en a des neuves, j'en ai justement composé une, hier, qu'on va enregistrer tout à l'heure... J'ai même pas entendu les arrangements, Coco me les apporte en studio...

— Et tu es sûr que tu l'as assez... mûrie pour la faire sur ton disque! Un disque, c'est pour toujours, tu sais.

— Ah! oui. Absolument. Euh... Mûrie? Non. Bien sûr. Vous avez raison. Je l'ai composée hier. Mais chus sûr que c'est une des plus belles, par exemple, pis j'peux pas attendre de la mûrir... C'est une des plus originales, en tout cas.»

Et il se jette à l'eau sans réfléchir.

«Voulez-vous l'entendre?

— Ici, dans le corridor?

— Pourquoi pas? J'ai ma guitare...»

Le sourire de la chanteuse s'agrandit. Visiblement, l'insolence mêlée de candeur de François l'amuse. Il la croit impressionnée et s'en trouve tout fier. Elle enlève son manteau qu'elle avait enfilé machinalement en parlant.

« O.K. Vas-y. J'ai toujours du temps pour une belle chanson. »

François accorde approximativement sa guitare, se racle la gorge, jette un rapide coup d'œil dans le corridor pour vérifier que personne ne les épie.

Il se dit bon, j'vais peut-être vivre un grand moment de bonheur, ou une grande déception… mais au moins j'aurai chanté une fois pour elle toute seule.

Il interprète *Samarcande* d'une voix assurée, laissant errer ses doigts sur les cordes pour essayer de décrire les merveilles cachées derrière tous ces noms de villes. C'était plus beau au piano, plus évocateur, plus parfumé, il le regrette l'espace d'une seconde, puis replonge dans cette énumération qui resterait quelconque, si elle n'était galvanisée par la musique et la sincérité qu'il met à prononcer ces mots si ravissants. Après tout, il a une grande chanteuse à impressionner, avec une chanson qu'il sait peu banale, et ça exige une totale concentration.

Le son de la guitare est plutôt grêle dans ce long corridor, François a peur que ses effets soient ratés, d'être en train d'enfiler un collier de noms de villes qui restera sans charme, insignifiant, bête. Il réussit à retrouver son feu et sa passion pour le dernier refrain, le nom de Samarcande répété de nombreuses fois avec des intonations différentes, qu'il trouve si efficace et si beau.

La chanson terminée, François se rend compte que madame Leyrac le regarde avec de grands yeux. Est-elle étonnée, admirative, déçue, découragée ? Il ne saurait le dire. Un petit silence s'installe qu'il trouve gênant parce qu'il ne sait vraiment pas ce que la chanteuse, qui en a entendu, des chansons, a pensé. Elle va peut-être lui tourner le dos sans rien dire... Ou lui rire en pleine face.

« Es-tu sûr que tu veux la garder pour toi ? »

Les larmes lui montent aux yeux immédiatement. De secs qu'ils étaient quelques secondes plus tôt, ils deviennent tout mouillés tout d'un coup. Il a peur que ça coule trop vite, que ça lui trempe les joues et le col de chandail et, surtout, d'avoir l'air d'un maudit fou.

« Oui, chus sûr.

— Sinon, je la prendrais immédiatement, tu sais.

— C'est... c'est le plus beau cadeau que vous puissez me faire, madame Leyrac, mais... »

Il ne peut pas continuer, il a peur de s'écrouler sur le tapis râpé et de se retrouver dans la même position que la première fois qu'ils se sont rencontrés. Il ne va quand même pas passer le reste de sa vie plié en deux devant Monique Leyrac !

« Je comprends. Enregistre-la. Telle quelle. Avec la même sincérité. C'est... magnifique. Et si jamais tu penses à moi... Je vais te donner mon numéro de téléphone... »

Pendant qu'elle ouvre son sac, qu'elle en extirpe papier et crayon, qu'elle inscrit son numéro de téléphone en s'appuyant contre le mur sale, il n'arrive pas à prononcer un seul mot. Tout à coup, il sait qu'il a raison de faire à sa tête, qu'il va enregistrer cette chanson malgré ce que pourra en dire Gerry, et les deux autres aussi, qui vont enfin proclamer à qui veut l'entendre qui il est vraiment.

*

« *Over my dead body* que tu vas enregistrer c'te niaiserie-là !

— Ça sert à rien de crier comme ça, Gerry, ma décision est prise.

— On dirait Jacques Douai dans ses plus mauvais jours ! Y te manque juste des « digue dondaine » et des « digue dondé » !

— Tu peux te moquer, tu peux crier au meurtre, faire toutes les crises que tu veux...

— J'peux m'en aller, aussi, si tu veux ! Tu peux te retrouver sans producteur ! Sans gérant ! »

Mon Dieu ! Le moment est venu. Le point de non-retour. Juste une petite phrase, et ça y est, Gerry va peut-être sortir de sa vie. Peut-être. Ne va-t-il pas plutôt s'accrocher comme après ses beuveries, se faire trop gentil, collant, colleux ? Les secondes passent. Personne ne bouge plus dans le studio. Coco a penché la tête sur son piano. Il faut qu'il se décide. À dire la bonne chose. Une fois pour toutes, mon Dieu, une fois pour toutes.

« C'est ça. Va-t'en donc. »

C'est sorti. Qu'est-ce que Gerry va faire ? Fais un homme de toi, Gerry Coulombe, sors la tête haute, écroule-toi pas comme tu le fais toujours...

Ce sont les trente secondes les plus longues qu'il ait eu à traverser depuis longtemps. Il entend son cœur battre, il n'entend même plus que ça. Ça finira jamais. Y va rien se passer. Dans cent ans, on va encore se retrouver dans cette même position, pis rien sera réglé...

Et quand Gerry sort en essayant de claquer une porte pourtant matelassée, dernier geste ridicule d'un homme ridicule, François éclate en sanglots.

Il sait qu'il n'a plus d'agent, qu'il n'a plus d'appartement, que ses valises vont l'attendre pêle-mêle dans le corridor quand il va rentrer ce soir, s'il rentre, que sa chatte va miauler parce que Gerry ne s'en sera pas occupé... Il ne lui reste plus que ce disque, ces trois dernières chansons, et la vie.

*

Il s'est réfugié chez Carmen le soir même, avec armes et bagages. Il connaît maintenant très bien l'étonnant chez-soi que le nain s'est aménagé dans ce qui était autrefois un hangar et un garage, au fond d'une arrière-cour de la rue de Lanaudière, et qui lui sert en même temps de logis et d'atelier. Au grand étonnement de son ami, François aime beaucoup sa peinture et lui dit souvent qu'il deviendra son commanditaire quand il sera riche, ce à quoi l'autre répond invariablement que le contraire pourrait bien se produire.

Peu encline à déménager et refusant catégoriquement ce bouquet de nouvelles odeurs que représente pour elle l'appartement du nain — Carmen aime se parfumer, peut-être pour maquiller les senteurs de peinture à l'huile et de térébenthine, et son appartement en fait foi — Fanfreluche a été insupportable. Toutes griffes sorties, elle a refusé de manger, hurlant, crachant, sursautant au plus petit bruit, à la moindre ombre mouvante. Elle a terminé la soirée derrière le poêle à gaz, au grand affolement de François, qui est convaincu de la retrouver asphyxiée le lendemain matin, yeux ouverts, langue pendante et ventre gonflé.

Étendu sur ce canapé où il a traversé tant de soirées mémorables, mais où il n'aurait jamais cru devoir se réfugier un jour pour un temps indéterminé parce qu'il serait complètement démuni, il n'arrive pas à dormir.

Il pense à l'enregistrement, qui s'est terminé dans l'harmonie et l'émotion, au soutien des musiciens, des techniciens, qui croient qu'il a fait le bon choix et que le disque sera exceptionnel. Dangereux, mais exceptionnel. À Gerry, aussi, qui doit être en train de se paqueter la fraise en crachant sur lui et sur sa tête de cochon. Au public, dont il ignore les réactions devant un matériel aussi audacieux. Aux critiques, qui l'attendent avec un bouquet de fleurs dans une main et une brique dans l'autre.

Mais il pense surtout à l'incroyable interprétation que Monique Leyrac aurait pu donner de *Samarcande* et le doute, le vrai doute, celui qui étouffe, l'écrase sur sa couche inconfortable.

MON AMOUR,
MA VIE, MA PERTE

(1965)

En se rasant, deux heures avant le spectacle qui va, il l'espère, transformer sa vie, François se dit qu'il n'a pas su profiter de la popularité qu'il connaît depuis un an. Contrarié par le succès du *Petit Comique*, qui faisait de l'ombre à ses autres compositions et donnait de lui l'image fausse d'un compositeur de chansons légères et drôles, il s'est tout de même retrouvé pris dans l'engrenage des interviews superficielles, liquidées en trois ou quatre minutes, et des émissions de variétés de deuxième ordre, surtout à la télévision privée où, quand on lui accordait le temps d'une seconde chanson, c'était toujours pour *Fanfreluche*, la moins sérieuse après sa maudite toune pour tapeux de pieds et autres turluteux. Quant aux reportages dans des journaux à potins où son physique — on lui demandait de détacher sa chemise, quand ce n'était pas carrément de l'enlever — prenait plus d'importance que ce qu'il avait à dire, il préférait ne pas y penser.

Il a donc l'impression que le grand public le connaît et l'aime pour les mauvaises raisons et, parce qu'il déteste qu'on l'appelle «le petit comique», ou qu'on fredonne sa chanson dans la rue pour lui faire comprendre qu'il a été reconnu, ou encore qu'on lui demande des «orthographes» en prétendant que c'est pour une petite fille de trois ans qui est folle de lui, il s'est fait la réputation d'un être marabout, fuyant et snob. Fuyant, il l'est, c'est vrai. C'est-à-dire qu'il l'est devenu à force d'entendre des jeunes filles soupirer et même crier sur son passage, de sentir des mains le frôler dans la foule, de lire la convoitise dans les regards libidineux que les femmes jettent sur lui. Marabout aussi, parce que tout ça est irritant et que c'est bien difficile de garder le sourire quand on est bousculé et tâté comme une marchandise, surtout celle que l'on n'est pas. Snob? Il ne juge pas les gens qui aiment son *Petit Comique*, il voudrait seulement leur faire connaître et apprécier ses chansons plus fortes, plus conséquentes. Et son impuissance à leur en faire profiter à cause d'une télévision et d'une radio qui ne lui en laissent pas l'occasion, le met hors de lui. Si jamais, à partir de ce soir, on l'accepte enfin pour ce qu'il est, il endurera plus volontiers les sifflotements, les soupirs et même les mains baladeuses — il ne déteste quand même pas qu'on le trouve beau! En attendant, tout ça l'énerve parce qu'il a l'impression que ce n'est pas à lui que ça s'adresse.

Durant cette année qu'il voudrait oublier, il a bien fait quelques émissions de radio au cours desquelles on lui a posé les bonnes questions et accordé le temps d'y répondre, mais c'était à des heures où seuls les insomniaques les plus atteints ou les lève-tôt les plus maniaques auraient pu l'entendre, si jamais il leur était venu à l'esprit d'ouvrir leur poste. À cette station. Cette nuit-là précisément.

C'est drôle quand il y pense : au Patriote, qu'il fait désormais seul, et dans les autres boîtes à chansons — jusqu'à la vénérée Butte à Mathieu, dans les Laurentides, où il vient de connaître un véritable triomphe —, il passe pour un chansonnier sérieux qui fait réfléchir son public avec ses textes toujours simples malgré les sujets parfois délicats qu'il aborde, un chansonnier qui touche le cœur parce qu'il privilégie d'abord et avant tout l'émotion ; cependant, le grand public, celui qui devrait compter, celui qui a le plus besoin qu'on l'amène à se concentrer pour penser au lieu de se contenter de l'amuser, le prend pour un comique, peut-être même un Roméo Pérusse en herbe. Ironie du sort. Certains réalisateurs de télévision sont même allés jusqu'à lui dire que les comiques qui ont un beau physique étant rares, il devrait exploiter ce filon plutôt que de vouloir à tout prix qu'on le prenne au sérieux.

Mais tout ça va peut-être changer à partir de ce soir. S'il n'est pas banni après *Le Mal vert* et *Mon amour, ma vie, ma perte*, son disque s'imposera, fera son chemin, cassera tout sur son passage, et il sera sauvé. Un trente-trois tours, ça donne d'un artiste une vision plus complète de l'éventail de ses possibilités qu'un quarante-cinq tours produit pour faire de l'argent, et François espère que les radios et les télévisions, enfin saturées du maudit *Petit Comique* — elles le diffusent depuis tant de mois —, vont désormais se concentrer sur ses autres chansons et découvrir le vrai François Villeneuve. Déjà, on l'a invité pour dimanche prochain à *Pleins Feux*, l'émission de télévision qu'anime

297

Monique Leyrac. La chanteuse lui a même demandé la permission de chanter *Samarcande* avec lui, et, naïvement, il est convaincu que ça peut faire bouger les choses.

Il ne s'est pas coupé en se rasant. Sa peau est douce, il sent bon, il se sait beau dans son pantalon ajusté et sa chemise blanche attachée jusqu'au cou. Il a laissé sécher ses cheveux sans les coiffer, ils vont onduler dans tous les sens, un vrai voyage de foin noir — une expression de sa mère, évidemment —, mais prévu et contrôlé. Il portera peu de maquillage, sa pâleur fera bon effet. Il n'a pas bu, non plus. Pas une goutte de la journée. Et il n'en a pas ressenti le besoin. L'adrénaline, peut-être, qui lui sert de carburant?

Il s'approche du miroir de la salle de bains de Carmen, placé trop bas, évidemment, se regarde droit dans les yeux.

« T'as trop bu depuis trop longtemps parce que tu vivais trop de choses trop cachées. C'est fini. Enfin, peut-être que c'est fini. Si ça marche, ce soir, laisse tomber l'autodestruction pis la complaisance, pis garroche-toi avec... avec... avec exubérance dans ce qui pourrait être la plus belle partie de ta vie! »

Sa mère, encore, avec les mots qui déclenchaient si souvent les colères de son père: promesse d'ivrogne. Il les chasse de son esprit comme des insectes irritants. Il veut croire à sa sincérité.

Fanfreluche l'attendait à la porte de la salle de bains en miaulant. Il la soulève, la serre contre son cou, l'embrasse entre les deux oreilles.

« Quand y va revenir ce soir, ma belle pitoune, ton maître va être quelqu'un ou bien le dernier des nobodys ! »

*

« Des p'tites fleurs de la part d'un p'tit fan... »

Carmen a apporté un énorme bouquet de gypsophiles que certains Québécois appellent si joliment des « soupirs de bébé ». C'est gigantesque, cotonneux, encombrant, on dirait que ce n'est pas fini, que le fleuriste a oublié d'y planter les roses ou les tulipes qui y étaient destinées, ou alors qu'on les a volées pour en garnir un autre bouquet, mais c'est aussi très drôle dans son absurdité, et François a éclaté de rire en apercevant son ami à travers la profusion de petites fleurs blanches.

« Si j'avais été juste un p'tit peu plus p'tit, j'aurais pu me planter dedans pis me faire livrer... Au lieu d'une guidoune qui sort d'un gâteau, t'aurais eu un guidoux qui sort d'un bouquet !

— T'en aurais été ben capable. »

François est prêt depuis une bonne demi-heure. Il piaffait d'impatience, se promenait de long en large en essayant de se détendre lorsque Carmen a frappé à la porte de la petite loge. Peut-être pensait-il à autre chose, aussi, à un autre besoin.

« Nerveux ?

— Qu'est-ce que tu penses ? Je joue ma vie, ce soir...

— *Notre* vie. Si tu réussis, y' a toute une collectivité de femmes pis d'hommes qui vont te devoir une fière chandelle...

— Laisse faire ça. Tu sais très bien que je fais pas ça pour la collectivité. J'm'en sacre, de la collectivité. J'fais ça pour moi, pour qu'on m'accepte moi, pas pour qu'on vous accepte vous autres...

— Ça revient au même, pis tu le sais très bien. Joue pas la fausse humilité, ça te va pas.

— J'joue pas la fausse humilité, c'est vrai que je m'en sacre !

— O.K., O.K. ! Tu veux pas être un porte-drapeau, c'est correct ! Mais on va tous en profiter pareil... Pis t'auras peut-être pas le choix. T'avais pas pensé à ça ? »

La porte s'ouvre brusquement avant que François ait eu la chance de répondre. Les Patriotes.

François n'a pas envie de les voir ; en fait, il ne veut voir personne, même pas Carmen, alors il met tout le monde dehors sans ménagement, prétextant qu'on le dérange dans ses préparatifs, qu'il a besoin de se concentrer, qu'il a sa guitare à accorder et son maquillage à retoucher une dernière fois.

Les Patriotes sont quelque peu vexés de se voir évincer de la loge de leur propre boîte à chansons. Yves Blais crie à travers la porte :

« On était juste venus te dire qu'on va être obligés de refuser du monde ! On pensait que ça te ferait plaisir ! Excuse-nous !

— Mon Dieu ! Faut vraiment qu'y ait beaucoup de monde pour que vous en refusiez ! D'habitude, vous êtes prêts à clouer des chaises sur les murs ! »

Bon, ça y est. Il a réussi à les froisser avant même que le spectacle commence.

Il s'installe à la table de maquillage.

Une rose jaune sort d'un superbe petit vase de porcelaine vert amande. Sur la carte : « Les rouges, ce sera pour plus tard. Philippe de Bellefeuille. »

Son irritant fan club sera donc là ce soir.

Pour s'occuper, il retouche son maquillage qui n'en a pas besoin. Il voudrait pouvoir sortir tout de suite de la loge, monter sur la scène en courant, prendre le public à la gorge, le secouer, l'émouvoir, le bouleverser, lui faire mal et lui faire du bien, il est prêt, c'est maintenant qu'il se sent d'attaque ! Mais il a encore dix longues minutes à attendre et Dieu sait ce qui peut se passer en dix minutes… Sa fébrilité ne ment pas : cette fois, il a bel et bien envie de boire.

Il voudrait aussi ne pas penser à ce que Carmen vient de lui dire, aux conséquences de son geste de ce soir pour les autres comme lui, ces parias qui vivent depuis la nuit des temps dans la clandestinité parce qu'une malheureuse phrase de l'Ancien Testament écrite pour un peuple dont la survie dépendait du taux de natalité a fait d'eux des exclus, des indésirables, pour la simple et unique raison qu'ils ne produisaient pas de rejetons. C'est vrai, pourtant, qu'il n'a pas songé à eux, qu'il ne fait pas ça pour eux, qu'il ne se sent pas l'âme d'un héros ni d'un chevalier à la tête d'une sainte croisade, qu'il va s'afficher devant tout le monde juste pour cesser de mentir quand il monte sur une scène.

Il n'avait pas envisagé les conséquences, même pour lui. Il s'appuie sur sa chaise, renverse la tête par en arrière. Il sera seul devant le public, tout à l'heure, avec sa guitare et un piano — la scène du

Patriote est trop étroite pour accueillir un orchestre, même réduit au minimum —, il pourrait facilement retourner aux anciennes versions de ses deux chansons dangereuses, se réfugier dans le connu, l'éprouvé, le confortable... Non. Sa décision est irrévocable. Sinon, le poids sera trop lourd, le Beefeater l'emportera encore... De toute façon, le disque existe, chacun des invités en recevra une copie tout à l'heure et pourra écouter à loisir la version masculine des deux chansons si lui n'a pas le courage de les assumer... Il s'est piégé lui-même. Cette fois, il ne peut pas être trou-de-cul!

Ah... une gorgée, juste une gorgée de gin pour remplacer un feu par un autre, celui de l'angoisse par celui de la certitude dont on sait qu'elle est factice, mais qui brûle pour un temps plus ou moins long tous les doutes et tous les questionnements.

Deux petits coups à la porte, puis Jean-Claude annonce qu'«on commence dans cinq minutes, monsieur Villeneuve». C'est la première fois qu'il ne l'appelle pas simplement François, et le chanteur ne peut pas s'empêcher de sourire. Son statut serait-il en train de changer, est-il en voie de passer de François-le-comique à Villeneuve-le... Le quoi? Le dégénéré? La tapette? le chanteur tapette qui chante ce qui n'est pas chantable pour un mâle, c'est-à-dire l'amour des hommes plutôt que celui des femmes? Mais comment a-t-il pu ne pas songer aux conséquences? Était-il trop emmuré dans son entêtement à vouloir cesser de mentir pour réaliser qu'il y aurait un lendemain à son geste, que le public devant lequel il aura chanté ce soir n'est pas une masse compacte qu'on peut continuer à contrôler quand le spectacle est terminé, mais bien une ribambelle d'individus pas toujours intelligents, dont certains sont même bourrés de préjugés envers les êtres de sa sorte? Tout ce temps-là, avait-il, sans s'en rendre compte, la prétention de croire qu'il pourrait avec deux petites chansons changer l'idée qu'on se fait depuis si longtemps de sa race maudite?

Jean-Claude, encore.

« On va commencer en retard, y' a trop de monde. »

François bondit sur ses pieds.

« Y' est pas question qu'on commence en retard...

— J'y peux rien, c'est les patrons qui viennent de me dire ça...

— Dis-leur que si on commence en retard, y va arriver un malheur, pis y risque de pas y'avoir de spectacle du tout!

— J'pense pas que ce genre de menace-là pogne... Y'a du monde dans l'escalier jusque sur la rue Sainte-Catherine. Y' a même une queue sur la rue Sainte-Catherine, j'viens d'aller vérifier. Tu devrais être fier. Ça fait longtemps que c'est pas arrivé.

— Va leur dire que c'est sérieux, que je me sacre de la queue sur la rue Sainte-Catherine, que je les supplie, tu m'entends, que je les supplie de commencer le spectacle à l'heure... »

Jean-Claude se retire, quelque peu éberlué.

François prend sa guitare, se poste derrière la

porte comme si le régisseur allait revenir d'une seconde à l'autre lui signifier que c'est le moment de traverser la salle...

Il ne veut plus réfléchir. À rien. Ni aux conséquences de son geste, ni à ce que les autres lui devront. Ni à la réaction du public qui pourrait très bien, en fin de compte, se révéler négative. Ni surtout à la bouteille de Beefeater qu'il a glissée dans la poche de son manteau d'hiver. Au cas.

Jean-Claude ne revient pas. Les Patriotes ne l'ont pas écouté. Un artiste, ou un député, ou un commanditaire, enfin, quelqu'un d'important, ne s'est pas encore présenté, qu'il faut attendre, même si deux cents personnes suent et s'impatientent dans la petite salle décorée comme une grange chic qui sent le bois verni et le tabac froid.

Le spectacle doit débuter immédiatement! Il faut qu'il sorte de cette loge! Il se tourne vers la patère. Tend la main. Tâte la bouteille à travers la laine de son manteau.

François ouvre la porte brusquement, sort de la pièce et commence à traverser la salle en louvoyant entre les tables, s'excusant de devoir déranger certains spectateurs qui lui bloquent le chemin, serrant quelques mains et distribuant salutations et sourires, la guitare tenue à bout de bras, le cœur battant, au bord d'éclater.

Sitôt qu'on l'aperçoit, des applaudissements s'élèvent, des bravos fusent, la salle, surchauffée, apprécie visiblement que le spectacle commence à l'heure, même si tout le monde n'est pas encore là.

Pour la première fois dans l'histoire du Patriote — crime de lèse-majesté qui en ravit plus d'un, d'ailleurs —, un chanteur a passé outre au petit discours d'introduction d'Yves Blais et a pris l'initiative de commencer un spectacle avant qu'on ne lui en donne le signal.

Jean-Claude n'a pas eu le temps de se lancer vers sa régie et c'est sous l'éclairage de la salle que François monte sur la scène plongée dans la pénombre.

Un moment de flottement suit. Les applaudissements cessent, François, avec une mine comique, fait signe à Jean-Claude de se dépêcher, celui-ci réussit à s'emparer des manettes de la petite console d'éclairage sous les rires nourris des deux cents et quelques spectateurs. Le noir se fait, trop rapidement, comme à la fin d'une chanson rythmée, puis quelques projecteurs s'allument sur le chanteur. Les applaudissements recommencent, François aperçoit Yves Blais qui essaie de se frayer un passage parmi les tables pour venir le présenter. Il décide alors de commencer, sans plus attendre, le petit laïus qu'il a préparé.

« Bonsoir, tout le monde. Bienvenue à cette soirée un peu spéciale. »

D'autres applaudissements. François en profite pour jeter un coup d'œil sur l'assistance. Ils sont tous là. Ceux qui décident de la carrière des autres parce qu'ils en ont le pouvoir, ceux qui ont à en parler dans les journaux ou dans les médias électroniques, les faiseurs d'opinion, aussi, qui ne sont pas nécessairement critiques ou reporters — ce sont souvent d'autres artistes, parmi les moins cotés et les plus méchants — mais que l'élite montréalaise, étonnamment (ce que François s'amuse à appeler «le tout-*nobody*» de Montréal), écoute comme si la vérité elle-même sortait de leur bouche. Ils le savent et se permettent d'agir comme des goujats, riant à contretemps pour qu'on les entende, lançant des «bravi» et des «brava» pour montrer qu'ils ont voyagé, affichant leur mépris quand ils n'aiment pas un artiste ou un spectacle et exagérant leur enthousiasme pour leurs amis, exprimant haut et fort des opinions pas toujours pertinentes, trônant au milieu d'un cercle d'admirateurs qui les vénère.

Puis il y a les vrais, ceux que François admire, qui font partie de son panthéon québécois et dont la seule présence l'honore: Monique Leyrac, évidemment, elle avant tout le monde, attablée avec Jacques Gratton, Suzanne Avon et son mari, Fred Méla, l'un des célèbres Compagnons de la Chanson; Pauline Julien, qui déteste qu'on l'appelle la pasionaria de la chanson québécoise, mais il est trop tard, ça s'est su et ça se répète; Françoise Berd, directrice de l'Égrégore, qui lui a donné une de ses premières chances il y a presque quatre ans; Jean Gascon, qu'il est allé applaudir il n'y a pas si longtemps dans *La Danse de mort* (mais qu'est-ce qu'il fait là, au fait, il a la réputation de ne jamais sortir!); d'autres acteurs, d'autres actrices, même la grande Denise Pelletier; Clémence, qu'il considère presque comme sa marraine, même si elle n'aime pas cette expression; d'autres encore parmi les plus grands et devant qui il s'apprête à dénuder son âme, Ferland, Gauthier, Calvé, Létourneau…

En attendant, tout ce beau monde applaudit chaleureusement, n'ayant rien encore à juger.

Combien d'entre eux ne l'ont jamais entendu chanter en personne et ne connaissent de lui que *Le Petit Comique*? Qu'est-ce qui fait qu'ils se sont déplacés en si grand nombre ce soir-là pour venir l'entendre? Le sens de l'événement? Le flair pour un scandale qui se prépare? La réputation qu'il s'est bâtie depuis quelque temps — sa crise récente, à la Barre 500, en présence de Pia Colombo, a fait les manchettes de quelques journaux — d'être un *performer* imprévisible et capricieux? Pourtant, personne ne peut se douter du geste qu'il s'apprête à faire... Il doit probablement tout ça aux Patriotes qui se sont faits insistants et convaincants une deuxième fois. Ils l'ont découvert, ils veulent le consacrer. Et il vient d'insulter Yves Blais à deux reprises!

Mais qui est cette grosse femme en blanc à la table de Philippe de Bellefeuille et qui ressemble à Germaine Giroux dans ses plus mauvais jours? Mon Dieu. C'est Édouard, le vendeur de chaussures de la rue Mont-Royal, pomponné, maquillé, corseté, plantureux dans sa robe de dentelle et de taffetas blanche, sa perruque rouge carotte et ses bijoux — pendants d'oreilles, bagues, bracelet, épinglette, collier, tout le kit — de fausses émeraudes de fond de tiroir! Édouard, qui lui envoie un magnifique baiser mouillé aussitôt qu'il se sait reconnu. François sent un frisson de fierté le traverser. Il n'est pas le seul à s'assumer, ce soir, un vendeur de chaussures l'a précédé, lui donne l'exemple, lui tend la main, comme s'il avait senti, comme s'il avait su ce qui se préparait.

Le micro est ouvert. Il peut y aller. Si jamais il manque de courage en chemin, il pourra toujours en puiser dans le regard d'Édouard.

Yves Blais, sûrement furieux, a déjà fait demi-tour pour aller s'occuper des retardataires importants qu'il aura de la difficulté à faire taire et à retenir quand ils s'apercevront qu'on a osé commencer sans eux.

François est confiant, tout à coup, convaincu ou, plutôt, il veut se convaincre que tout va bien se passer. Une seconde avant de parler, il a l'impression d'être entre ciel et terre, mais il ne sait pas s'il s'élève ou s'il tombe.

« Comme il n'existe pas de tradition de lancement de disque à Montréal et que j'en avais un à lancer, j'ai décidé de vous inviter à une petite fête où, plutôt que de vous installer devant une machine pour vous les faire écouter, ce que vous pouvez très bien faire chez vous, je vous interpréterais moi-même mes dix chansons pour vous donner une idée de ce que je suis et de ce que je fais... »

D'autres applaudissements encore, plus nourris cette fois, on veut lui montrer qu'on trouve son idée originale.

« Évidemment, vous n'entendrez pas les beaux arrangements de Jacques Gratton, la scène est trop petite pour y installer un orchestre. Je veux, cependant, m'en excuser publiquement et officiellement auprès de lui... »

Quelques rires ; Coco, au premier rang, baisse les yeux.

« On peut y aller, maintenant. »

L'éclairage commence à baisser. François peut très bien voir son fan club retenir son souffle ; les corps se sont redressés, quelques mains triturent des chaînes en faux or ; Édouard brille quelques instants dans sa robe blanche et sa perruque rouge, puis disparaît presque, mais pas complètement ; il luit dans la pénombre, pâle bouée de taffetas et de satin que François fixe, reconnaissant.

« Durant les trois quarts d'heure qui viennent, vous allez faire la connaissance d'un jeune homme qui arrive en ville pour s'émanciper ; vous allez assister à ses aventures, à sa quête, à ses déboires pour, je l'espère, finir par l'aimer et le comprendre. Un peu. »

Quand la lumière revient, François a posé sa guitare par terre à côté de lui. Il se tient bien droit, beau comme un dieu et animé, tout à coup, ou plutôt armé d'une énergie qu'on ne pouvait pas lui soupçonner quelques secondes plus tôt ; tout à l'heure, c'était un beau gars traqué qui s'apprêtait à chanter ses compositions ; là, sous le pauvre éclairage du Patriote, il grandit, il palpite, on dirait que, s'il écarte les bras, il pourra toucher les murs de la boîte à chansons, les repousser pour agrandir son espace vital. Ce qu'il fait. Il écarte les bras, les spectateurs ne respirent plus.

Il entonne sa chanson a cappella, *Le Pont Jacques-Cartier.*

La demi-heure qui suit est un pur ravissement. Passant du piano à la guitare, omniprésent sur scène, charmeur ou touchant, et même bouleversant dans ses compositions les plus fortes, François mord dans ses chansons, leur donne tout leur sens, en tire tout le jus.

D'emblée, le public comprend qu'on va lui raconter une histoire. Il suit avec beaucoup d'intérêt l'arrivée du jeune homme en ville, cette traversée à pied du Saint-Laurent par le pont Jacques-Cartier, chantée a cappella comme on se fredonne à soi-même un air qu'on improvise, puis son introduction à la vie urbaine, ses nuits d'abord solitaires au creux d'un lit encore inconnu. François croit deviner qu'on comprend très bien ce dont il est question dans *La Ville, la nuit, le creux de mon lit* et il s'en réjouit. Le public s'amuse ensuite beaucoup au premier souvenir d'enfance évoqué par le personnage, le fameux *Petit Comique*. (François dit avant de la chanter : « J'avais juré de ne plus jamais interpréter cette maudite chanson devant un public, mais comme vous n'êtes pas un public payant et que je n'ai pas l'intention de vous faire une crise... ») Les deux cents spectateurs chantent en chœur, tapant des mains et turlutant quand le refrain l'exige, même ceux qui en sont le plus écœurés, parce que François se fait irrésistible. *L'Homme qui pleure* touche par sa grande sincérité. On a rarement entendu en chanson le portrait d'un père qui soit aussi précis, qui décrive aussi précisément ce qu'on ne comprend pas soi-même chez son père ; tout le monde, surtout les auteurs-compositeurs présents, voudrait avoir peint ce portrait ; on lui fait une réception plus que chaleureuse, un peu teintée de jalousie chez quelques-uns, bien sûr. *Paris, paqueté* déconcerte par sa description éclatée, à travers une poésie dissonante,

310

inattendue, de la grande ville aux pièges irrésistibles mais somme toute prévisibles et bien banals,
où l'alcool sert de carburant, de miroir déformant
et de portique à la chute finale. Les images sont
tellement fortes, cependant, et la poésie si originale, que le public se laisser gagner petit à petit
par l'angoisse qui se dégage de cette chanson et
sort rompu des sept minutes qu'elle dure, mais
aussi euphorique. C'est le premier vrai triomphe
de la soirée. Pendant *La Chandelle par les deux
bouts*, toutefois, des toussotements montent dans
le Patriote, mais ce sont des toussotements de
gêne, d'inconfort. La chute du libertin est trop
bien racontée pour que quelques-uns des spectateurs ne se sentent pas visés. Des épaules s'arron-
dissent, des regards se baissent sur les verres vides
et les cendriers pleins ; certains n'osent pas regarder leurs voisins de table. Si personne ne pense à
une maladie en particulier en écoutant François
chanter, tout le monde pense à la vie comme
maladie, la métaphore est réussie, le but visé est
donc atteint. La réception n'est pas froide, au contraire, mais François sent qu'il a visé trop juste et
qu'on lui en veut un peu. Et peut-être ne com-
prend-on pas pourquoi son personnage est rendu
si loin, si près de la mort, après seulement six
chansons. Mais celui-ci évitera la mort pour aborder les vraies questions...

Une demi-heure s'est déjà écoulée. Tout va bien.

Le grand moment est arrivé. François va donner
son premier grand coup, celui qui colorera tout ce
qui précède d'une teinte nouvelle, et surtout complètement différente, qui fera réfléchir rétrospecti-

vement, en introduisant l'élément le plus important, jusque-là omis exprès, qui explique tout.

Le public prend d'abord *Le Mal vert* comme
une autre version d'*Othello*, en plus moderne et
ayant pour décor une ville bien différente de
Venise. Puis, doucement, il se rend compte que le
trio de cette chanson n'est pas habituel, qu'il est
composé de trois hommes et qu'il s'agit là d'un
amour qu'on n'a jamais osé chanter de cette façon.
Le choc ne vient pas du fait que François ait écrit
une chanson homosexuelle, tout le monde dans la
salle connaît ses mœurs, plusieurs spectateurs ont
même été ses amants, mais de la franchise et de la
simplicité avec laquelle il décrit la jalousie d'un
homme qui se sent abandonné par un autre. Personne n'a jamais fait ça d'une façon aussi «officielle» avant lui, et une espèce de gêne mêlée
d'admiration gagne les deux cents spectateurs présents, cette crème de la crème, ce tout-Montréal,
ce pouvoir derrière le talent, le public le plus dangereux de tous. Les fans de François se sont redressés sur leur chaise, Édouard a porté sa main à son
cœur. François est au piano, il reste de profil à la
salle, il regarde droit devant lui. *Le Mal vert* est
une magnifique chanson, mais on ne sait pas au
juste à quoi attribuer le triomphe qu'on lui fait, à
ses qualités qui sont évidentes, ou au courage de
son compositeur. Les applaudissements frisent la
frénésie, ne semblent pas vouloir s'arrêter. François
se dit mon Dieu, c'est peut-être déjà gagné, c'était
donc si facile?

Tel que prévu, *Fanfreluche* arrive comme une
diversion, comme un bonbon rafraîchissant qu'on

déguste après un moment de malaise. On se dit que François a posé un geste courageux, qu'il a composé avec *Le Mal vert* une œuvre qui parlait vraiment de lui-même sans déguisement et sans artifice, mais que le reste du spectacle (le reste du disque, donc) sera de la même veine que le début, touchant, mais toujours transposé. L'honneur est sauf, une chanson homosexuelle sur dix, c'est déjà infiniment supérieur à tout ce qui s'est fait jusque-là, ça peut même s'interpréter comme un geste insolent et courageux. Quelques-uns en sont soulagés, d'autres, le fan club de François, bien sûr, mais aussi des femmes et des hommes que *Le Mal vert* concernait personnellement et qui ont vu, l'espace d'une chanson, une lumière au bout du tunnel, la parole après tant d'années de silence, se sentent abandonnés et se renfrognent sur leurs chaises de paille. Pourquoi se contenter d'une chanson de cette eau, si les autres en sont une négation? Mais il faudra réentendre les autres, pour dépister, pour débusquer les choses qui y sont sûrement cachées... On verra.

Tous se réconcilient, cependant, autour de *Samarcande*, si originale, si audacieuse, si parfumée. Ce n'est rien et c'est tout, une énumération de noms de villes, de prime abord sans intérêt, mais que François a magnifiée grâce à une musique absolument irrésistible, et qu'il magnifie encore, en colorant au piano ces bribes de phrases musicales entrecoupées, mêlées les unes aux autres, une Babel de musique qui chante en même temps toutes les cultures et toutes leurs odeurs. On a presque oublié *Le Mal vert* et c'est ce que François voulait. Il chante Samarcande, et Valparaiso, et Singapour, et on a l'impression que le toit du Patriote s'est effondré, que les ciels de partout apparaissent, qu'on peut apercevoir en même temps la Croix du Sud et la Grande Ourse.

Le public est hystérique, le chanteur salue longuement. À une autre époque, on aurait bissé *Samarcande*, mais cela ne se fait plus et, de toute façon, François a d'autres chats à fouetter.

Lorsque le silence est revenu, il prend sa guitare qui n'a pas servi depuis *L'Homme qui pleure*, et vient s'asseoir au bord de la scène, sans micro. Il sourit; on croit qu'il est heureux du triomphe qu'on vient de réserver à *Samarcande*.

Et, pour la première fois de la soirée, il a besoin d'aller puiser du courage au fond des yeux d'Édouard, le vendeur de chaussures qui se prend pour Germaine Giroux.

Il sait que, sans micro, sa voix sera grêle dans le Patriote bourré et enfumé, que les spectateurs seront obligés de tendre l'oreille pour l'entendre, d'étirer le cou pour le voir, de se concentrer pour ne rien perdre de ce qu'il va leur dire; il fait même exprès de commencer cette dixième et dernière chanson presque tout bas, comme une confidence.

Il a dû refondre complètement *Mon amour, ma vie, ma perte* pour lui donner son aspect actuel. Il ne s'agit pas tant de la musique, qu'il a gardée presque intacte, parce qu'il en était assez satisfait et qu'il savait pouvoir la transposer facilement, mais du texte. Ce qui était une déclaration d'amour sans espoir à une personne dont on aurait pu croire qu'elle était une femme qui le faisait souf-

314

frir, est devenu l'aveu de la passion, non pas du corps *d'un* homme, ce qui déjà aurait été téméraire, mais de celui *des* hommes. L'amour, la vie, la perte dont il est question ici sont l'enveloppe charnelle, l'aspect physique, un aveu brusque et franc, sans détour, de la passion pour la beauté des hommes, pour leur corps, surtout, parce qu'on n'a pas le temps de s'attarder à l'âme quand l'amour est passager, que la passion sera courte, que la perte est inévitable. C'est un appel au droit de les aimer tous et de les convoiter sans se sentir obligé de s'attarder à un en particulier, comme Don Juan pour les femmes, quitte à se voir condamné comme lui à être précipité aux enfers de l'Inquisition moderne. Non seulement l'amour est-il libre pour le narrateur dont on vient de raconter la vie par bribes de quelques minutes chacune, comme un miroir brisé dont on tenterait de réunir les éclats, mais il se doit d'être multiple et sans port d'attache, teinté par la désespérance de finir sa vie seul, mais heureux de ne jamais avoir menti. C'est franc comme du Brassens, et François interprète cette chanson avec la même simplicité que le grand Georges, surtout dans les passages les plus risqués. Il va très loin, chante des liquides et des liqueurs bien précis, des moustaches et des torses velus, des sexes qui n'ont rien d'équivoque.

Un grand sourire aux lèvres parce que tout trac l'a quitté — c'est à ça qu'il voulait en venir, c'est ça qu'il disait vraiment tout ce temps où il se croyait obligé de mentir, le saviez-vous, l'aviez-vous deviné? —, il regarde les spectateurs droit dans les yeux, chacun à son tour, du moins ceux qu'il peut voir d'où il est assis, pour les mettre au courant un à un, personnellement, comme des amis. On pourrait sculpter l'air, tant le silence est épais, palpable. Ceux qui soutiennent le regard de François, ne serait-ce qu'une seconde, sentent qu'on déshabille leur âme, qu'on la remue, qu'on l'interroge, surtout, et qu'il faudra trouver une réponse, peut-être même avant la fin de la chanson : ou bien on rejettera cet insolent et ses exigences — parce qu'il exige qu'on l'accepte sans condition ou qu'on le rejette définitivement — ou bien on lui ouvrira les bras, à lui et à tous ses semblables. À lui d'abord, parce qu'il aura eu le courage de vous le demander en face.

François contemple des visages bouleversés ou étonnés, essaie de saisir les regards fuyants de ceux qui ont baissé la tête quand ils sentaient leur tour venir — les goujats, bien sûr, qui ont le poignard à la main, mais le regard insaisissable —, il reçoit des sourires d'encouragement qui l'émeuvent — le nain Carmen s'est agenouillé sur sa chaise pour mieux le voir —, il regarde des larmes couler et des mouchoirs essuyer des joues puis, arrivé à la table de son fan club, il a un choc auquel il ne s'attendait pas. Il croyait trouver là de la reconnaissance et de la fierté, il les a effectivement découvertes chez Philippe et la plupart de ses amis, mais, à son grand étonnement, il lit sur la figure d'Édouard une détresse insondable, presque du désespoir. Il s'attarde sur la fausse Germaine Giroux, il attend un signal, une réponse à son froncement de sourcils. Édouard secoue lentement la tête de gauche à droite, puis de droite à gauche, en jouant avec son collier d'émeraudes en verre coloré. On dirait qu'il veut prévenir François de quelque chose. Mais de quoi? Un danger? Quel danger? La détresse d'Édouard est si grande que c'est lui, cette fois, l'effronté, le provocateur, le précurseur, qui détourne le regard, en choisissant d'oublier ce qui semblait être un avertissement. Et il l'oublie. Instantanément.

Arrive le dernier couplet. François a fait le tour de la salle, sa confession s'achève, il peut revenir à lui-même, terminer en douceur sans regarder personne en particulier. Le couplet est très beau; il y est question d'odeurs et de touffeurs, de lourdeurs et d'envies de dormir, mais cette fois sans précision, et tout le monde se retrouve en même temps dans un même lit défait où des choses sublimes, sans genre particulier, viennent de s'accomplir. Un appel à l'amour universel et à la tolérance, qui finit tout doucement comme toutes les nuits d'amour.

La chanson terminée, le noir se fait très lentement — les yeux gris de François sont les derniers à s'éteindre —, et dans un silence total. Cinq secondes, cinq longues secondes passent avant que le premier bravo s'élève et que les applaudissements explosent, cinq interminables secondes, pendant lesquelles François se trouve l'homme le plus heureux du monde. Tous ses questionnements, tous ses doutes, tous ses efforts valaient ces cinq interminables secondes de pure joie, pendant lesquelles il a été parfaitement convaincu qu'il avait eu raison d'en faire à sa tête, de suivre ses instincts, de s'afficher enfin tel qu'il est.

317

Quand la lumière revient, la salle est debout; seul François est assis, la guitare sur les genoux, un sourire indéfinissable sur les lèvres. Sa tête dépasse à peine celles des spectateurs, qui ne voient que ça de lui, sa belle tête toute pâle qui semble flotter dans le Patriote surchauffé.

*

Les félicitations terminées, les invités partis, la loge vidée des éclats de voix, des exclamations péremptoires, des compliments exagérés (quelques-uns, cependant, l'ont touché: Renée Claude, par exemple, lui disant de sa voix douce et chaude qu'elle aimerait bien qu'il pense à elle; Monique Leyrac, évidemment, qui a parlé non seulement de la beauté des chansons, mais aussi de courage, ou Tex Lecor, son ancien patron, qui s'est contenté de le serrer dans ses bras), François s'est retrouvé seul dans la loge avec le nain Carmen. Il a fini de se démaquiller en silence, se frottant énergiquement la peau avec une crème démaquillante à base de tilleul, dont il hume avec plaisir la saine odeur de grand air.

«J'peux-tu te parler, ou ben donc si t'aimes mieux qu'on reste comme ça?»

Carmen, installé dans un fauteuil défoncé à côté de la table de maquillage, voudrait bien respecter le silence de son ami, mais son enthousiasme pour ce que François vient d'accomplir est trop grand, il a besoin de l'exprimer à haute et claire voix, il aurait envie de crier, de taper dans ses mains, d'embrasser l'auteur de ces deux chansons qui vont, il en est persuadé, changer la vie des homosexuels du Québec. Celle des autres aussi, puisqu'il leur sera bien difficile de résister à un appel à la tolérance d'une telle force et d'une si grande sensibilité.

«Vas-y... De toute façon, je sais que j'pourrais pas te retenir. Mais recommence pas avec ton histoire de porte-drapeau, par exemple, ça, j'veux pas en entendre parler, j'veux être très clair là-dessus... Mais parle-moi de mes chansons...»

Il sourit, regarde Carmen dans le miroir.

«J'veux entendre des choses intelligentes au sujet de mes chansons, Carmen, pas juste des compliments comme la plupart de ceux qu'on vient de me faire...

— Y' avait tellement de monde dans la loge, personne avait le temps de développer sa pensée! Pis comme si t'avais pas aimé ça!

— J'ai pas dit que j'avais pas aimé ça...

— T'aurais dû te voir! J't'avais jamais vu utiliser ton «irrésistible» charme à ce point-là, même pas dans les bars!

— J'étais pas si pire!

— François! Tu draguais chaque personne qui passait la porte de la loge! Chus sûr que les hommes te sentaient dans leur pantalon pis les femmes dans leur décolleté! C'est pas de ta faute, t'es pas capable de t'en empêcher!»

François revisse le bouchon de sa bouteille de démaquillant.

«C'est pas un compliment, ça, Carmen, c'est une bitcherie!»

Carmen saute à bas de son fauteuil, s'appuie contre la table de maquillage qui lui vient presque aux épaules.

« Tu sais ben que mes compliments commencent toujours par des bêtises, parce que j'ai toujours peur d'avoir l'air d'un téteux... Un compliment, en v'là un : on était quoi, deux cent cinquante, ce soir ? Ben dans vingt-cinq ans, y vont être deux mille à se vanter d'avoir été là ! C'est le plus beau compliment que je pouvais te faire. Pour ce qui est des chansons, tu sais ce que j'en pense, chus toujours un des premiers sur lesquels tu les testes.

— Je sais que tu les aimes. J'veux juste... J'aurais besoin d'entendre autre chose que des adjectifs qui veulent rien dire...

— C'est tout ce qu'on peut te donner, ce soir, François. À cause de l'émotion. À cause de l'admiration. Pour les analyses de texte, va falloir attendre les critiques écrites...

— C'te gang d'épais-là...

— Y' ont encore presque jamais parlé de toi pis tu les traites déjà d'épais...

— Y suffit de les lire pour le savoir...

— Pourquoi tu dis ça ? As-tu déjà une idée de ce qu'y vont dire de toi, les Patriotes t'en ont-tu parlé ? »

François n'a pas le temps de répondre que deux petits coups sont frappés à la porte.

« Ça doit être eux autres qui s'impatientent, justement... Tu t'en vas manger avec eux autres ?

— Oui, pis j't'emmène !

— Y peuvent pas me voir en peinture !

— Ben y vont t'endurer en personne!»

François ouvre la porte. Un grand jeune homme barbu, rose de timidité, presque tremblant, se tient devant la porte des toilettes qui fait face à celle de la loge. Il a dû reculer après avoir frappé, soudainement atterré par l'audace de son geste. Incapable de s'exprimer, il reste pétrifié, et un silence plutôt gênant s'installe entre eux. François le prend pour un score dont il ne se souvient pas et décide de faire semblant qu'il le reconnaît tout à coup, juste pour mettre fin au silence.

«Ah, salut! Ça va bien?»

L'autre rougit encore plus.

«On se connaît, non?»

Le jeune barbu s'approche, étire le cou pour regarder Carmen, derrière François, qui dissimule tant bien que mal son fou rire dans les objets de toilette éparpillés sur la table de maquillage et son bouquet de soupirs de bébé.

«Excusez-moi de vous déranger, tous les deux. Vous vous souvenez probablement pas de moi... On s'est rencontrés y' a cinq ans, après une représentation de *Roméo et Juliette* où tu faisais de la figuration, François...»

Ce dernier et Carmen sursautent, se regardent avec un air de connivence, et c'est Carmen qui parle le premier.

«Ah! ben... Si c'est drôle! On s'est justement demandé ce que t'étais devenu y' a pas deux semaines! Tu portes la barbe, maintenant?

— Oui. Depuis deux-trois mois. Aimes-tu ça?

— Ça fait artiste. Si c'est ce que tu voulais. Es-tu artiste?

321

« — Oui. Enfin, non. En tout cas, pas officiellement. »

Le jeune homme a sorti un billet de dix dollars
qu'il tend à François.

« Y'en a un de vous deux, j'me souviens pus
lequel, qui m'avait prêté de l'argent pour que
j'aille louer une chambre avec un gars que j'avais
rencontré ce soir-là*… J'ai toujours voulu vous le
remettre, mais j'étais trop gêné… Même ce soir, ça
m'a pris tout mon petit change pour venir frapper
à la porte de la loge… »

François et Carmen lui serrent la main chaleureusement. Carmen, surtout, semble ravi.

« Remets ça dans ta poche, voyons donc !

— Ben non, une dette, c'est une dette… »

François lui ébouriffe les cheveux coupés courts,
façon César.

« Tiens, paye-nous une bière, ça va faire pareil. »

Ils se dirigent tous les trois vers le bar où les
Patriotes attendent impatiemment François.
Celui-ci leur envoie la main.

« J'arrive ! Ça sera pas long ! J'viens de rencontrer une vieille connaissance ! »

Jean-Claude leur demande ce qu'ils veulent,
tout en balbutiant des compliments à François.

Carmen, lui, est déjà en grande conversation
avec le jeune homme.

« L'as-tu revu, toujours, ton Anglais ? Comment
y s'appelait, donc, j'm'en souviens pus…

— Y s'appelait Alan, pis non, je l'ai jamais
revu… »

* Voir *La Nuit des princes charmants.*

322

Il se tourne tout à coup vers François.

« Excuse-moi, c'est niaiseux, j't'ai même pas parlé de ton spectacle... C'était tellement magnifique ! Tellement courageux, aussi ! J'connaissais déjà plusieurs de tes chansons, mais les dernières... c'tait sublime ! »

Une main parfumée se pose sur l'épaule de François, qui sursaute. Il se retourne.

Le barbu continue à parler, mais François ne l'écoute déjà plus. Sauf pour la couleur — ils sont bruns plutôt que de cette teinte violacée de ceux de l'actrice —, ce sont les yeux de Germaine Giroux qui le regardent. Et il y lit une grande détresse. La même, si dérangeante, que pendant le spectacle.

« Édouard ! J'me demandais comment ça se faisait que vous soyez pas venu me voir, tout à l'heure, avec Philippe de Bellefeuille...

— J'l'ai laissé aller se pâmer à son aise... C'que j'avais à te dire, moi, ça se dit pas au milieu d'une foule en délire. J'peux-tu te parler ? »

La voix est faible, ce qui est plutôt étonnant pour Édouard, qui s'exprime habituellement d'une façon énergique, péremptoire, surtout lorsqu'il se dissimule derrière un personnage.

« Mon Dieu ! Vous avez donc ben l'air dramatique !

— C'que j'ai à te dire est important. En tout cas, j'pense que ça peut l'être...

— Vous piquez ma curiosité... »

Il se tourne vers les deux autres.

« Excusez-moi. Ça sera pas long. Édouard a quelque chose d'important à me dire... »

*

La première chose que la fausse Germaine Giroux fait en entrant dans la loge est d'enlever ses boucles d'oreilles avec des gestes bien peu féminins. Les deux objets, visiblement trop pesants, atterrissent sur la table de maquillage avec un bruit de ferraille.

«Maudits pans d'oreilles! Ça coûte une fortune pis c'est même pas d'la vraie or! J'y avais dit, au gars, pourtant: si c'est pas de l'or, m'as le savoir tu-suite parce que les oreilles vont me verdir! Ben y m'ont pas juste verdi, verrat, on dirait qu'y sont en train de pourrir! R'garde, si ça continue, j'vas être obligé de me mettre à quatre pattes à terre pour aller les ramasser sur le tapis!»

Il se penche vers François qui sent aussitôt son haleine de cigarette et d'alcool mal dissimulée par une gomme balloune mâchée depuis trop longtemps.

«On est pas venus ici pour parler de vos oreilles, Édouard…»

L'autre, tout en parlant, jette sur la loge du Patriote un regard de connaisseur où on peut lire un mélange de surprise et de déception. Ce saint des saints-là ne semble pas l'impressionner outre mesure.

«T'as ben raison. J'parlais juste pour gagner du temps. Assis-toi.»

Édouard s'installe devant la table de maquillage; il ne reste donc à François qu'à se jeter dans l'énorme fauteuil défoncé réservé aux invités, ce qu'il fait avec une certaine exaspération.

Aussitôt, et il répétera ce manège pendant tout le temps qu'il parlera à François sans jamais le regarder, un peu comme s'il ne s'adressait pas vraiment à lui, Édouard se met à fourrager sur la table, déplaçant les pots de crème et les pinceaux à maquillage, pigeant, pour se tamponner le nez, un kleenex dont il n'a pas besoin, se penchant sans cesse vers son image pour vérifier l'état et la couleur de ses oreilles, tournant la tête pour voir l'effet des accroche-cœurs de sa perruque rousse sur le blanc laiteux de sa peau, rectifiant son rouge à lèvres avec un bâton sali et gras puisé dans son réticule constellé de pierres fausses qui semble boire toute la lumière des ampoules électriques vissées autour du miroir pour la recracher un peu partout dans la petite pièce. Il est visiblement nerveux et cache sa nervosité sous une fausse vivacité de fausse femme du monde, que François trouverait amusante en toute autre circonstance, mais qui, en l'occurrence, lui tombe sur les nerfs.

« Y vont te couper en petits morceaux.

— Qui ça ?

— Laisse-moé parler. Je sais pas exactement qui. Mais eux autres en général. Une bonne partie de ceux qui étaient là à soir.

— Pourquoi vous dites ça ? La loge était pleine, après le spectacle, pis y' avaient tous l'air touchés…

— Ceux qui sont venus, oui…

— Avez-vous entendu des choses ? C'est ça que vous êtes venu me dire ? Vous avez entendu des choses ? »

Un court silence suit. Édouard s'empare d'une poudrette et disparaît rapidement dans un nuage de poudre de riz qui le fait tousser un peu. Et il commence sans préambule un discours embrouillé, où François a d'abord du mal à se retrouver.

« Tu comprends, pour le monde comme moé, c'est pas grave, y sont habitués. On est là pour les faire rire. On se met n'importe quoi sur le dos, on fait les folles, pis y ont du fun. Je le sais que chus juste un bouffon, pis j'en profite en riant d'eux autres caché derrière mon maquillage exagéré, pis engoncé dans mon corset trop petit, attaché trop serré. Pis en profitant d'eux autres, aussi, parce que j'me retiens pas pour cruiser tous les hommes que je veux. Y doivent ben savoir que chus vraiment aux hommes, mais chus t'habillée en femme quand j'en parle, ça fait que c'est pas grave, parce que c'est une image de femme qui parle… Quand je parle comme ça habillé en homme, j'ai peur de me faire tirer des tomates, pis de m'attirer des bosses, ça fait que je continue à faire la folle, j'en remets, j'exagère encore plus, pis là aussi y finissent par l'accepter. Parce que chus un bouffon. Pis qu'un bouffon, on prend pas ça au sérieux. »

Il s'arrête une seconde, le temps de reprendre son souffle. Germaine Giroux reste suspendue dans la poudre de riz, les deux Germaine Giroux, en fait, parce que François les regarde toutes les deux, la première, reflet caricatural de l'actrice qu'il voit de profil et qu'il pourrait toucher en étirant la main, la deuxième, reflet d'un reflet, qui se regarde dans les yeux, comme si elle voulait s'hypnotiser elle-même. Puis François se concentre

326

sur la bouche carmine d'Édouard d'où, il le sent, va sortir une sorte de châtiment fatal, une condamnation qu'il n'avait pas prévue. Surtout pas après le triomphe qu'il vient de connaître.

« Mais toé... »

La voix est toute menue, tout à coup. C'est-à-dire que c'est toujours la voix d'un homme, rauque et grenue à force d'abus de toutes sortes, cigarettes et alcool, cris stridents sur un ton qui n'est pas le sien et perpétrés sur un trop grand nombre d'années, mais diminuée, rétrécie, presque inaudible, un souffle qui a mal à naître.

« Toé... Y le prendront pas... Y le prendront pas de quelqu'un qui a l'air de c'que t'as l'air. Y le prendront pas d'un gars qui a l'air d'un gars, pis qui dit qu'y' aime les gars simplement, sans se mettre une perruque sur la tête, pis sans faire des grimaces. T'es trop beau, tu casses toutes les idées qu'y se sont faites de nous autres. Y sont pas prêts. En l'an 2000, peut-être, les chanteurs comme toé vont pouvoir en parler, on s'en reparlera si on est encore là, mais pas tout de suite. Pas là. Y sont pas prêts. Ça veut pas dire qu'y' ont pas trouvé tes chansons belles. Ça veut juste dire qu'icitte, aujourd'hui, y' ont pas le droit de dire à voix haute c'qu'y pensent tout bas. Pis y seront pas assez courageux pour le faire. Un par un, y vont te dire que t'as eu raison, que t'es le premier, que t'es courageux, mais publiquement... y vont te condamner. Si t'étais venu me voir, François, si tu m'avais demandé mon avis, j't'aurais dit de continuer comme avant, de maquiller tes chansons comme tu le faisais au El Cortijo, de chanter pour nous autres, les *happy few*, pour ceux qui comprennent, pour ceux qui savent, pis d'envoyer chier les autres, en nous faisant des clins d'œil à nous autres, parce qu'on est de la même race. Pis sais-tu quoi? Le plus terrible, c'est que venant de quelqu'un comme moé, une caricature, ces chansons-là seraient plus acceptables pour eux autres. »

La bouche s'immobilise. La source s'est tarie tout d'un coup et François ressent comme un vertige. Il a envie d'ouvrir les bras, de battre des ailes pour ne pas s'écraser en hurlant de douleur sur le plancher de la loge de cette boîte à chansons où il vient pourtant de passer la plus grande soirée de sa vie.

Le silence qui suit est des plus étranges. Les choses ont été dites, entendues, comprises, mais aucun des deux hommes n'a envie d'être là où il se trouve. Il faudrait un nœud dans le temps, un saut de quelques minutes dans l'avenir : François se trouverait au bar en compagnie de Carmen et du jeune barbu, prêt à partir pour un restaurant quelconque où il ferait semblant d'avoir du fun en compagnie d'Yves et de Percival ; Édouard dévalerait les marches du Patriote en pleurant. Mais le nœud dans le temps ne se produit pas, le drôle de silence se perpétue, et ils ne savent ni l'un ni l'autre comment improviser le reste de leur rencontre.

François tuerait volontiers Édouard, il le couperait en gros morceaux qu'il jetterait ensuite par la fenêtre, pour les écouter s'écraser sur le trottoir, deux étages plus bas. Mais il a trop mal pour réagir. Si Édouard a raison, et il sait de quoi il parle, sa vie est finie, son cas réglé en deux chansons de quatre ou cinq minutes chacune. Et il aura été le déclencheur de sa propre chute. Très loin en lui, une petite voix lui dit qu'au moins il aura été brave pendant dix minutes et il se prend à sourire de sa naïveté. Mon Dieu! L'amertume. Déjà.

Quant à Édouard, il réclame la mort en se regardant dans les yeux, parce qu'il sait qu'il vient de la semer dans l'âme de François Villeneuve, l'un des plus grands talents que Montréal ait jamais connus. Il est convaincu, cependant, qu'il a eu raison de le faire. Mieux valait que François soit préparé. Mieux valait que ce soit tout de suite, ce soir même, et de sa bouche à lui plutôt qu'au réveil, demain matin, en ouvrant le journal ou la radio. Parce qu'alors il n'aurait pas compris. Les vraies raisons. La mise à mort sera peut-être subtile, enrobée de compliments empoisonnés, mais elle aura lieu, il le sait. Il a vu le chroniqueur de disques du canal 10 sortir en sacrant, le critique du *Montréal-matin* en grande conversation avec les Patriotes, les bien-pensants de la culture qui sortaient le front bas comme s'ils venaient d'assister à quelque chose d'indécent, qui les avait salis et dont ils avaient eu honte d'avoir été témoins. Et victimes.

François s'attarde longtemps sur la blessure à l'oreille d'Édouard, il espère qu'elle s'infectera, que le tétanos s'y installera et même la gangrène. La gangrène du lobe de l'oreille! Une fin burlesque pour un être grotesque.

Si Carmen n'avait pas fini par frapper à la porte,

ils auraient peut-être passé le reste de la nuit dans la loge, immobiles, l'un regardant l'oreille de l'autre dans l'espoir de la voir se flétrir comme une feuille morte puis tomber, l'autre n'arrivant pas à se foudroyer lui-même de son propre regard.

*

Une bête au cri strident se plaint quelque part dans l'appartement. Il faudrait qu'il se réveille. Il essaie, mais sans y parvenir. En fait, il rêve qu'il se réveille : ses paupières sont lourdes comme si on les avait collées à la partie supérieure de ses joues, il veut les ouvrir, il faut qu'il se lève pour aller battre la bête hurlante ; ses paupières se détachent péniblement, il a dû faire un effort de volonté colossal, il se voit pousser les couvertures, s'extirper du lit (il a l'impression de peser deux tonnes) ; il voit la pièce, mais de guingois, parce qu'il n'est plus la même personne, parce que la nouvelle personne qu'il est devenu durant la nuit se déplace à la diagonale, comme un crabe qui marcherait sur ses pattes arrière ; puis, sans transition, il se retrouve à nouveau dans le lit ; il ne s'était pas réveillé. Il recommence. Il ouvre péniblement les paupières, pousse les couvertures, se lève pour aller faire le tour du lit. Pourquoi faire le tour du lit ? Ah ! Gerry. Contourner Gerry. La bête est du côté de Gerry. Mais pourquoi Gerry ne se réveille-t-il pas ? Le lit, encore, les paupières collées, l'impression qu'il n'arrivera plus jamais à se lever ; la bête stridente, aussi, qui continue, comme une alarme. Une alarme ? Tous ses muscles se relâchent tout à coup; il sursaute, ouvre vraiment les yeux cette fois. C'est le téléphone. Mais où est-il? Il ne reconnaît pas la pièce; il n'est pas chez lui. Ah oui, c'est vrai, il ne vit plus dans l'appartement de Gerry, il est chez Carmen. Mais pourquoi Carmen ne répond-il pas? Et où est le téléphone? Dans la minuscule cuisine, s'il se rappelle bien, il y en a un énorme, noir, un vieux téléphone massif et encombrant qui fait un bruit de bête hystérique quand il sonne et qui est affublé d'un long fil, de sorte qu'on peut à loisir le déplacer dans l'appartement... Mais pourquoi Carmen tient-il son téléphone dans la cuisine, si on peut appeler cuisine ce cagibi désorganisé séparé du reste de l'appartement par un rideau fleuri où se battent des feuilles longues et étroites qu'on dirait dangereuses et des fleurs d'un rouge passé qui n'ont jamais existé?

Son cerveau est une pierre polie, dure et lisse, qui a dû subir pendant toute la nuit l'assaut, le va-et-vient irrésistible d'un ressac qui l'a galvanisée de fatigue. Quoi qu'il en soit, il pense en phrases qui s'entrechoquent, s'entremêlent, s'annulent réciproquement. Non, son cerveau n'est pas une pierre. Mais une soupière. Où bouillonnent des idées brouillonnes. Pourquoi pense-t-il en rimes, comme ça, tout à coup! C'est ridicule! En traversant le petit appartement tout croche qui sent les pigments et la térébenthine, en poussant le rideau qui veut se donner des airs de forêt tropicale, il repasse dans sa tête, à une vitesse folle, comme les bicyclettes traversent le champ de la caméra dans le *Soixante cycles* de Jean-Claude Labrecque, il revoit

comme sortie d'un bouquet d'images la fin de la
soirée de la veille : il a refusé d'aller manger avec
les Patriotes qui sont partis furieux, mais sûrement
soulagés, il est allé boire une bière à la taverne, en
bas, avec Carmen et le barbu. Ah! c'est ça!
Carmen et le barbu sont partis ensemble! Mais il
ne se souvient plus si ces deux-là voulaient finir la
nuit ailleurs ou dans les bras l'un de l'autre. De
toute façon, il ne les écoutait pas, galvanisé par ce
qu'Édouard venait de lui dire. De profil.

Une trentaine de secondes à peine se sont écou-
lées depuis qu'il s'est réveillé quand il décroche le
téléphone, mais il a l'impression d'avoir déjà vécu
toute une journée, une de ces journées épuisantes
au terme de laquelle, en se couchant, le soir, on se
dit qu'on aurait mieux fait de rester au lit. Aurait-
il mieux fait de rester au lit, toute la journée, de
ne pas répondre aux appels de la bête hystérique,
de la laisser crier pour le reste de ses jours? Ses
jours à lui. Ses jours à elle. On aurait bien fini par
savoir lequel des deux avait plus d'endurance... Il
serait devenu fou, elle aurait continué; il serait
mort, elle aurait continué. Parce que ses batteries
à lui ont une limite, mais qu'elle, qui ne pense pas,
peut continuer éternellement à se plaindre sans
jamais s'user...

Il se dit : Quelle drôle d'idée à avoir en allant
répondre au téléphone.

« Allô? Qui que vous soyez, parlez pas fort, mon
cerveau va exploser. »

Il vient de se souvenir de la bouteille de gin qui
a roulé sous le lit quand il s'est levé...

« C'est Gerry. As-tu lu le *Montréal-matin*?

— Comment tu veux que j'aie lu le *Montréal-matin*? Tu viens de me réveiller!

— Ben va l'acheter.

— Pourquoi? Y parlent-tu d'hier?

— Pourquoi tu penses que j'te réveille?

— Qu'est-ce qu'y disent?

— Va l'acheter, tu vas voir.

— C'est si mauvais que ça?

— C'est pas que c'est mauvais... Ç'a rien à voir...

— Gerry, j'te connais depuis assez longtemps... Si tu veux pas me le lire, c'est que ça doit être épouvantable.

— Ça l'est. Mais j'peux pas te dire pourquoi.»

Son cœur sombre dans sa poitrine, atterrit quelque part dans la région de son talon gauche. Le moment est venu d'affronter, quoi? La réalité? Pourquoi affronter la réalité quand il pourrait retourner se coucher, étendre la main pour s'emparer de la deuxième bouteille de gin qui doit bien trôner quelque part. Non. La deuxième bouteille, celle de *spare*, c'est celle qui a roulé sous le lit tout à l'heure. Il n'y en a plus. Il ne peut donc plus s'évader. De la réalité.

«Tu dis rien. Es-tu encore là?

— Ben oui. S'il te plaît, Gerry, dis-moi c'qu'y est écrit dans le *Montréal-matin*.

— C'est pas juste ce qui est écrit. Y faut que tu voies. Pour bien comprendre.»

Il va raccrocher. Sans dire merci, parce que la nouvelle que Gerry ne veut pas lui révéler est sûrement mauvaise. Très. Mauvaise. Les mots clignotent pendant qu'une migraine, une vraie, une cataclysmique, se manifeste quelque part derrière son oreille gauche. Gerry a toujours été le champion de ceux qui se disent vos amis mais qui sont immanquablement les premiers à vous apprendre les tragédies, maladies, morts, disparitions, *mauvaises critiques*, comme pour se repaître de votre souffrance, parce qu'eux-mêmes sont trop sans-cœur pour pouvoir souffrir.

« 'Coudonc, on était pas supposés pus se parler, tous les deux? Y me semble que tu m'as dit y' a pas si longtemps que tu voulais pus jamais entendre le son de ma voix? T'as piétiné ton orgueil pour pouvoir me piétiner le cœur? »

Il raccroche.

Quelle réplique ridicule! «T'as piétiné ton orgueil pour pouvoir me piétiner le cœur!» Franchement! On dirait un téléroman! Un mauvais téléroman! Un très mauvais téléroman! Mais trêve de diversion, y faut remettre ses culottes pour courir à la recherche de la très mauvaise critique…

La pluie de novembre, froide et massive, est un être vivant qui pompe l'air des poumons dès qu'on se retrouve dans la rue pour le remplacer par une sorte de soupe épaisse qui étouffe. François, transi dans son pyjama — cadeau de Carmen pour faire une farce, pour *faire couple*, comme il dit —, à peine recouvert d'un imperméable trop léger, tousse.

Bon, c'est ça, une pneumonie pour couronner le tout!

Le cynisme! Oui, le cynisme! Le cynisme avant le grand coup qui va le tuer.

Il le voit aussitôt en rentrant dans le petit restaurant du coin, le grand coup qui va le tuer.

Une photo de lui, en première page du *Montréal-
matin*. Et le titre, comme un poignard dans le dos,
entre les deux omoplates, juste au bon endroit, là
où ça fait le plus mal, là où ça tue : *L'auteur du*
Petit Comique *avoue son HOMOSEXUALITÉ
dans un spectacle scandaleux.*

Il va acheter tous les exemplaires du restaurant.
Il va faire le tour du quartier pour acheter tous les
exemplaires de tous les restaurants. Il va faire le
tour de Montréal…

L'injustice et la mauvaise foi sont tellement
grandes qu'il meurt sur-le-champ. Et s'il survit à la
mort, c'est par hasard, parce qu'il est une force de
la nature, parce qu'il n'est pas tuable, certainement
pas parce qu'il l'a choisi.

*

« C'est du détournement d'information !

— Non, ce n'est pas du détournement d'information. Vous avez bien avoué votre homosexualité
au cours de votre spectacle d'hier, non ? Vous
deviez bien savoir qu'il risquait d'y avoir des conséquences !

— J'ai pas « avoué » mon homosexualité ! J'en ai
parlé. Tout simplement. Dans deux chansons.
Parmi un groupe de dix. Et ça faisait pas de mon
spectacle un spectacle scandaleux !

— Pour certains, il pouvait l'être.

— Pensez-vous vraiment qu'on peut scandaliser

un journaliste? Les journalistes sont pas des enfants de chœur, voyons donc!»

François se retrouve encore une fois devant la redoutable Charlotte Bonenfant. Qui a, dépliés devant elle, la couverture du *Montréal-matin* et l'article du journaliste Conrad Joannette, qui joue les vierges offensées sur trois colonnes d'une grande intolérance et voue François aux gémonies des Grecs, en faisant un jeu de mots des moins subtils, et aux feux de l'enfer des catholiques, en Torquemada de province qu'il est. À le lire, il faudrait édifier sur la place d'Armes un énorme bûcher sur lequel on immolerait, au milieu de *tous* les exemplaires de son disque, cet auteur-compositeur impie qui ose chanter ce qui ne se dit même pas, et sans l'étouffer au préalable, pour être bien certain de le voir souffrir par le feu qui, peut-être, parce que lui seul en est capable, expierait ses péchés et rachèterait son passage sur terre. Le journaliste conseille aux gens non seulement de ne pas acheter ce disque, mais d'éviter même d'en regarder la couverture. Parce que, ce sont ses propres mots, *ce chanteur, en plus, est beau comme le péché!*

François s'est de lui-même présenté au studio de radio. Le *Montréal-matin* lu, froissé, déchiré, lancé sur le mur, il s'est rappelé que Philippe de Bellefeuille réalise désormais l'émission de Charlotte Bonenfant et qu'il ne peut décemment lui refuser une interview, par simple solidarité. Ne serait-ce qu'une toute petite intervention de deux minutes, le temps de faire entendre sa frustration, sa rage devant un article aussi injuste. À moitié habillé, il a sauté dans un taxi après avoir décroché le téléphone qui n'arrêtait pas de sonner. (Qui donc était au courant qu'il habitait désormais chez Carmen ? Mais c'était peut-être Gerry qui rappelait sans cesse parce que François ne répondait pas.) Il a sacré, il a pleuré — d'abord en silence, puis à gros bouillons, sans honte, sous l'œil étonné du chauffeur de taxi, qui lui a naïvement demandé si sa blonde venait de le quitter —, il s'est ensuite calmé en se disant que ça ne servait à rien d'arriver à Radio-Canada en larmes, que ce n'est pas la pitié qu'il devait inspirer, mais le respect.

Philippe n'a pas semblé étonné outre mesure de le voir arriver en courant, essoufflé et le front couvert de sueur.

« On voulait justement t'appeler pour te demander de commenter l'article de Conrad Joannette, mais je n'avais pas ton numéro de téléphone.

— Vous allez l'entendre en direct, mon commentaire ! »

Mais il avait compté sans le bagout de Charlotte Bonenfant, sa maestria, ses quelque vingt années d'expérience à interviewer tout ce qu'il y avait de plus connu et de plus difficile à aborder, du silencieux Samuel Beckett, qu'elle avait réussi à joindre à Paris en passant par Jean-Paul Riopelle, jusqu'à de Gaulle qui lui avait fait l'affront de lui dire que son accent était charmant, alors qu'elle était persuadée — dix ans chez madame Audet, trois de Conservatoire — qu'elle n'en avait pas, en passant par le trop volubile Georges Simenon et la Divina elle-même, la sublime Maria Callas, lors de son dernier passage à Montréal.

Il s'est donc vite retrouvé sur la sellette, obligé de s'expliquer sur ce qui l'a décidé à parler de son homosexualité dans ses chansons, alors que personne n'a osé le faire jusque-là, Charlotte Bonenfant — elle prononçait son nom *Bononfont*, comme si les «en» étaient trop vulgaires pour elle — étant vite montée aux barricades des bien-pensants qui avaient le droit, selon elle, de montrer leur dégoût devant une chose, une façon d'être, une façon de vivre qu'ils avaient en horreur. Il était allé jusqu'à lui demander si elle parlait en son nom, elle avait répondu qu'ils n'étaient pas là pour parler d'elle, parce que ce qu'elle pensait n'avait aucune importance, mais de lui parce que, oui, elle devait l'avouer, elle admirait tout de même son courage et sa témérité.

Tout ce temps-là, il n'était pas vraiment question des chansons qui se trouvaient sur le disque, que la journaliste tripotait, en parlant, de leurs qualités, de leur pertinence; seul leur sujet sulfureux importait, et François sentait l'impatience le gagner, pire, quelque chose qui ressemblait à de la révolte commençait à lui soulever le cœur, et il avait peur de perdre le contrôle. Comme son père lorsqu'il était en colère.

« Ça sert à rien de parler de l'article du *Montréal-matin*, des journalistes scrupuleux, de l'admiration que vous pouvez avoir pour mon courage, madame Bonenfant, si les gens qui nous écoutent savent pas de quoi nous parlons. On a même pas parlé des chansons elles-mêmes depuis le début de l'interview. Faites jouer une de mes deux chansons. S'il vous plaît. Faites entendre la dernière,

Mon amour, ma joie, ma perte, la pire selon monsieur Joannette, et laissez les auditeurs juger par eux-mêmes. Y faut pas oublier qu'y' avait à peine deux cent cinquante personnes présentes au spectacle, hier soir. Et je vous souhaite d'avoir un auditoire un peu plus large... Y me semble que ce qui importe, c'est de savoir si ces chansons-là sont bonnes! Non? Un disque existe, on le lançait hier, pensez-vous vraiment que les gens ne devraient pas l'acheter à cause du sujet de deux des dix chansons?

— Avouez que ces deux chansons-là colorent quand même le reste du contenu du disque.

— Ben oui, c'est vrai. Pis? Qu'est-ce que ça va changer dans votre vie de savoir que ce chanteur-là parle de son amour des hommes plutôt que de celui des femmes?

— Beaucoup de choses pour ceux qui croient sincèrement que l'homosexualité est une maladie! Et une malédiction!

— Mais c'est des chansons d'amour!

— Ça, c'est vous qui le dites!

— Alors je refuse de répondre à une seule autre question avant qu'on ait écouté une de ces deux chansons-là. »

Il y a un court moment de flottement. Charlotte Bonenfant regarde par-dessus l'épaule de François, qui se retourne. Derrière la cloison de verre qui sépare le studio de la salle de contrôle, Philippe de Bellefeuille rougit subitement parce que François l'a surpris au beau milieu d'un geste d'impuissance.

Charlotte Bonenfant semble désarçonnée. François croit même voir venir le moment où elle ne saura que dire, comme si elle dérapait, tout à coup, et qu'elle ne voulait pas le croire, elle si volubile et si expérimentée. Qu'est-ce qui se passe ?

Elle se racle la gorge malgré elle avant de parler.

« Chers auditeurs, monsieur Villeneuve, on vient de me faire savoir que la haute direction de Radio-Canada refuse de faire tourner ces deux chansons sur les ondes de la radio d'État.... »

François est aussitôt debout.

« La censure ! »

Charlotte Bonenfant fait, elle aussi, une petite moue d'impuissance, que François a envie d'effacer avec une taloche bien placée.

« Non, ce n'est pas tout à fait de la censure... »

François voudrait répondre, foudroyer cette hypocrite, enterrer cette Tartuffe en jupons sous un monceau d'insultes bien placées, d'une confondante pertinence, qui l'écraseraient et la feraient disparaître à tout jamais, sous le plus beau bouquet d'injures jamais composé, sous une symphonie de belles et grandes invectives, mais à son grand désespoir, tout ce qui lui vient à l'esprit, tout ce qui sort de sa bouche, c'est les mots de l'impuissance, cette preuve humiliante d'une carence de vocabulaire héritée de générations de Québécois frustrés, ces mots puisés à même la religion catholique et que les hommes, au Québec, utilisent depuis toujours pour choquer leurs femmes et les curés qui les manipulent, pour affirmer leur virilité, pour se réapproprier un monde qui leur échappe, ces mots que son propre père bannissait de la bouche de ses fils, mais qui fleurissaient à la sienne au moindre revers, à la plus petite déception, et il se met à sacrer à la radio d'État, postillonnant des blasphèmes à la face de Charlotte Bonenfant, qui ne peut que le censurer une deuxième fois en coupant le son.

« Hostie de crisse, de tabarnac, de sacrament, de ciboire, de câlice... Gang de crisse de pognés ! Hosties de trous-de-cul ! »

*

Et Philippe de Bellefeuille lui a dit la chose la plus étrange, la plus inattendue, la plus triste qui soit avant qu'il ne quitte le studio :

« Si jamais t'as besoin d'une job... quand les choses se seront un peu calmées... viens me voir. La radio est le meilleur refuge pour les gars comme nous autres... »

*

Le pont Jacques-Cartier allume ses lampions. Évidemment, c'est moins romantique que dans sa chanson. Dans sa chanson, le ciel est indigo et Montréal pleine de promesses et de désirs confus ; ce soir, la pluie noie tout, rend tout glissant, luisant, impénétrable ; Montréal, quant à elle, est à peine visible à travers cet écran d'eau dont on dirait qu'il est tiré sur elle à tout jamais. Le vent passe à travers l'armature du pont en sifflant sa chanson lugubre.

Il fait terriblement froid.

Tout près, François, malgré les trombes d'eau, peut quand même apercevoir le chantier de Radio-Canada ; la construction de la tour est amorcée, trou hexagonal et brunâtre à peine discernable, parce qu'il est mal éclairé au milieu d'un terrain défoncé, bardé de flaques de pluie et de fondrières laissées par ces monstrueuses machines qui l'encerclent toute la journée comme d'énormes insectes jaunes. Dans un an ou deux, tout ça prendra vie, la moitié d'un grand projet mégalomane — il devait au départ y avoir deux tours.

En attendant, quelque chose de lunaire se dégage de ce chantier quand il fait beau. Et lorsque, comme ce soir, tout est noyé dans la pluie, on se croirait au début d'un film de science-fiction, alors que les petits bonshommes verts, yeux globuleux et antennes menaçantes, viennent détruire la terre ; on s'attendrait presque à voir une soucoupe volante se poser, un être repoussant en sortir qui dirait avec un fort accent d'Oxford, parce que les extraterrestres dans les films américains ont toujours un accent british : « *Take me to your leader !* »

François rit à cette pensée, la bouche grande ouverte sous la pluie glacée qui goûte la suie et des restes de houblon charriés par le vent depuis l'usine, pardon, la brasserie de la compagnie Molson.

Ses idées sont pour le moins confuses. Des bribes d'idées, en fait, parce qu'il n'arrive pas, depuis plusieurs heures, à se fixer sur une seule assez longtemps pour pouvoir en faire le tour. C'est qu'il vient de battre son propre record : il a ingurgité un quarante-onces de Beefeater en moins de deux heures, et il ne se rappelle plus trop comment il est arrivé ici, sur le tablier du pont, malgré le mauvais temps, à essayer d'apercevoir Montréal, la ville qu'il n'a pas conquise. A-t-il marché? S'est-il rendu jusqu'à l'entrée du pont en taxi? Il se souvient juste qu'en terminant la bouteille, au moment où il allait la lancer contre le mur de la station de radio CKAC, il en était très fier. De son record personnel.

Il se sentait homme; un homme ça boit, ça se saoule quand ça va mal, ça va pisser contre le mur de ses patrons, mais la nuit, bien sûr, quand il fait très noir, quand personne ne peut le voir. Parce qu'un homme, c'est pissous. Profondément. Génétiquement. Par définition, un homme c'est pissous, chie-en-culottes, lâche. Boire, c'est lâche. François Villeneuve est lâche. Il le proclame, bien fort, en se tenant sur la pointe des pieds, l'index dressé vers la ville maudite, la maudite ville, qui ne l'entend pas. Et qui s'en fout. Complètement.

Pisser. Il extirpe tant bien que mal son sexe de son pantalon, le secoue en l'honneur de Montréal qui en a bien profité, la vilaine, mais qui refuse de lui renvoyer l'ascenseur, et pisse à travers les barreaux dans le fleuve Saint-Laurent en bas, loin, si loin. Et si beau. Dans sa chanson.

Il pose le front sur la rambarde de métal. Un haut-le-cœur le secoue. Ça lui ferait du bien d'être malade. Il ne veut pas se faire du bien. Parce qu'il a trop mal et qu'il doit se rendre au bout, au fond de ce mal.

Après avoir connu la plus belle soirée de sa vie, il vient de traverser la pire semaine de son existence. Mais dans l'état d'ébriété avancée où il est, seules des bribes de cette semaine lui reviennent à l'esprit, les pires, bien sûr, les plus humiliantes, les plus cuisantes. Il s'est débattu contre l'intolérance, l'ignorance, il a crié — dans le désert parce qu'on lui refusait le micro depuis sa crise dans le studio de Radio-Canada —, il a hurlé, il a voulu défoncer des portes et des visages, il s'est fait traiter de tapette dans les rues par des gens mal informés. Il leur répondait : C'est vrai que chus tapette, mais laissez-moi m'exprimer, écoutez au moins mes chansons. Ça se terminait toujours par une fin de non-recevoir, on ne voulait pas l'écouter, on changeait de trottoir pour éviter de le croiser.

À Carmen, qui faisait ce qu'il pouvait pour le calmer, il disait qu'il avait l'impression de vivre un mélodrame, d'être le héros d'une pièce des années trente où le protagoniste doit racheter un péché qu'on ne veut pas nommer, parce qu'il est innommable, mais que lui se fait un malin plaisir de hurler à la face des spectateurs, à la fin du premier acte, les deux derniers consistant à dépeindre sa chute. « Comme dans *La Chandelle par les deux bouts* ? » demandera Carmen. Et François ne saura pas lui répondre.

Le pire, le plus insultant de tout, c'est le silence qui s'est fait autour de son disque au cours de cette semaine fatidique. Les premiers jours, on s'est insurgé, on a couvert François d'injures, on a condamné son arrogance et sa présomption, on a continué à jouer les scandalisés, la main sur le cœur et le verbe tremblant, mais, à l'instar de

344

Radio-Canada qui avait donné l'exemple, sans jamais faire tourner les deux chansons dont il était question, sans non plus diffuser les autres, les inoffensives, ni même le maudit *Petit Comique* si connu; petit à petit, un consensus s'est fait: il était plus facile, pour s'en débarrasser une fois pour toutes, de ne plus parler de François Villeneuve. Dans ce pays adolescent boutonneux plein de soubresauts, au seuil d'une prise de conscience vitale, où on a, à peine cinq ans plus tôt, émasculé *Hiroshima, mon amour* au point de le rendre méconnaissable et où, à la fin des années cinquante, on a osé bannir des ondes la chanson *Jos Monferrant* de Gilles Vigneault parce qu'on y retrouvait le mot «cul» — sans parler de la trilogie de Pagnol, œuvre pourtant innocente s'il en fut, qu'on a réduite en charpie par hypocrisie —, dans cette province éloignée qui n'a pas encore tout à fait décidé de se rapprocher du reste du monde, la censure est encore reine, même si elle n'est plus officielle, les censeurs toujours redoutables, et l'ignorance crasse y creuse toujours son nid puant. Cela achève, mais François Villeneuve, sans le savoir, en sera une des dernières victimes.

Tous se sont détournés, donc, la télévision, les journaux, la radio. Une ou deux autres premières pages sensationnalistes ont paru parce qu'elles avaient déjà été imprimées et que les remplacer aurait coûté trop cher, puis, très vite, plus rien. Ce qui a le plus choqué François, c'est que personne, en fin de compte, n'a jamais parlé des qualités de ses chansons, comme il l'avait reproché à Charlotte Bonenfant dès le lendemain du

345

fameux spectacle. Personne n'a dit que c'étaient de bonnes chansons. À la limite, il aurait accepté la critique, mais de critique — une vraie critique constructive, qui parle d'un tout et des morceaux qui forment ce tout, qui analyse le contenu et le contenant, qui replace l'œuvre dans son contexte —, il n'y en a pas eu. On le condamne par le silence, et c'est ce qui tue François parce qu'il n'a aucun moyen de se défendre.

Quelques petits journaux à potins, bien sûr, se seraient fait un plaisir de parler de lui, à condition qu'il étale sa vie privée en première page, et de façon la plus détaillée possible, mais il s'y est refusé, horrifié en plus qu'on lui demande de l'argent — c'est l'usage, semble-t-il, les plus grandes vedettes s'y plient — pour qu'on parle de lui.

Il est donc revenu sur le pont Jacques-Cartier, le point de départ de son alter ego ; tout ce qui lui reste à faire, pense-t-il, c'est d'ajouter une onzième chanson au disque, une autre complainte a cappella où le héros, ce « je » qu'il a tant aimé, qu'il a essayé de décrire du mieux qu'il pouvait, quitterait la ville à tout jamais. Et se noierait dans le fleuve.

Tiens, c'est une idée.

Il ne pense pas plus loin, il s'empêche de penser plus loin, et il grimpe sur la rambarde après avoir lancé la bouteille dans le vide. C'est froid, glissant, il risque de tomber avant le moment qu'il aura choisi. Il ne veut pas tomber du tablier du pont Jacques-Cartier, il veut se jeter du tablier du pont Jacques-Cartier. Tout tourne. L'énorme tuyau de métal est froid entre ses jambes écartées. Ça le réveille, tout d'un coup. En tout cas, il a l'impression de se réveiller. Il se voit, jambes écartées, à quelque cent pieds au-dessus du fleuve, il prend conscience du danger, du *vrai* danger qu'il court, et il se met à trembler. Lâche jusqu'au bout, pense-t-il. Il se penche un peu. Pour se prouver qu'il n'est pas si lâche. Il ne voit pas l'eau du fleuve, cachée par l'eau qui tombe. Il s'agrippe du mieux qu'il peut. Décidément trop lâche pour se tuer vraiment. Il se laisse glisser sur l'étroit trottoir de ciment, coincé entre la rambarde et le pont lui-même, et où passent peu de voitures. Il pleure d'impuissance et de frustration, écartelé sur le dos, transi, les larmes lavées par la pluie.

Il est revenu encore une fois à son point de départ.

Et il ne le quittera plus jamais, même si là, à ce moment même, étendu dans la pluie glacée, il se jure de lutter, de continuer, de recommencer à zéro, d'attendre le moment où les autres, tous les autres, seront prêts à prendre ce qu'il a à leur offrir.

Mais il fouille dans sa poche d'imperméable, à la recherche du flacon d'alcool qu'il tient toujours caché. Au cas.

*

Le nain Carmen et son barbu ont rapaillé tout ce qu'ils ont pu trouver de couvertures de laine, de manteaux d'hiver, de tuques et de mitaines. Ainsi momifié sur son lit étroit dans un coin du petit appartement de son ami peintre, François tremble et délire.

*

Quelques semaines plus tard, une belle lettre paraîtra dans *Le Devoir* et *La Presse* — pas dans le *Montréal-matin* —, une longue lettre signée par quelques-uns des plus grands artistes du Québec, où il sera question de liberté d'expression, de tolérance et, pour la première et dernière fois, du génie de François Villeneuve, de son courage et de l'injustice qui lui aura été faite. On dira du disque intitulé *François Villeneuve* que c'est un très grand disque qui marquera l'histoire de la chanson au Québec, mais il sera trop tard, le mal aura été fait et le public ne l'achètera pas.

Et François n'aura pas le courage de recommencer à zéro.

ÉPILOGUE

Trente ans plus tard. Le même point zéro. Cette fois, cependant, la nuit était magnifique, le ciel regorgeait d'étoiles, la ville scintillait, et la tour de Radio-Canada, triste râpe à fromage au milieu d'un quartier qu'elle n'avait pas vraiment réussi à faire revivre, comme l'avaient tant promis ceux qui l'avaient érigée à cet endroit, se voyait au bord de fermer à la suite de coupures de budget cruelles et répétées et autres compressions ridicules, incompréhensibles. Le Canada, qui avait trop longtemps vécu au-dessus de ses moyens, sabrait vaillamment dans la culture, pourtant éternelle parente pauvre de ses largesses ; il l'assassinait à petit feu, elle qui représentait le seul moyen qu'il possédait de se démarquer de ses envahissants voisins du Sud. Saborder ce qu'on a de particulier pour sauver quelques sous ressemblait à un suicide collectif, c'est ce qu'on chuchotait dans les corridors de plus en plus déserts de Radio-Canada.

Et François, comme tout le monde, se retrouvait à cinquante-cinq ans au seuil de la retraite anticipée, une retraite dont il ne voulait pas, malgré l'énorme prime de séparation qu'on allait lui offrir pour qu'il ferme sa gueule, parce qu'elle représentait une défaite de plus.

Le tablier avait été retouché à plusieurs reprises depuis la dernière fois où il s'était engagé sur le pont à pied, en cette terrible nuit de novembre 1965 où il avait failli y laisser sa peau. Cependant, les travaux s'étaient faits par à-coups, parce qu'on manquait d'argent. Le grand corps du pont était donc taché de neuf, alors que l'essentiel de sa structure pourrissait lentement sur ses larges pieds érodés par l'eau du fleuve.

François, le menton sur la rambarde, la bouteille de Beefeater dans une main et son disque dans l'autre, regardait sa ville.

Montréal avait bien changé ces dernières années. Longtemps, la Place Ville-Marie et la tour de la banque Canadienne Impériale de Commerce avaient dominé le centre-ville; on pouvait alors tracer la silhouette de Montréal en quelques traits de crayon: la montagne avec sa croix, deux édifices, en bas à gauche, dont un cruciforme — décidément, son héritage catholique n'était pas près de disparaître! — et le tour était joué, on savait que c'était elle, comme on pouvait reconnaître Paris à une esquisse de la tour Eiffel ou New York à un dessin de l'Empire State Building, aussi mal exécutés fussent-ils. Mais depuis dix ans, une quinzaine de bâtisses, toutes plus laides les unes que les autres, étaient montées à l'assaut du ciel de l'ancienne métropole, et Montréal ressemblait désormais à n'importe quelle autre ville de seconde importance d'Amérique du Nord.

François avait beau fixer son attention sur Montréal, qui clignotait joliment dans l'air du soir, la raison pour laquelle il s'était rendu jusque-là lui grignotait vicieusement le cerveau.

L'écoute de son disque terminée, il avait beaucoup pleuré. Penché sur sa table de travail, la main sur le téléphone parce qu'il savait que sa seule chance de survie était d'appeler Constant pour qu'il vienne à son aide, il avait laissé couler ses larmes et sa morve sur le lecteur de disques compacts, sans se moucher, se contentant de temps en temps de passer la manche de sa chemise sur son nez ou ses mains sur ses yeux.

Parce que ce disque était beau. Plus que beau.

Il avait même remis la dernière chanson. Plusieurs fois. Pour que ça fasse plus mal. Puis il avait quitté son bureau sans appeler Constant à son secours.

Et là, maintenant, appuyé sur le métal encore chaud du pont, il laissait les souvenirs des trente dernières années, ce long ruban grisâtre de son existence fuckée, revenir un à un, tristes à mourir dans leur embarrassante banalité : son entrée à Radio-Canada comme préposé à la discothèque, grâce à l'appui de Philippe de Bellefeuille, son transfert à la technique au bout de quelques années, puis, couronnement de sa brillante carrière, sa nomination comme réalisateur de radio. Ironie du sort — ou pur masochisme —, il était devenu un grand spécialiste de l'histoire de la chanson francophone mondiale et il réalisait depuis déjà longtemps une émission fort prisée de la poignée de fidèles encore attachée à la radio FM de Radio-Canada, émission de chansons à texte animée par une femme d'un certain âge, à la voix douce et à

353

l'intelligence vive, qu'on avait sans ménagement expulsée de la télévision simplement parce qu'elle vieillissait. À la télévision, les hommes ont le droit de vieillir, de montrer des rides précoces et même de vilaines dents, pas les femmes.

Seule éclaircie dans cette forêt de grisaille qu'a été sa vie, la venue de Constant, de son corps noir, de sa finesse, de sa lucidité, de sa générosité. De son dévouement. De son amour.

Il avait dépassé depuis longtemps le stade où il s'en était voulu de ne pas avoir lutté, lui pourtant si téméraire, de ne pas avoir eu le courage de recommencer à zéro après la sortie de son disque. Mais quand on a enregistré de si belles chansons, justement, quand il a été question, ne fût-ce que le temps d'une promesse, de faire la Place des Arts, quand on a envisagé une grande carrière parce qu'on était sûr de son talent, on ne peut quand même pas retourner au El Cortijo chanter pour de faux intellectuels qui ne vous écoutent pas, ou à la la Grelochette où les débutants affrontent un public souvent amorphe. Ou au Patriote! Il refusait de considérer le Patriote comme un aboutissement! Et qu'aurait-il pu faire d'autre que se saouler au milieu du silence exaspérant qui s'était fait autour de son existence? Se saouler et disparaître de la circulation comme un animal blessé qui se cache sous la galerie pour lécher ses plaies et attendre qu'elles guérissent? Évidemment, l'alcool aidant, parce que c'était un faux remède, une béquille débilitante, ses plaies n'avaient jamais guéri.

L'alcool aidant...

Il contempla son disque — sa tête d'il y avait trente ans, ce sourire qui aurait pu devenir fameux, sa guitare qu'il allait rageusement fracasser contre le mur de l'appartement du nain Carmen, un soir de beuverie —, puis la bouteille de Beefeater avec son joyeux et ridicule petit bonhomme souriant qui semblait le narguer. L'inviter à être guilleret. Et joyeux. Et malade comme un cochon.

Il regarda ensuite son disque tomber vers l'eau sale en tournant sur lui-même. Bien sûr, il ne l'entendit pas crever la surface du fleuve, faire son trou avant d'être emporté par le courant. Mais il pouvait très bien l'imaginer coulant parmi les poissons malades en pleine mutation et les déchets toxiques.

Il leva sa bouteille à la santé de sa ville.

Un gars fucké, sur un pont tremblant, au sortir d'une tour condamnée, au cœur d'une ville appauvrie, dans un pays qui méprisait sa propre culture. Tiens, il n'avait pas pensé au Québec. La Belle Province. Qui par deux fois avait eu des velléités de se donner des airs de pays. Et qui par deux fois avait passé à côté de l'Histoire. Non, le Québec avait fait l'Histoire, après tout, il pourrait même sûrement figurer au livre des records Guinness! Refuser à deux reprises, et démocratiquement, de devenir un pays! La dernière fois, pourtant, il avait bien failli. Ben oui. Il avait failli. Comme lui, François, avec sa naïveté et sa grande gueule.

Il déboucha la bouteille, l'approcha de son nez.

Tous les dry martinis qu'il avait bus dans sa vie, les milliers de dry martinis avec deux olives et deux cure-dents, s'il vous plaît, barman, j'aime pas me servir du même cure-dent deux fois, lui revinrent à l'esprit, et il se mit aussitôt à trembler.

Il se rappela la chair dure de l'olive sur sa langue, la goutte d'alcool qui y pendait toujours, comme une promesse, une introduction aux plaisirs qui allaient suivre, ses papilles gustatives qui se réjouissaient, s'excitaient, se gavaient, en redemandaient, exigeaient d'en avoir plus, toujours plus. La chair de l'olive dans sa bouche mêlée à celle du piment rouge, plus molle et plus piquante. Et la boisson glacée qui coulait dans la gorge d'abord sans brûler, qui se creusait un nid dans l'œsophage pour ensuite exploser un peu plus bas, à côté du cœur. La belle brûlure! Les larmes qui lui montaient aussitôt aux yeux, chaque fois. Des larmes de reconnaissance. Pour l'oubli qui venait. Les dix, puis quinze, puis vingt, puis vingt-cinq années qu'il fallait effacer de sa mémoire pour survivre. La survie par l'oubli. Et, au cours des années, l'oubli qui ne vient plus parce que l'alcool, trop d'alcool, ravive les souvenirs au lieu de les éteindre…

Mais là, ce soir, s'il recommençait, s'il vidait cette bouteille à la santé de son merveilleux disque compact, qui allait sûrement faire un malheur trente ans trop tard, l'oubli viendrait peut-être, parce qu'il n'avait pas bu depuis si longtemps et que ses veines sevrées, nettoyées, régénérées étaient sûrement redevenues avec les années le réseau idéal par où la bienheureuse inconscience pouvait s'introduire en lui, engourdir son corps et son esprit!

Sinon...

Il étira un peu le cou.

La deuxième fois serait-elle la bonne?

*

«Bonne journée, madame, bonne journée, monsieur. Aujourd'hui, nous vous avons préparé une émission toute spéciale. En effet, comme nous vous le promettions depuis déjà quelques mois, un disque compact des chansons introuvables de notre réalisateur, François Villeneuve, vient tout juste de sortir et nous lui consacrons aujourd'hui toute l'heure. Préparez-vous à recevoir un choc. C'est un disque admirable, intelligent, d'une très grande sensibilité, les textes sont sûrement parmi les plus beaux jamais écrits au Québec, la voix de François Villeneuve unique, bref, c'est un *très grand disque* qui marquera notre histoire, j'en suis persuadée. Pour nous parler de sa sortie plutôt... je dirais particulière, il y a trente ans, nous avons invité l'artiste lui-même, notre sympathique réalisateur. Malheureusement, et cela ne lui est jamais arrivé auparavant, il est en retard, ce matin. Alors je vous invite à écouter le disque au complet, sans interruption et, après, nous aurons sûrement l'occasion de nous entretenir avec son auteur.»

*

357

À l'autre bout de la ville, dans la maison de la rue Tupper, Constant, qui était sans nouvelles de François depuis la veille, composait fébrilement le 911.

Key West, 8 janvier 1996
Entrelacs, 21 juillet 1996

OUVRAGE RÉALISÉ
PAR DÜRER *ET AL.* Á MONTRÉAL

REPRODUIT ET ACHEVÉ D'IMPRIMER
SUR ROTO-PAGE
EN JANVIER 1997
PAR L'IMPRIMERIE FLOCH
A MAYENNE,
SUR PAPIER DES
PAPETERIES DE JEAND'HEURS
POUR LE COMPTE DES ÉDITIONS
ACTES SUD, ARLES
ET LEMÉAC, MONTRÉAL

DÉPÔT LÉGAL
1re ÉDITION : FÉVRIER 1997
No impr. : 40786.
(Imprimé en France)